Адрес официального сайта Александры Марининой в Интернете
http://www.marinina.ru

МАЛЕКСАНДРА МАРИНИНА

Последний РАССВЕТ

ЭКСМО

МОСКВА
2014

УДК 82-3
ББК 84(2Рос-Рус)6-4
М 26

Разработка серии *А. Саукова*

Маринина А.
М 26   Последний рассвет / Александра Маринина. —
М. : Эксмо, 2014. — 480 с. — (А. Маринина. Больше
чем детектив).

ISBN 978-5-699-66405-4

На лестничной клетке московской многоэтажки двумя ноже-
выми ударами убита Евгения Панкрашина, жена богатого бизнесмена. Со слов ее близких, у потерпевшей при себе было дорогое
ювелирное украшение — ожерелье-нагрудник. Однако его на месте
преступления обнаружено не было. На первый взгляд все просто —
убийство с целью ограбления. Но чем больше информации о личности убитой удается собрать оперативникам — Антону Сташису
и Роману Дзюбе, — тем более загадочным и странным становится
это дело. А тут еще смерть близкого им человека, продолжившая
череду необъяснимых убийств...

УДК 82-3
ББК 84(2Рос-Рус)6-4

ISBN 978-5-699-66405-4

Глава 1

Все-таки правильно, что празднование юбилея проводится в будний день в городе, а не за городом, как стало модно в последние годы. Ноябрь перевалил на вторую половину, погода не ахти, насладиться природой и свежим воздухом все равно не получится, так какой смысл затевать шикарный праздник в таком месте, куда не каждому из приглашенных удобно добираться? Молодец юбиляр, все устроил в Москве, и гости, судя по их немалому количеству, явились все. Закатил Коля Букарин прием человек на 600, денег не пожалел, да и концертную программу обеспечил — известный певец Волько, любимец дам, славящийся исполнением лирического репертуара, в основном романсов, красавец. И поет приятно, даже на слух Игоря Панкрашина, который вообще-то к такому жанру всегда был равнодушен. Празднование проходит в двух залах, в одном — банкетные столы и сцена, в соседнем — аперитивные столы, где гости в перерывах могут походить, пообщаться, выпить и закусить. Удачно и удобно, потому что сплошное сиденье за столом ничего, кроме ненужного обжорства, не дает: общаться можно только с тем, кто сидит ря-

5

дом, а ведь серьезные деловые люди на приемы ходят совсем не для того, чтобы желудок набить. Ходят общаться, контакты налаживать, о себе напоминать, вопросы решать. И в этом смысле виновник торжества организовал все правильно. После первой части банкета — перерыв, после второй части — еще один перерыв, минут на двадцать-тридцать, потом будет десертный стол, а пока, во втором перерыве, бизнесмен Игорь Николаевич Панкрашин, холеный и весьма привлекательный мужчина пятидесяти семи лет от роду, человек небедный, председатель попечительского совета им же самим созданного фонда, с удовольствием общается с юбиляром и нужными людьми.

А вот Женечка, его жена, явно скучает. Слоняется в одиночестве, неприкаянная и какая-то растерянная, впрочем, как всегда. Из всего обилия присутствующих она знакома, наверное, всего с двумя-тремя дамами — женами его приятелей, но поди найди их в этой толпе. А так ей и поговорить не с кем. Совсем не светская его Женечка, уютная, домашняя, простая и бесхитростная, и тяжко ей на таких приемах, но как же на прием без жены явиться? Это совершенно невозможно! Это неприлично и как минимум вредит деловой репутации Панкрашина, для которого семья, жена и четверо детей — непременный атрибут. Но Игорь Николаевич готов глотку порвать каждому, кто только посмеет заикнуться, что жена нужна ему лишь для антуража. Нет, нет и нет! Он любит свою Женечку, он прожил с ней тридцать пять лет. И конечно же, он искренне жалеет ее, потерянную и одинокую в этой шумной нарядной толпе, но никуда не денешься: если в приглашении сказано «с супругой», то будь любезен, предъяви всему свету свою благоверную.

— А ты молодец, — послышался сзади негромкий, но вполне отчетливо ехидный голос.

Жора Анищенко, заместитель Панкрашина по работе в попечительском совете фонда, подкрался, как всегда, незаметно. И что за манера! Впрочем, Игорь Николаевич своего зама любил, работником тот был отменным и другом преданным, уже много лет они знакомы и близки, а то, что Жорик порой позволяет себе нелицеприятные замечания и острые высказывания, так на то он и друг. Кто кроме настоящего друга скажет правду?

— Я смотрю, ты к моим словам прислушался, хоть украшение какое-то Женьке на шею повесил, — продолжал между тем Георгий Владиленович. — Платье-то новое купить не догадался? Сколько лет она в этом платье на мероприятия ходит? Три? Или пять?

Панкрашин досадливо поморщился и вымученно улыбнулся. После последнего мероприятия, где он был с Женей, Георгий строго выговорил ему, сказав, что их контраст выглядит неприлично. Контраст? Какой еще контраст? Сам-то Игорь ничего такого не заметил, потому что видит и себя в зеркале, и Женю каждый день, и ему казалось, что они все такие же, какими были много лет назад. Да, Игорь Николаевич очень следил за собой, регулярно занимался спортом, покупал очень хорошую одежду, стригся в дорогом салоне, но это ведь было необходимо: человек, занимающийся бизнесом и зарабатывающий деньги, должен выглядеть презентабельно, иначе доверия партнеров не обретешь, таков непреложный закон делового мира. А Женя всю жизнь, пока в прошлом году не вышла на пенсию, работала на секретарской должности, то личным секретарем, то делопроизводителем, и все ее внимание было сосредоточено на семье: Игорь, муж любимый, детки, потом и внуки, дом. «Выглядеть» ей совсем не хотелось, неинтересно было, Женечка Панкрашина хорошо помнила те времена, когда жили они с Игорьком на две зарплаты, растили первых двоих детей и считали копейки. И уж тогда вопрос о том, купить ли новую кофточку Жене или спортивный костюм сыну, вообще ставиться не мог. Конечно же, костюм сыну, пусть ходит на тренировки в секцию, пусть развивается. И как-то так оно и осталось даже тогда, когда Игорь Николаевич начал зарабатывать приличные деньги. Он взял на себя финансовое обеспечение семьи со всеми вытекающими отсюда обязанностями по поддержанию имиджа делового человека, а Евгения Васильевна так и осталась секретарем-домохозяйкой, обожаемой и носимой на руках мамой и бабушкой, центром и стержнем большой семьи, неиссякаемым источником любви, внимания и заботы. Даже тогда, когда муж стал приносить в дом солидные деньги, она не бросила работу, хотя никакой такой острой надобности в ее мизерной зарплате не было: Женя хотела общения, поддержания отношений с людьми, с которыми сдружилась за многие годы, и на пенсию вышла только в прошлом году, когда 55 исполнилось.

Однако, если прислушаться к Жоркиным словам, со временем количество перешло в качество, и меры, предпринимаемые Панкрашиным для поддержания достойного внешнего вида, увели его слишком далеко от жены: сам он ухоженный, красивый, дорого и модно одетый, а жена — как уборщица, ей-богу. Он расстроился. И перед очередным мероприятием положил перед женой толстую пачку купюр и строго наказал купить что-нибудь приличное из одежды и украшений. Покупать новое платье она отказалась, зачем, говорит, в длинном черном платье я всегда выгляжу прилично, а деньги на ветер выбрасывать не нужно, ты лучше детям что-нибудь купи или так дай, в конвертике. Никак она не привыкнет к достатку, хотя Панкрашин в бизнесе уже полтора десятка лет и является человеком состоятельным, но десятилетия, прожитые на зарплату секретарши и рядового служащего, на помойку не выкинешь. Он дал Жене полмиллиона наличными, чтобы она купила себе какой-нибудь наряд и украшения, которых у нее отродясь не было, так она, глупышка, и от платья отказалась, и на ювелирку тратиться не пожелала, нашла какой-то бутик, где можно брать нарядные украшения напрокат. Зачем, говорит, их покупать, если я их не ношу каждый день, только деньги попусту тратить.

Но Женя действительно выглядит гадким утенком на этом сборище. Впрочем, наплевать, его жена — это не украшение бизнесмена Панкрашина, это его тыл, его опора и, что греха таить, надежная поддержка его репутации семьянина и чадолюбца, благодаря чему ему удается привлекать инвестиции в свой фонд. Четверых детей они с Женей вырастили, двоих родных и двоих приемных, образцовая семья, трое старших уже совсем взрослые, самостоятельные, живут отдельно, порадовали родителей внуками, а младшая, Ниночка, живет с ними, школу заканчивает. Такой женой и такой семьей можно гордиться, и совсем не обязательно жену украшать и наряжать. То есть он бы, конечно, и украшал, и наряжал, если бы Женя сама захотела. Но в том-то все и дело, что она не хочет. Она простая и сердечная баба, мать, хозяйка, она обожает своих подруг, с которыми дружит лет по двадцать, а то и по тридцать, но подруги эти — такие же секретарши и делопроизводители, как и сама Женя, работали вместе в одной огромной организации и с тех пор никак расстаться не могут. У них лишней копейки нет, а Женя — она мудрая, она знает, что любую дружбу может разрушить зависть, поэтому одевается просто и дешево, украшений не носит — как смолоду не носила, так и приучаться не захотела, чтобы подружек не нервировать и злобу в них не будить. «Хочу, — говорит, — сохранить свой круг общения, потому что если этих подруг растеряю, то других уже не приобрету, и что мне останется? Дети выросли, из гнезда выпорхнули, вот Ниночку во взрослую жизнь отправлю — и совсем одна целыми днями буду сидеть, как сычиха. Кому я нужна со своими десятью классами и трудовой биографией? Как была необразованной дурехой, так и осталась, спасибо, хоть ты меня не бросаешь, а то мог бы завести молодую, которая в Англии где-нибудь образование получала и в бизнесе разбирается». Игорь при этих словах всегда смеется и обнимает жену: ну куда он от нее денется? Где еще он найдет такую Женечку? А то, что позволяет себе разные вольности то и дело, так на прочность брачных уз это не влияет. Женечка — это святое. И потом, даже если случится невероятное, он влюбится и уйдет от Женечки, то дети его не поймут и не простят, а отношениями с детьми Игорь Николаевич Панкрашин рисковать не станет ни за что! Детей своих он обожает, что родных, что приемных. И даже с недавнего времени начал уговаривать Женю взять из детского дома еще одного ребенка. А что? Нина вот-вот школу закончит, в родительской опеке нуждаться не будет, а дом без детских голосов пуст и холоден. Самому Панкрашину всего 57, Женечке на год меньше, здоровьем их обоих природа не обидела, да и наследственность у них отличная, так что сил хватит еще одному малышу, обделенному родительской любовью, дать нормальное детство.

Он на несколько минут отвлекся на разговор со знакомым банкиром, а когда снова поискал глазами Евгению, та стояла посреди огромного зала и о чем-то оживленно разговаривала с известным певцом Виктором Волько, который уже выступал во время первой и второй частей банкета, а после перерыва, как было объявлено, будет петь снова. Панкрашин с облегчением подумал, что Женя, слава богу, нашла себе собеседника и не скучает.

Какой милый этот Виктор Волько! А еще говорят, что у известных людей звездная болезнь! Неправда это, никакой звездной болезни у певца Волько нет, и улыбка у него такая обаятельная, и голос приятный не только со сцены, но и в жизни.

Евгения Панкрашина взглянула туда, где стоял муж в компании с юбиляром и еще какими-то мужчинами. Не станет она подходить, не место ей среди этих людей, она и потом, после окончания мероприятия, успеет рассказать Игорьку, какой симпатяга этот Волько. И ведь они не знакомы, просто она проходила мимо певца, задумчиво стоявшего с бокалом вина в руках, и улыбнулась ему, ну не могла не улыбнуться, потому что романсы, которые он исполнял всего полчаса назад, вызвали у нее слезы, и улыбка казалась ей всего лишь крохотной толикой благодарности и восхищения талантом. Чем еще и как могла она выразить свои чувства известному, но незнакомому человеку? Не заговаривать же с ним. Это как-то глупо, он ее не знает, подумает еще, что она — из тех фанаток, которые пристают и потом проходу не дают. Но певец Волько ответил на ее улыбку таким теплым взглядом, что Евгения невольно замедлила шаг, проходя мимо него, а Виктор вдруг заговорил с ней, она ответила, и они поболтали несколько минут. Подумать только! Такая звезда, сам Виктор Волько — и она, никому не известная домохозяйка, да к тому же одетая далеко не так шикарно и модно, как остальные присутствующие здесь дамы. Настроение сразу поднялось, и скучный прием уже не казался таким беспросветно унылым.

— Женечка! — послышалось откуда-то из-за спины.

Евгения обернулась и, к своему облегчению, увидела группу нарядно одетых женщин, одна из которых — Аллочка — была супругой Жоры Анищенко, заместителя Игоря Панкрашина, а две другие — женами его постоянных партнеров по теннису. Евгения подошла к ним, радуясь, что можно хоть с кем-нибудь поговорить, а то на этих приемах она всегда умирает с тоски, делать ей здесь совершенно нечего, и публика вся не ее круга, с ними и поговорить не о чем, да и стесняется она, знает мало, книг почти совсем не читала, когда ей читать-то, с работой, семьей и четырьмя детьми, а теперь и тремя внуками? Ее подружки такие же простые, как она сама, с ними можно и про хозяйство поболтать, и про деток, и про мужей посплетничать, и известных актеров обсудить, а с этими о чем разговаривать? Но на таких мероприятиях с ума вообще сойдешь, если весь вечер молчать как бука. А так хоть постоит с людьми, поулыбается, а то на нее уже внимание начали обращать: ходит неприкаянная, ни с кем не разговаривает, да и одета кое-как. То есть в ее глазах простое облегающее черное платье — наряд, уместный в любых обстоятельствах, как любила говорить сама Евгения: «Хоть в поликлинику, хоть на похороны», но в этом обществе подобное мнение не разделяли. Да еще ожерелье это дурацкое, которое Игорь велел надеть. Не привыкла она к украшениям, раздражают

они, мешают, и вообще глупость какая-то. А это ожерелье еще и тяжеленное, и броское, его все замечают.
Разве человек делается лучше или хуже, добрее и умнее или глупее и зловреднее в зависимости от того,
есть на нем цацки или нет?

— О, я смотрю, наш Панкрашин расщедрился,
наконец-то на тебе появились украшения, — с нескрываемым сарказмом протянула Алла Анищенко. — Сам выбирал?

Отвечать на вопрос Евгении не хотелось. Она не
очень понимала, можно ли сказать этим дамочкам,
что колье не куплено, а взято... Нет, не надо. Не надо
вообще эту тему поднимать и обсуждать украшение.
Евгения Панкрашина была о своем уме не особо высокого мнения, относилась к себе более чем критично и очень боялась неосторожным высказыванием
или необдуманными словами повредить мужу. Лучше
промолчать.

Тем более что правду сказать она все равно не
может. Правды никто не знает. Настоящей правды.
И Игорь не знает.

Надо надеяться, что и не узнает. Иначе головы ей,
Евгении Панкрашиной, не сносить.

И она, радуясь собственной смекалке, быстро
и возбужденно заговорила о Викторе Волько. Уловка
удалась: дамы к вопросу о том, кто выбирал украшение, больше не возвращались.

Покачиваясь на заднем сиденье «Майбаха», Алексей Юрьевич Сотников предвкушал приятный вечер
в компании людей, искренне любящих ювелирное
искусство, преданных ему, знающих и очень профессиональных. Эти встречи проходят уже много
лет, раньше собирались по очереди то у самого Сотникова, то у Лёни Курмышова, то у Илюши Горбатов-

ского, но с появлением Олега Цыркова встречаться стали только у него: это удобно, у Олега большая квартира в центре Москвы, всем добираться легко, да и сам Цырков всегда заботится о том, чтобы его гостей привезли и потом отвезли домой, он терпеть не может, когда отказываются от угощения и выпивки с сакраментальным «я за рулем», посему за каждым из участников «ювелирных посиделок» неизменно присылалась машина. Олег, конечно, поначалу настаивал, чтобы собрания проходили в его загородном доме, где и места побольше, и коллекция хранится в бронированном помещении, но уж очень далеко к нему ехать, да по московским знаменитым пробкам, которые из простого неудобства давно уже превратились в фактор жизни и которые невозможно и неправильно не учитывать, планируя свои графики и дела.

Сегодня свое изделие будет представлять Илюша Горбатовский, человек с отменным художественным вкусом, в ювелирку пришедший после окончания Мухинского художественного училища в Питере и двух лет работы оформителем. Если Лёнечка Курмышов стал ювелиром поневоле, то есть по воле его родителей, отдавших мальчонку в 14 лет на выучку ювелиру, чтобы парень получил денежную профессию, и самого Лёню тогда никто не спросил, то Илюша занялся ювелирным делом осознанно, будучи уже совсем взрослым и поняв после нескольких лет колебаний и сомнений, чем именно он хочет заниматься. Интересно, что Илья сделал на этот раз? И не менее интересно, кто первым угадает заложенный в изделие смысл, послание, или, как нынче модно говорить, message. Собственно, Алексей Юрьевич и не сомневался ни одной секунды, что первым смысл послания разгадает он сам, но промолчит, как обычно, подождет, понаблюдает за горячими спорами между остальными участниками игры. Особенно забавлял его Олег Цырков, человек без всякого художественного образования, медиамагнат, безумно богатый и столь же безумно любящий ювелирный антиквариат. Олег из коллекционеров. Коллекционеров Сотников не особо жаловал, хотя и понимал, что благодаря именно этой категории людей имел в течение многих лет солидный приработок, выступая в качестве уникального эксперта по изделиям Дома Сотникова, знаменитого ювелирного предприятия, основанного еще в самом конце восемнадцатого века. К сожалению, в последнее время этот источник дохода существовать перестал, хотя коллекционеры до сих пор по старой памяти обращаются к Алексею Юрьевичу Четвертому, наследнику и достойному продолжателю дела предков, представителю восьмого поколения ювелиров Сотниковых, трое из которых носили имя Юрий Алексеевич, четверо были Алексеями Юрьевичами, и только самый первый представитель династии, Юрий Сотников, носил отчество «Данилович». Передача имени старшему сыну была такой же традицией в семье, как и многое другое, например, пожелание, чтобы дети вступали в брак не позже 25 лет. И если к девушкам такое требование применялось с известной долей мягкости — не виновата она, если никто не сватает и замуж не берет, то к сыновьям относились жестко: женись, плодись, расти детей — наследников дела, мастеров и художников. Мир мог рухнуть, но Дом Сотникова должен был процветать и крепнуть, чтобы не затеряться рядом с такими ювелирными производствами, как Дом Хлебникова, Дом Оловянишникова, Дом Овчинникова, Дом Фаберже. Да и много других традиций было бvet себя в качестве... хочет создать роман том и уважением. ...чиковых, опира-

Даже то собрание, на которое ехал Алексе...ьма, дневвич Сотников Четвертый, тоже было частью унаслием дованной с середины девятнадцатого века традиции.

Водитель проехал шлагбаум, отделяющий от улицы охраняемую территорию дома элитной застройки. Пока он парковался, из подъезда, где находилась квартира Цыркова, вышли два человека в униформе с логотипом, и точно такой же логотип был на автомобиле, в который они сели. Доставка из ресторана. Олег — хозяин гостеприимный, и собрания ювелиров всегда сопровождались изысканным ужином, который обслуживали специально приглашенные для такого случая официанты. Сотников считал это барством и излишеством, не такой уж серьезный банкет — ужин на четверых, могли бы и попроще его обставить и вообще могли бы сами еду подогреть, разложить по тарелкам и поставить на стол, не говоря уж о том, что вовсе не обязательно заказывать блюда из ресторана, вполне можно и в хорошей кулинарии купить полуфабрикаты и закуски. Но у Олега свои причуды, он метит в капиталисты, ему лавры Форбса покоя не дают: известно ведь, что именно Форбс собрал самую большую коллекцию изделий Фаберже. Олег в «фабержисты» не метит, не хочет быть банальным, у него другие критерии отбора экземпляров для своей коллекции. В Олеге Цыркове вообще было много такого, что ужасно раздражало Алексея Юрьевича в других людях, но Олегу он прощал многое, даже, можно сказать, всё, потому что сорокалетний магнат горел любовью к ювелирному искусству и искренне хотел научиться разбираться в нем не хуже настоящих профессионалов. Ему все было интересно, он не уставал задавать вопросы

...квартиры, высоченный худощавый брю-
...с симпатичным загорелым лицом и веселыми
глазами, сам открыл дверь и проводил Сотникова
в просторную гостиную, где уже сидел Илья Ефимович Горбатовский, заполнивший рыхлым телом отнюдь не узкое кресло.

— Ты, как всегда, первый, — вместо приветствия
заметил Сотников.

Горбатовский шевельнул крупными мягкими губами, пытаясь изобразить улыбку. Пожав руку Сотникову, он буркнул:

— Так мне ближе всех ехать.

Илюша не в настроении, это сразу видно. Впрочем, ничего удивительного, в последние пару лет он
всегда напрягается, если рядом с ним находится Лёнечка Курмышов. И хотя Лёня еще не пришел, Илюша уже весь набычился и иголки выставил.

Олег вкатил в комнату тележку с напитками, до таких простых действий он снисходит сам, официанты сидят в отдельной комнате и ждут, когда наступит
время «подавать». Горбатовский, как обычно, налил
себе коньяку, Сотников всегда пил только хорошие
вина, в гостях ничего более крепкого себе не позволял, а сам хозяин предпочитал виски. Если бы Лёня
был здесь, он бы наверняка хлопнул стакан водочки.

— Как двигается книга у Юры? — спросил Цырков, усаживаясь в свободное кресло между Горбатовским и Сотниковым.

Алексей Юрьевич всегда радовался, если его спрашивали об этом. Сыном Юрием он гордился, хотя
тот и впервые за два столетия нарушил традицию:
будучи старшим сыном, не принял профессию ювелира и захотел стать журналистом, а теперь про-

о восьми поколениях ювелиров Сот...
ясь на сохранившиеся в семье записки, пис...
ники и учетные книги. И Сотников с удовольств...
принялся рассказывать о том, как идет работа над
романом.

— Почитаешь нам что-нибудь новенькое? — попросил Горбатовский.

— Сейчас посмотрю. — Сотников полез в карман за айфоном. — Юрка обещал скинуть мне на почту то, что написал вчера. Если не забыл, как обычно.

Он покопался в электронной почте и нашел сегодняшнее письмо от сына с прикрепленным файлом.

— Есть!

«Переломным этапом в развитии Дома Сотникова стали годы, когда во главе предприятия стоял родившийся в 1815 году Юрий Алексеевич Первый Сотников. О кардинальном повороте в концепции изделий в 1845 году мы уже говорили, а вот в 1853 году произошло событие, положившее начало очень важной и интересной традиции.

Заказчиком изделия был богатый золотопромышленник Изотов. Он хотел сделать подарок своему покровителю, какому-то князю, и очень просил, чтобы «было позаковыристее, ибо их светлость страсть как любит все необычное и не такое, как у других». Изделие изготовили, но Изотов при виде его недовольно скривился: просто-то как! И ничего необычного.

— Ну и что тут такого? — спросил он Сотникова. — Я ведь просил: позаковыристее. А вы мне тут что сделали? Ерунду какую-то.

Юрий Алексеевич приподнял брови.

— Ерунду? По-вашему, это ерунда, милостивый государь? В таком случае, будьте любезны, скажите мне, что в сией вещице зашифровано?

Изотов покрутил в пальцах крохотную табакерку, приблизил к глазам, даже лупу попросил у ювелира, после чего в раздражении чуть ли не швырнул изделие на стол.

— Да ничего! Табакерка как табакерка, я такие десятками видал.

— А вот и не правы вы, милостивый государь, — тонко улыбнулся Сотников. — Здесь, в этой вот крохотной вещице, смысл заложен глубокий, только вам его не разгадать — образования не хватает. А ваш покровитель наверняка все поймет.

— Брешешь! — Золотопромышленник выкатил глаза и глянул устрашающе. — Спорить буду, что брешешь. Нет тут ничего.

— А вот вы проверьте, — весело предложил Юрий Алексеевич. — Сходите к знающим людям да и спросите их, видят они здесь хоть что-нибудь или уж и вовсе ничего.

— Ну а ежели окажется, что и вовсе ничего? — прищурился Изотов.

— Тогда отдам вам вещицу бесплатно, аванс весь верну, — пожал плечами ювелир. — А вот если окажется, что смысл есть, то уж...

— Тут не сомневайтесь, — хмыкнул заказчик. — В долгу не останусь, за поделку заплачу вдвойне.

«Поделка»! Ничего более оскорбительного сказать об этом произведении ювелирного искусства было невозможно. Сколько труда, сколько фантазии было вложено в нее, сколько знаний!

Золотопромышленник Изотов слов на ветер не бросал, и уже на следующее утро в кабинет Юрия Алексеевича Первого постучали.

— К вам его благородие господин Клатт пришли, — доложил слуга.

— Проси, — кивнул Сотников.

Ювелира Рихарда Клатта, предки которого поселились в России еще при Елизавете, Сотников отлично знал и глубоко уважал.

Оказалось, что от Сотникова накануне золотопромышленник отправился прямо к Клатту и попросил (за деньги, разумеется!) посмотреть табакерку и сказать, есть ли в ней что-то эдакое, что от простого взгляда сокрыто. Клатт рассмотрел вещицу, кое-что сумел сказать, но кое-что осталось непонятным и ему самому. О чем он честно и сообщил странному посетителю.

— Награда должна быть заслуженной, — уверенно произнес немец. — Это однозначно вытекает из сочетания цветов на данной вещи. Точно такое же сочетание цветов было на памятном ордене, изготовленном в единственном экземпляре для одного из наполеоновских генералов после египетской кампании. Причем орден, по мнению большинства военачальников того периода, был им не заслужен. Об этом в свое время много говорили. Но тут есть кое-что, смысла чего я не понимаю. Вот этот вензель в сочетании с камнем, ограненным подобным образом... Это не может быть случайным. За этим явно что-то стоит, но у меня не хватает знаний, чтобы вскрыть смысл должным образом.

Изотов ушел изрядно озадаченным, а сам ювелир Клатт решил на следующий же день идти к автору изделия и прояснить у него вопрос до конца. Выслушав подробные объяснения Сотникова, Клатт покачал головой.

— Бог мой, Юрий Алексеевич, голубчик, да как же все это умещается в вашей голове? Помыслить невозможно, как много вы знаете. Благодарен вам за разъяснения от всей души. И позвольте высказать просьбу: ежели еще когда-нибудь придется вам делать не-

что подобное, со скрытым смыслом, не сочтите за труд, покажите вещицу мне, только не рассказывайте ничего. Если отгадаю — буду гордиться собой, а уж коли нет — стану вам платить, как договоримся.

Предложение Юрия Алексеевича удивило и позабавило изрядно, однако он согласился. И поскольку Дом Сотникова начиная с 1845 года делал в основном изделия «со смыслом», встречи двух ювелиров стали регулярными. Примерно через год Рихард Клатт попросил позволения привлечь к отгадыванию еще одного ювелира, голландца по происхождению, и тут уж начали делать ставки. Кто первым отгадывал, тот и забирал выигрыш. Если отгадать не удавалось ни немцу, ни голландцу, деньги доставались Сотникову. Через три года в компании появился четвертый участник — один из старших мастеров Дома Хлебникова.

Так и возникла традиция, которая поддерживалась из поколения в поколение...»

Горбатовский слушал, прикрыв глаза и сложив пухлые руки на необъятном животе. По лицу его разливалось удовлетворение, казалось, он даже о Курмышове забыл.

Но не забыл хозяин квартиры. Олег Цырков посмотрел на часы и проговорил озабоченно:

— Что-то Леонид Константинович опаздывает уже на час почти.

— Пробки, — равнодушно бросил Горбатовский. — Стоит, наверное, где-нибудь.

— Позвоню водителю, узнаю, где они и как скоро будут, — решил Цырков.

Водитель же с недоумением заявил, что уже часа два как стоит перед подъездом, в котором живет Леонид Константинович, а пассажир все не выходит.

— Я уж ему и на домашний телефон звонил раз пять, и на мобильный звоню постоянно, — оправдывался он, — а Леонида Константиновича нет и нет. Если бы знал номер квартиры, я бы поднялся и в дверь позвонил, может, у него городской телефон сломан или еще что.

— Номер квартиры? — переспросил Цырков.

— Пятнадцать, — подсказал Сотников тут же.

— Квартира пятнадцать, — повторил в трубку Олег. — Поднимись, пожалуйста, потом мне перезвони.

Через несколько минут водитель перезвонил и сообщил, что дверь никто не открывает, и никаких звуков из квартиры не слышно.

— Странно, — пожал плечами Цырков. — Леонид Константинович сказал, что забирать его надо в восемнадцать тридцать из дома, я это отчетливо помню, да у меня и записано. Ладно, стой там и жди, может, появится.

Он откровенно злился, но как гостеприимный хозяин и просто хорошо воспитанный человек старался этого не показывать. А вот Илья Ефимович Горбатовский своих эмоций не сдерживал.

— Вот Лёнька весь в этом! — раздраженно ворчал он, сверкая выпуклыми яркими глазами. — И что за идиотская манера выключать телефон и потом не включать или просто не брать трубку, если ему, видите ли, не хочется ни с кем разговаривать! И вообще, он своей необязательностью и безответственностью всех уже достал, пропадает — и ищи его потом! Никогда с людьми не считался, никогда не думает о том, что его ждут и ищут. Свинство какое-то.

Сотников молчал, не поддакивал и не защищал Курмышова. Просто думал о том, что Илюша, конечно же, прав во всем, но он, Сотников, знает и любит

Лёню много лет. Лёнька всегда был таким, с самого детства. Руки поистине золотые, а вот характер сомнительный.

Лёня был на четыре года старше Алёши Сотникова, когда после окончания восьмого класса пришел к Алёшиному отцу на выучку. При советской власти все было не так, как нынче. Юрий Алексеевич Третий Сотников работал, как и подавляющее большинство ювелиров того времени, в службе быта, но самые главные свои изделия выполнял частным образом на дому. И вот именно домой к ювелирам и приходили мальчики, за которых родители платили по три рубля в месяц, чтобы пацан мог постоять за спиной у Мастера и чему-то научиться. Сначала ученики просто смотрели, а заодно и слушали объяснения и наставления учителя, и только на втором году им разрешалось самим выполнять какие-нибудь несложные работы. Ну а о том, что сын Мастера приобщался к делу с младых ногтей, и говорить нечего. К своим десяти годам Алеша уже много чего знал и умел.

Дальнейшая судьба у Алеши Сотникова и Лёни Курмышова тоже складывалась более или менее одинаково: оба, с разницей в 4 года, закончили училище по подготовке огранщиков, ювелиров и сопутствующих профессий при Гохране СССР. Вообще-то Алешин отец их и без всякого училища всему обучил, но необходим был диплом, ибо только на его основании можно было получить документ, разрешающий работать ювелиром. После училища оба работали на опытно-экспериментальном ювелирном заводе на улице Лавочкина, и оба, разумеется, занимались выполнением частных заказов. Все было одинаковым у двоих друзей, кроме одного: Алексей Сотников решил получить высшее образование, хотя по большому счету для ювелирной работы оно было совершенно не нужно. А вот Леонид оставался вполне довольным тем объемом знаний, который у него был.

Когда официально разрешили, Сотников открыл собственную фирму, маленькую мастерскую, в которой занимался только изготовлением индивидуальных заказов, сам был и владельцем, и главным исполнителем всей работы от эскиза до закрепки камней, а подмастерья сидели на шлифовке, полировке и прочих несложных операциях. Алексей Юрьевич продолжал блюсти традиции рода Сотниковых, делая только так называемые сентиментальные изделия, в которые опять же, согласно традиции, должен быть заложен некий скрытый смысл, причем делал он не только украшения, но и предметы бытового назначения: рамки для фотографий, ручные зеркала, сумочки, косметички, сигаретницы, футляры для мобильного телефона, визитницы, портсигары, шкатулки для драгоценностей, вазочки, фигурки, каминные часы и многое другое. В каждое изделие он вкладывал скрытый смысл — послание, фразу, идею, для чего использовал ассоциативный ряд на основе известных исторических фактов, связанных с камнями или изделиями, с историей возникновения того или иного узора, направлением в ювелирном искусстве или в искусстве вообще, техникой, сочетаниями цветов. Для ювелиров Сотниковых имели значение, кроме того, язык цветов, мифология камней, произведения литературы, живописи и архитектуры — одним словом, все, что так или иначе может быть интерпретировано. Массовкой Алексей Юрьевич не занимался.

К нынешнему времени штат маленькой поначалу мастерской разросся до 12 человек, Сотников стал заниматься огранкой сырья для своих изделий, набрал огранщиков, арендовал помещение в здании бывшего завода «Кристалл», и жена Людмила, художник-дизайнер по профессии, стала его бессменным помощником на этапах разработки эскизов. Лёня же Курмышов еще много лет оставался частником-надомником, выполняя заказы своей многочисленной, сложившейся за длительный период клиентуры — звезд театра, кино, эстрады и шоу-бизнеса. Однако после болезни у него резко упало зрение и стала плохо слушаться правая рука, выполнять тонкие работы Леонид уже не мог и занялся изготовлением ювелирной массовки, стал хозяином небольшого производства, а сидит там же, где и Сотников, на «Кристалле», где арендуют помещения более 100 фирм, связанных с торговлей камнями и ювелирным производством. Это удобно: на заводе «Кристалл», в советское время занимавшемся огранкой драгоценных камней, есть все необходимое — и производственные мощности, и инфраструктура, и внешняя охрана, и специальный бункер для хранения ценностей.

Алексей Сотников и Леонид Курмышов оставались друзьями много лет. И продолжают ими оставаться.

Несмотря на то, что сделал Лёня.

Сотников вздохнул и едва заметно улыбнулся своим мыслям: они все-таки близкие люди, и многолетнюю дружбу не так-то легко перечеркнуть. Да и незачем, ведь Лёня своей вины и не отрицает.

Он расслабился в удобном кресле и непроизвольно вздрогнул, когда раздался звонок в дверь. Олег Цырков поспешил открывать.

И через мгновение из прихожей раздался сочный бас Курмышова:

— А мне надо было в одно место по делу, я оттуда на такси приехал.

Горбатовский выразительно посмотрел на Сотникова: мол, как тебе это нравится? Ему НАДО было! А позвонить и предупредить, чтобы машина его не ждала возле дома, не надо было? Просто хамское отношение к людям, больше никак это не назовешь. Сотников слегка опустил веки и покачал головой: Лёню уже не переделаешь, примем его таким, какой он есть.

Курмышов буквально ввалился в комнату, кряжистый, мужиковатый, нос картошкой, лоб в глубоких морщинах. Усы с бородой, носимые с молодости, скрывают простоватость лица, но Сотников-то хорошо помнит, какое у Лёни лицо на самом деле. От природы Курмышов был весьма некрасив, однако ухоженные густые вьющиеся седые волосы, которые он носит чуть длинноватыми, и красивой формы растительность на лице вкупе с невероятным обаянием делали его настолько привлекательным, что женщины всю жизнь вились вокруг него и отчаянно влюблялись. Он не утратил этой своей мужской привлекательности, даже несмотря на болезнь, и оставался по-прежнему широким, веселым, общительным, шумным и искренним. Хотя, на взгляд Сотникова, и простоватым. Взять хотя бы его манеру одеваться — ярко, броско, как принято в шоу-тусовке, с которой Лёня тесно связан и с которой берет пример. Такая одежда больше пристала молодым мужчинам. Впрочем, Лёнька всегда боялся старости, гонится за молодостью, стареть не хочет. Да и до женского пола охоч чрезвычайно, что тоже стимулирует погоню за моложавостью. Видит Алексей Юрьевич все недостатки своего друга, видит, понимает. А все равно любит.

— Мне здесь нальют, я надеюсь? — громогласно вопросил Курмышов. — Сюда-то я сам добрался, а домой пусть меня твой мальчик отвезет, — добавил он, обращаясь к хозяину дома.

Цырков молча кивнул и налил прибывшему гостю водки из высокой толстостенной бутылки-графина.

Горбатовский все никак не мог успокоиться и тут же принялся выговаривать Леониду:

— Лёнька, у тебя есть совесть? Ну как так можно? Мы тебя ждем, Славик, несчастный, стоит у подъезда и тоже тебя ждет, а ты куда-то свалил и даже не предупредил, чтобы водителя за тобой не посылали, ну что это такое: парень стоит перед подъездом, ждет, нервничает, а ты уехал невесть куда и явился своим ходом. Надо же уважать людей все-таки!

Курмышов залпом отпил добрых полстакана и беззаботно махнул рукой.

— А, подумаешь, постоит, не развалится, это его работа, он обслуга.

И снова Сотников внутренне поморщился. Огромное количество людей, выросших в простоте и бедности, став взрослыми и состоятельными, хорошо помнят свое детство и с уважением относятся к тем, кто не так богат и успешен, как они сами. В семье Сотниковых традиционно, еще со времен Юрия Даниловича Сотникова, имевшего скромное ателье по изготовлению ювелирных изделий, никогда не делили людей на хозяев и прислугу, на мастеров и подмастерьев, ко всем относились с любовью и уважением. Но Лёня Курмышов, к сожалению, относился именно к категории людей, о которых принято презрительно говорить «из грязи в князи»: он старательно открещивался от своего бедняцкого детства и своих родителей — честных работяг, демонстрируя отвратительные, по мнению Сотникова, барские замашки.

Но даже при всем этом Алексей Юрьевич не переставал любить своего старого друга.

— Ну что, друзья мои, приступим? — спросил Олег.

Было видно, что ему не терпится начать игру. Молодой, богатый, азартный, он ни разу еще не выиграл, всегда выходил из игры с финансовыми потерями, но сам процесс вызывал у него восхищение и глубокий интерес.

Положив перед Ильей Ефимовичем чистый лист бумаги, ручку и конверт, Олег деликатно отошел в сторону, чтобы ненароком не увидеть написанное. Сотников и Курмышов тоже поднялись со своих кресел и отошли от Горбатовского, который, нагнувшись над низким широким столом, должен был записать закодированное в его изделии «послание». Листок с текстом он положит в конверт, сам конверт заклеит, положит на серебряный подносик девятнадцатого века «для писем и визитных карточек» вместе со своей ставкой, на тот же подносик лягут деньги остальных участников игры, после чего поднос перенесут от стола подальше, но оставят в том же помещении, в зоне видимости всех четверых. Игра должна быть честной, и все должны быть уверены, что к конверту никто не прикоснется до окончания обсуждения. Кто отгадает задумку ювелира, тот возьмет выигрыш. Если не отгадает никто, деньги достаются тому, кто был наиболее близок к правильному ответу. Если никто даже не приблизился к ответу, деньги забирает ювелир — автор изделия, но при условии, что он убедительно обоснует все ассоциативные связи, которые должны были привести от внешнего вида изделия к смыслу послания. А то ведь можно сделать статуэтку балерины и заявить, что это траурный подарок с посланием «я буду любить тебя вечно», дескать, я так вижу, я художник. Никаких «я так вижу» в этом сообществе не принималось. Только логика, факты и знания.

Наконец, все четверо расселись вокруг стола, и Илья Ефимович Горбатовский предъявил свое изделие — подвеску в форме равностороннего треугольника, состоящего из шести гранатовых полос, пустоты между которыми заполнены полосами из бриллиантов и бирюзы, и окаймленного по периметру полоской из черных бриллиантов. Сотников, Курмышов и Цырков впились в нее глазами, а Илья Ефимович, как предписывалось правилами игры, давал профессиональное описание, указывая количество и качество камней и использованных металлов.

— В основании треугольника — трехкаратный гранат овальной формы, — негромко и неторопливо произносил ювелир. — В полосах сорок гранатов общей массой пять карат, шестнадцать белых бриллиантов общей массой три карата, пятьдесят штук бирюзы примерно на пять карат, шестьдесят черных бриллиантов общей массой в шесть карат. Цепь веревочного плетения состоит из двадцати граммов золота семьсот пятидесятой пробы, вставки на цепочке состоят из бирюзы, гранатов и мелких бриллиантов.

Первым начал говорить, впрочем, как и всегда, Олег Цырков:

— Треугольник — символ триединства, равновесия трех начал... Бог открылся людям трижды: в своем Творении, в своем Слове, в своем сыне Иешуа... Три состояния единого мира — прошлое, настоящее и будущее...

Сотников молча улыбнулся: Олег в своем репертуаре, его сразу тянет в философию и эзотерику.

— Трехмерность места, времени и пространства, — продолжал хозяин дома.

29

Разумеется, он вспомнил и египетские пирамиды, и масонские треугольники, и Лувр, и многое другое. Образованный человек. Он мог бы рассуждать еще очень долго, но его перебил Курмышов.

— Странный набор камней, Илюша, — заметил он. — Немодный совсем. Гранаты с бирюзой — это дурновкусие, а уж сдабривать это бриллиантами... Не знаю, не знаю... Впрочем, ничего, веселенькая такая вещичка получилась, яркая, с настроением. Передает радость жизни. Кстати, напоминает парашют по форме и такая же разноцветная. Так, так... — Он задумчиво поправил очки с дымчатыми стеклами в дорогой оправе на широкой переносице. — Парашют — адреналин — драйв — энергия, активность... Слушайте, а вообще-то это триколор напоминает, белое-красное-синее, только не пойму, наш флаг или французский.

Остальные расхохотались, а Леонид Константинович между тем продолжал:

— О! Я еще вспомнил детскую песенку: «Разные, разные, голубые, красные...» Только я дальше не помню слов. Там белое или черное упоминается?

— Нет, — с трудом переведя дыхание от смеха, ответил Сотников. — Черного и белого там нет, там есть желтое и зеленое.

— Да? — удивился Курмышов. — Надо же, я совершенно ничего не помню, кроме этих четырех слов. А ты помнишь?

— Помню, — кивнул Алексей Юрьевич.

— Ну, прочти.

— Зачем?

— А вдруг там есть что-то? — Курмышов скосил глаза на Горбатовского, который сидел с непроницаемым видом, ни единым движением мышц не давая понять, насколько близки участники игры к разгадке.

Сотников подумал несколько секунд и продекламировал:

> В праздники на улицах
> В руках у детворы
> Горят, переливаются
> Воздушные шары.
> Разные-разные,
> Голубые,
> Красные,
> Желтые,
> Зеленые
> Воздушные шары!

Курмышов огорченно повел мощными плечами.

— В самом деле, ни белого, ни черного... Но голубые и красные-то есть. А кто автор?

— Аким, — произнес Сотников, удивляясь, что в памяти внезапно всплыло давно забытое имя, которое он знал когда-то в далеком детстве. — Яков Лазаревич Аким.

И тут же вспышкой пронеслось в сознании все, что родители когда-то рассказывали ему об этом поэте.

«Надо вспомнить, — подумал Сотников. — Возможно, сочетание цветов в подвеске — отсылка к биографии Акима. Лёнька наверняка не знает ничего, уровень не тот, а вот Илюша — тот знает. Или может знать. Так... Яков Лазаревич родился в начале двадцатых годов, фронтовик, отец хорошо играл на скрипке, был самоучкой, мать играла на гитаре и мандолине, пела. Младший брат стал крупным ученым в области космонавтики и планетологии... Что еще я помню из рассказов мамы? Аким собирался стать химиком, учился в химико-технологическом институте, но уже тогда интересовался творчеством и посещал литобъединение... Бросил институт после третьего курса... Или после четвертого? Не помню. Но точно помню, что не доучился. Что из этой информации можно выжать? Нет, пожалуй, дело не в Акиме, это меня занесло».

— Можно? — Он протянул руку к подвеске и вопросительно посмотрел на автора изделия.

Горбатовский кивнул и почему-то усмехнулся, бросив на Алексея Юрьевича острый и недобрый взгляд. Сотников аккуратно взял подвеску и положил перед собой на чистый лист белой бумаги — так ему легче было отделять то, что связано с формой, от всего прочего — камней, цветов, огранки, работы.

«Треугольник и шесть полос, — прикидывал он, не отрывая глаз от подвески. — Сочетание бирюзы, гранатов и бриллиантов, такое нетипичное для наших дней, но зато очень модное и широко употребляемое в тридцатых-сороковых годах девятнадцатого века. А сочетание этих камней с шарнирами, использованными в цепочке, сужает временной интервал, шарниры появились не раньше 1840 года. Из изделий этого периода я прекрасно помню браслет из золота с бирюзой на шарнирах, датированный 1841 годом, одно из немногих изделий, год изготовления которых известен точно. Что может означать такой современный треугольник, активный, энергичный и в то же время уравновешенный, в сочетании с ясно читаемыми отсылками к 1841 году? Год смерти Лермонтова... Точно! «Герой нашего времени», сцена дуэли Печорина и Грушницкого.

«Площадка, на которой мы должны были драться, изображала почти правильный треугольник. От выдавшегося угла отмерили шесть шагов и решили...»

Произведение написано в 1840 году, а в 1841-м Лермонтов погиб. Указание на дату совершенно однозначное. Треугольная площадка. Шесть гранатовых полос, символизирующие шесть шагов. И овальный гранат в основании — как огромная капля крови».

Алексей Юрьевич поежился невольно и бросил взгляд на Горбатовского. Тот ответил ему прямым, твердым и холодным взглядом. Сразу понял, что Сотников задумку разгадал.

«Неужели у Илюши кончилось терпение? Ведь это изделие — прямая, неприкрытая угроза, вызов на дуэль, готовность идти до конца. Может, с Кариной что-то не так? Довел ее Лёнька своими выкрутасами? Илья никогда не скажет, он такой».

Сотников выиграл. По пухлому лицу Ильи Ефимовича Горбатовского разлилась удовлетворенная улыбка, словно все деньги достались именно ему. И Алексею Юрьевичу от этой улыбки стало не по себе.

А Леонид Курмышов хохотал искренне и задорно.

— Илюха, это кого же ты на дуэль собрался вызывать? Ты будешь мстить, и мстя твоя будет страшна, да?

Горбатовский недобро ухмыльнулся, но Леонид, похоже, ничего не замечал и вообще на свой счет не принял. Однако открытого конфликта допускать нельзя, решил Сотников, довольно и того, что он давно уже тлеет в скрытом виде.

— Кто заказчик, Илюша? — спросил он.

— Мужчина, лет сорок пять — сорок семь, денежный, хочет сделать дочке подарок на двадцатилетие, — спокойно ответил Илья Ефимович.

— Ну вот, теперь все понятно, — сделал вывод Сотников. — У Лермонтова ссора Печорина с Грушницким произошла из-за чести дамы, вот заказчик, вероятно, даря своей молоденькой дочери такое изделие, и хотел сказать, что не позволит никаким проходимцам сделать ей больно. Ведь так, Илюша?

Горбатовский долго молча смотрел на Сотникова, потом кивнул.

— Да, конечно, ты прав, как всегда. Именно это заказчик и хотел.

«Что ж, — подумал Алексей Юрьевич, — Илюша быстро сориентировался, но ответил неудачно. Вся Москва знает: если ты хочешь изделие с посланием, надо идти к Сотникову. А уж никак не к Горбатовскому. Но Лёня и этого не заметил.

Ах, Лёня, Лёня! Есть ли в этом городе хоть один человек, которому ты на ногу не наступил? Илюша имеет на тебя зуб из-за дочери, которой ты морочишь голову уже десять лет, Олег Цырков тоже на тебя заковырял, хоть и не доказано ничего, но подозрения остались, да и по отношению ко мне у тебя непреходящее чувство вины за то, что ты натворил. Плохо ты поступил со мной, что и говорить, Лёнечка, но я тебя давно простил, хоть ты, может быть, в это и не веришь. Ты расплатился сполна за свой поступок. Ладно, я-то простил, а вот простил ли Цырков? И сможет ли простить Илюша, особенно если с Каринкой что-то не так?»

Глава 2

Осмотром места происшествия руководил дежурный следователь, здесь же толклись оперативники из дежурной группы. Роман Дзюба, молодой, энергичный и любознательный, рванулся было к следователю докладываться о том, что, дескать, сотрудники территориального отдела внутренних дел прибыли, но более опытный Геннадий Колосенцев придержал его за рукав куртки.

— Не торопись, Ромчик, там и дежурантов хватает. Давай осмотримся, пока следак нас не приметил, а то сразу заданиями нагрузит.

Дежурный следователь стоял к ним спиной, держа в руках папку, и записывал в протокол то, что диктовал ему присевший на корточки рядом с трупом судебно-медицинский эксперт:

— ...ранение подвздошной области по передней срединной линии тела... второе колото-резаное ранение области правого подреберья.

— Кровищи-то! — прошептал Дзюба.

— Ну а ты думал, — отозвался Колосенцев. — Слышал, что эксперт сказал? Ранение области правого подреберья — одно из самых кровавых, там же печень, так что если ее задеть, то, сам понимаешь. После таких ранений не выживают.

Труп женщины лежал в луже крови в подъезде самой обыкновенной панельной девятиэтажки. Женщина одета просто и дешево, рядом валяется раскрытая сумка типа кошелки, дешевая, явно видавшая виды, по полу разбросано содержимое, обычные женские мелочи: расческа, упаковка бумажных платков, какие-то таблетки, пакетики с ванилью и корицей, форма для торта — сумка была настолько объемной, что даже форма туда влезла. Кошелька нет, мобильника нет. Судя по содержимому сумки, женщина сходила в магазин за специями, взяла у кого-то попользоваться форму для торта и возвращалась домой, значит, она жиличка этого дома.

— Сейчас на поквартирный обход зарядят, — прошептал Колосенцев. — Вот сто пудов.

Следователь, будто услышав шепот оперативника, резко обернулся, нахмурился и кивнул вновь прибывшим.

— Долго вас ждать приходится, — недовольно буркнул он. — Сейчас по квартирам пойдете.

— А что, личность не установлена? — поинтересовался Колосенцев. — Документов при ней нет?

Следователь молча протянул ему паспорт убитой и снова повернулся к судебному медику. Геннадий открыл паспорт и принялся его листать.

— Панкрашина Евгения Васильевна, тысяча девятьсот пятьдесят шестого года рождения, прописана... а вот прописана она вовсе и не здесь, — заметил он. — Так что в обходе нет никакого смысла.

— Это ничего не значит, — проговорил следователь, не оборачиваясь и не прекращая писать протокол осмотра трупа. — Сегодня мало кто живет по месту прописки, снимают жилье, покупают другое, переезжают... Короче, надо идти по квартирам. И не отлынивай, Колосенцев. Знаю я тебя.

Роман Дзюба отвел глаза и горестно вздохнул. В словах следователя была, увы, сермяжная правда: работать Гена Колосенцев умел очень хорошо, но не любил. Ну вот просто совсем не любил! Ни на грамм. Любил он только онлайн-игры, особенно стрелялки, за которыми проводил все свободное время, включая и ночные часы, из-за чего постоянно хотел спать и вообще хотел побыстрее закончить работу и бежать домой к любимому компьютеру. Роман давно уже подозревал, что пристрастие его старшего товарища носит болезненный характер и называется игроманией, но вслух этого никогда не произносил: Геннадия он уважал, старался у него учиться премудростям профессии и относился к нему с огромным пиететом.

— А чем ее?.. — осторожно спросил Роман Дзюба. — Орудие убийства нашли?

— Да здесь оно. — Следователь махнул рукой в сторону эксперта-криминалиста. — Упаковали уже.

Следственно-оперативная группа работала в подъезде, а на лестнице постепенно скапливались привлеченные шумом и суматохой жильцы. Было их не очень много — будний день, время чуть за полдень, большинство на работе или учебе. Дзюба и Колосенцев начали с опроса тех, кто сам вышел из квартир. Убитую женщину никто из них не знал. Дама средних лет, протиснувшись вниз по лестнице, вытянула голову, желая взглянуть на труп, и, испустив истошный вопль, рухнула без сознания.

Через несколько секунд где-то наверху хлопнула дверь, послышался звонкий девичий голос:

— Что случилось? Кто там кричит?

Колосенцев, стоявший вместе с Дзюбой в этот момент между вторым и третьим этажами, громко крикнул в ответ:

— А вы спуститесь к нам, пожалуйста! У нас срочное дело! — Он лукаво посмотрел на Романа и добавил едва слышно: — Если есть возможность не ходить к свидетелю, а вызвать его к себе, надо пользоваться. Учись экономить усилия. — Колосенцев задрал голову и снова громко закричал: — Только не ждите лифт, спускайтесь пешком, лифт заблокирован!

Через пару минут сверху послышались шаги нескольких пар ног: обладательница звонкого голоса, похоже, вела с собой целую делегацию. Так и оказалось: девушка, прехорошенькая блондинка с пышными формами, шла первой, за ней женщина за пятьдесят, очень на нее похожая, такая же пышная и светловолосая, явно мать, и еще пара — мужчина с женщиной лет около сорока пяти.

— Скажите, пожалуйста, вам что-нибудь говорит имя «Евгения Васильевна Панкрашина»? — начал Колосенцев.

— Тетя Женя? — тут же откликнулась девушка. — Ну да, мы ее знаем. А что?

Она была, вероятно, очень наивна и видела пока еще мало страшного, поэтому плохие мысли если и приходили в ее хорошенькую головку, то далеко не сразу. А вот мать ее оказалась куда прозорливее. Не сводя глаз с Колосенцева, она начала бледнеть и сползать по стенке.

— Что с Женей? Почему кричали? Вы кто? Вы из милиции?

Но надо отдать ей должное — сознание женщина не потеряла, удержалась, хотя ноги у нее подгибались, и назад в свою квартиру на восьмом этаже она поднялась с большим трудом: Дзюбе и Колосенцеву пришлось поддерживать ее с двух сторон, буквально на себе тащить. Девушка действительно оказалась ее дочерью, а спустившиеся вместе с ними супруги — соседями из расположенной рядом квартиры.

Минут пятнадцать ушло на то, чтобы подействовали лекарства, которые девушка по имени Светлана Дорожкина накапала матери, Татьяне Петровне, после чего последовал сбивчивый и прерываемый слезами рассказ, суть которого сводилась к следующему.

Женечка, то есть Евгения Васильевна Панкрашина, с которой Татьяна Дорожкина дружит больше двадцати лет, шла к ним. Через неделю у Светы день рождения, ей исполняется 25 лет, она хочет собрать подружек, а Женечка умеет печь какой-то совершенно необыкновенный торт, знает секреты. Она никогда не отказывала, если просили дать рецепт, многие пробовали делать, и сама Татьяна тоже пробовала, но никогда и ни у кого не получалось так вкусно и так красиво, как у Евгении. Есть секреты не только рецептуры, но и процесса изготовления. И Женя обещала прийти сегодня в первой половине дня и показать, как и что она делает, чтобы Дорожкины посмотрели своими глазами. Соседка Дорожкиных, которой тоже довелось как-то попробовать Женечкин торт, захотела поприсутствовать, пришла, сидела у них, ждала вместе с ними Женю, ее муж заходил несколько раз — интересовался, когда супруга вернется в семейное лоно. Женя обещала приехать к одиннадцати часам, они сидят и ждут, ждут, а ее все нет и нет. Вот услышали шум и спустились. А там...

— Господи, какой ужас, Женечка, какой ужас, — без конца повторяла Татьяна Петровна Дорожкина, всхлипывая и утирая слезы бумажной салфеткой. — Кто мог ее убить?

— Да обычное дело. — Колосенцев пожал плечами. — Убийство с целью ограбления. Ни кошелька, ни мобильника нет. Значит, это и есть причина преступления. Из-за них и убили.

— Как?.. — Татьяна Петровна с трудом выговаривала слова. — Как Женю?..

— Ножом. Два удара спереди, — хладнокровно ответил Геннадий.

— А колье? — спросила хорошенькая Светлана. — Колье нашли?

— Какое колье? — насторожился Колосенцев. — Ну-ка быстренько выкладывайте все, что знаете. Какое такое колье?

Светлана испуганно посмотрела на мать, а та принялась объяснять:

— Ну как же, у Женечки с собой должно было быть колье. Она позавчера его взяла напрокат, потому что ей вчера нужно было быть на каком-то важном мероприятии, а своих драгоценностей у нее нет. Вот она и взяла напрокат, на два дня, а сегодня должна была его вернуть. Мы так и договаривались с ней: с утра она приедет к нам, испечет торт, мы все посмотрим, поучимся, а от нас она поедет сдавать колье.

Рыжеволосый крепыш Роман Дзюба, присев за стол, быстро записывал показания в блокнот: это всего лишь опрос, потом этих свидетелей допросит следователь уже под протокол.

— Позавчера — это, стало быть, в понедельник, девятнадцатого ноября, — уточнил Дзюба, которого Колосенцев с первых же дней работы учил записывать показания дословно и тут же делать уточняющие пометки, иначе потом с этими «вчера», «три дня назад» или «в соседнем доме» греха не оберешься. Зафиксировал то, что сказал опрашиваемый, — спроси точную дату или адрес.

— Ну да, — кивнула Татьяна Петровна. — В понедельник она взяла колье напрокат, потом приехала к нам в гости.

— А мероприятие, на котором она должна была присутствовать, было вчера, двадцатого ноября, во вторник?

— Да-да, вчера.

— А сдавать колье она собиралась именно сегодня? Не завтра? Не послезавтра?

— Нет-нет, Женя точно говорила, что сегодня, она даже время рассчитывала с учетом этого. Она сказала, что приедет к одиннадцати утра, на торт ей нужно будет часа четыре, это, значит, до трех, но она посчитала с запасом — до четырех, и еще говорила, что если в четыре выйдет от нас, то нормально всюду успеет.

Колосенцев стоял, привалившись спиной к мебельной стенке, явно пережившей и брежневский застой, и горбачевскую перестройку. Так, началось... Новые обстоятельства Придется приспосабливаться к ситуации. Может, хоть чаю нальют, Ромчик, поди, опять голодный — новые осложнения в работе.

«Теперь отсюда быстро не уйти», — подумал Геннадий с сожалением.

— Света, а вы нас чаем не угостите? — обратился он к девушке. — Разговор у нас, судя по всему, будет долгим.

— Может, вы кушать хотите? — любезно спросила Дорожкина-младшая.

— Ну, если дадите что-нибудь, будем признательны, — ответил оперативник, бросив насмешливый взгляд на Романа, который немедленно смутился и, как большинство рыжеволосых людей, сделался пунцовым.

Геннадий был красив и нравился девушкам, чем он и пользовался совершенно беззастенчиво. Светлана, несмотря на только что пережитый шок, кокетливо улыбнулась ему и отправилась на кухню.

Геннадий убедился, что Дзюба сидит с открытым блокнотом и все записывает, и задал следующий вопрос:

— Куда Панкрашина должна была ехать сдавать колье?

— Ну, я не знаю, где она его взяла, — растерянно проговорила Татьяна Дорожкина. — Она же сказала, что взяла напрокат. Я понятия не имею, где можно взять украшения напрокат. Я даже вообще не слышала, что такое возможно. Вот от Женечки только узнала.

— А что за колье? Она вам говорила?

— Да мы его видели, она как раз к нам заехала чайку попить по дороге из этого пункта проката. И колье показала. Мы его рассматривали, даже примеряли.

— Мы? Кто это — мы? Сколько вас было?

— Мы с дочерью, — робко пояснила Дорожкина. — Со Светочкой. Мы обе были дома.

— Опишите его, пожалуйста.

Краем глаза он следил за тем, как фиксирует показания в своем блокноте Роман, и с удовлетворением отмечал, что тот пока все пишет правильно: «Изделие из желтого металла с камнями красного, синего, желтовато-коричневого цвета и бесцветными». Ромка еще молодой, неопытный, пишет — и вслух произносит. Конечно, обе услышали — и мамаша, и дочка, вернувшаяся из кухни с черно-цветным жостовским подносом, на котором стояли чашки, чайник, сахарница и тарелка с бутербродами.

— Что это вы такое пишете? — возмутилась Светлана. — Вам же ясно говорят: рубины, бриллианты, сапфиры, топазы, золото. А вы что?

Роман, не глядя, протянул руку к тарелке, принесенной Светланой из кухни, и взял бутерброд. Он

все время хотел есть. И если первые пару лет работы в уголовном розыске еще носил из дома коробки и пакеты с бутербродами и пирожками, которые постоянно жевал, то теперь начал стесняться и стоически терпел муки голода. Однако при любой возможности сметал все, что попадалось под руку.

— Так положено, — объяснил Геннадий, с нескрываемой насмешкой глядя на молодого напарника. — Все считается металлом и камнями какого-то определенного цвета, пока эксперты не установят, что это за камни и что за металл. Может, это стразы, бижутерия. И даже скорее всего это именно так и есть. Вы же не ювелиры, разве вы на глазок можете определить, что вам показывают?

— Но Женя сказала... — осторожно попыталась возразить Дорожкина-старшая.

— Ну и вы говорите, — усмехнулся Колосенцев. — Откуда у вашей подруги может быть такое украшение? Вы что же думаете, его напрокат за три копейки отдадут? Наверняка потребуют залог в размере полной стоимости изделия, а оно стоит огромных денег, если там все так, как вы мне тут рассказываете. Откуда у нее такие деньги? Она что, подпольная миллионерша? И она везла такое дорогое колье в сумке на метро?

— Нет, у нее муж богатый и вообще...

— Какой еще муж?

— Ну как же, Игорь Панкрашин, он создал фонд помощи детям, он крупный бизнесмен, у него денег много. И не на метро Женечка ездила, не думайте, ее водитель возил. Ей Игорь машину с водителем дал.

— Не смешите меня, — фыркнул Колосенцев. — Как у такого человека может быть такая жена? Наверняка они просто однофамильцы.

43

— Да нет, что вы, — горячо и торопливо заговорила Татьяна Петровна. — Мы Игоря знаем с молодости, мы с Женечкой вместе работали в одной организации много лет, дружили семьями, еще при советской власти, пока Игорь бизнесом не занялся и не разбогател. Тогда уж я перестала к Жене в гости приходить, только она ко мне.

Колосенцев открыл паспорт убитой и внимательно изучил штамп о регистрации брака. Все совпадает, зарегистрирован брак с Панкрашиным И. Н. И все равно он сомневался.

— Почему ваша подруга так странно одета?

— Почему странно? — В голосе Татьяны Дорожкиной звучало неподдельное удивление. — Нормально она одета, как всегда одевалась. Да мы все так одеваемся. Что не так-то?

— Да все не так, Татьяна Петровна, уважаемая! — с досадой произнес оперативник. — Если у нее такой состоятельный муж, то почему у нее нет своих украшений? Почему на ней пуховик, купленный в дешевом магазине, и ботинки, так хорошо поношенные, что даже трудно понять, в каком году их сделали. Не бывает у бизнесменов и руководителей фондов таких жен. Вы уж меня простите, не хочу лично вас обидеть, но мне нужно установить истину, а все, что вы мне тут рассказываете, на истину как-то мало похоже.

Татьяна Дорожкина принялась многословно объяснять, что Женя всегда такой была, украшения не носила, дорогую одежду не покупала, ей не надо. Трудно в это поверить, но это именно так. Она настоящая жена и мать, для нее главное — семья, дети, у них с Игорьком четверо детей и трое внуков, она привыкла нянчиться и заниматься хозяйством и воспитанием, а не цацками и шмотками.

Колосенцев вздохнул: ох, уж эти бабы! Вечно у них голова какой-то дурью забита... Вот ведь лепит черт знает что — и сама в это верит. Более того, надеется, что и другие поверят. Но раз у Панкрашиной было с собой колье, то вполне возможно, именно оно и было истинной целью преступника, а не кошелек и не мобильный телефон. Значит, в первую очередь под подозрение должны подпасть те, кто знал, что у потерпевшей должно было быть с собой украшение. Настоящее или нет на самом деле — вопрос десятый, главное, что она всех уверяла, будто оно настоящее, стало быть, преступник тоже должен был в это поверить. Первые подозреваемые — члены семьи убитой женщины, но это как-то уж совсем маловероятно: зачем убивать мать, если у отца денег куда больше? Вторые — мать и дочь Дорожкины. Но они твердят, что сидели в квартире безвылазно, и это подтверждают соседка и ее муж. Конечно, убедительно, но кое-что не вяжется.

— Вот Панкрашина позвонила в домофон, — вкрадчивым голосом начал Геннадий. — Вы ей открыли дверь подъезда, а она не поднялась в квартиру. Почему вы не забеспокоились? Почему не вышли на лестницу? Почему сидели дома до тех пор, пока не услышали шум и голоса в подъезде? Ведь прошло уже очень много времени.

Татьяна Дорожкина смотрела на него растерянно и недоуменно.

— Но Женя никогда не звонила в домофон, она давно уже знала код и открывала дверь всегда сама.

Жаль. Такая хорошая была зацепка, можно было вставить в маленькую щелочку остренький клинышек и расколоть... Не получилось. Ладно, будем действовать дальше.

Оперативники поблагодгения Васильевна со мной правились к выходу из квар только маршрут говорила ваясь краской смущения, все-таки у последний бутерброд с сыром и доте Шилов не врет. на ходу. же не знает

— Смотри, что у нас получается, — говорил Геннадий, пока они шагали по лестнице с восьмого этажа на первый, поскольку лифт по-прежнему был заблокирован, чтобы спускающиеся сверху жильцы не мешали работать следственно-оперативной группе. — С Дорожкиными мы пролетели. Следующий подозреваемый — водитель, который наверняка знал, что хозяйка позавчера ездила в бутик за колье и сегодня должна была его возвращать. Он привез ее к Дорожкиным, зашел вместе с ней в подъезд, убил, забрал колье и уехал. Так что давай-ка, Ромчик, связывайся с мужем потерпевшей, выясняй личность водителя. И кончай жрать в таких количествах, скоро в дверь пролезать не будешь. Или ты надеешься, что Ленка на тебя внимание обратит за твою необыкновенную сущность? Ленка обычная девчонка, не лучше и не умнее других, ей фактурку подавай, а не богатство душевных качеств. Девочки любят красивых и успешных, а не толстых и смешных, учти это. На твоем месте я бы уже давно или сбросил вес, или перестал париться по поводу Ленки. А то дождешься — я ее уведу, ты ведь наверняка заметил, какими глазами она на меня посматривает. Уведу и брошу через месяц. Нужна она тебе будет обесчещенной и брошенной, как в старину говорили?

Дзюба надулся. Уже два года он безответно страдает по Лене Рыженко, дочке Надежды Игоревны, следователя из следственного комитета. А Лене нравится Генка Колосенцев, томный красавец, который к ней совершенно равнодушен, его вообще ничего, кроме

...янно протянул он. — Мы
...кроме Речного. И не оста-
...е. Я посадил Евгению Васильевну
...второго возле ее дома и отвез на
...надцати часам, примерно в по-
...овине восьмого забрал и отвез домой. Ни в какие
бутики и вообще ни в какие магазины она не ездила.

Вот как интересно! А где же она взяла колье, которое показывала своей подруге Дорожкиной и ее дочери? Где, если никуда не ездила, нигде не останав-
ливалась и вообще из машины не выходила? Из дома
привезла? Вариант, но тухлый: зачем везла украшение к подруге? Похвастаться? И где Панкрашина вообще его взяла, колье это, будь оно неладно? И зачем солгала Дорожкиной, сказав, что «сегодня взяла
напрокат»? Может, конечно, и напрокат, но только
явно не «сегодня», то есть не в понедельник, 19 ноября. Какой смысл в этой маленькой лжи, такой на
первый взгляд невинной?

Или все-таки лжет водитель Шилов?

— А куда вообще вы ездили с Евгенией Васильевной?

— Только к ее подружкам, в магазины, на рынок,
в поликлинику, еще, конечно, к детям, которые живут отдельно. В смысле — трое старших, у них свои
семьи, а младшая девочка еще с родителями живет,
в школе учится.

— Хорошо. — Роман перевернул плотно исписан-
ную страницу блокнота. — Куда вы поехали от дома
Дорожкиной сегодня утром?

Похоже, фамилию Татьяны Петровны Дорожкиной водитель тоже слышал впервые.

— От какого дома? — переспросил он.

— На Речном вокзале живет подруга Евгении Васильевны, ее фамилия Дорожкина, — невозмутимо
пояснил оперативник. — Вы не знали?

— Нет. Я же говорю: Е... почти не разговаривала, толь... и время, когда за ней приехать.

Да, судя по всему, в этом пункт... Ничего-то он о своей пассажир...

— Так куда вы поехали, когда высадили Панкрашину на Речном вокзале возле дома ее подруги?

— На базу вернулся. В гараж. Так положено.

— Кто вас там видел? Кто может подтвердить, что вы там были?

— Да все. Мы же отмечаемся, когда въезжаем и выезжаем, в журнале точное время ставят.

Ну, на то, чтобы убить, много времени не нужно. Зашел вместе с Панкрашиной в подъезд, ударил ножом, забрал ценности и... Что? Вернулся в гараж как ни в чем не бывало? Имея при себе деньги, мобильник и колье с трупа? Маловероятно. Он должен был их куда-то отвезти и спрятать, а на это нужно время. Хотя бы полчаса, чтобы с учетом наших пробок сделать маленький крючочек в маршруте. А может быть, место, где он спрятал похищенное, находится где-то по дороге от Речного к гаражу, и тогда никакого крюка делать не надо. Ладно, никуда он не денется, все проверим.

— Вспомните, пожалуйста: вот Евгения Васильевна вышла из машины...

— Ну, — кивнул Шилов.

— Подошла к подъезду...

— Ну.

— И позвонила в домофон, — коварно продолжил Роман. — Ей сразу открыли? Долго она ждала, прежде чем войти в подъезд?

— Она вообще не ждала, — чуть удивленно проговорил Шилов. — Подошла к двери и сразу стала кнопки нажимать, потом дверь на себя потянула.

— Кнопки? — переспросил Дзюба. — Или только одну кнопку — кнопку вызова?

— Да нет же, она код набирала, это точно. Она у всех своих подруг коды домофонов знала, я давно внимание обратил и еще удивлялся поначалу: такая обыкновенная с виду женщина, а столько цифр в памяти держит.

Значит, Татьяна Дорожкина сказала правду: о том, что Панкрашина вошла в подъезд, она не знала. Ладно, продолжим.

— Не видели ли вы кого-то подозрительного возле подъезда? Не видели ли, чтобы кто-то заходил в подъезд следом за Евгенией Васильевной?

— Нет, никого не видел.

— Где находится ваш гараж?

— Здесь же. — Шилов указал рукой почему-то в пол. — Подземный гараж под этим зданием.

Дзюба попросил его описать маршрут, которым Шилов двигался от Речного в гараж, после чего вместе с водителем спустился на «минус первый» этаж, чтобы проверить его показания и посмотреть журнал учета въездов-выездов. Все точно, машина въехала ровно через сорок восемь минут после того, как из нее вышла Панкрашина. Для такого маршрута время очень удачное, если не повезет, можно и два с половиной часа ехать, а по свободной дороге чистой езды минут пятнадцать-двадцать.

Роман был недоволен собой. С одной стороны, получалось, что Шилов к убийству отношения не имеет. А с другой — ничего стопроцентно оправдывающего его тоже не нашлось. Если продолжать разрабатывать эту версию, то нужно искать свидетелей, которые видели, как подъехала машина и как вышла Панкрашина, и спрашивать у них, не выходил ли из машины следом за пассажиркой и водитель. Камер наблюдения на этой обычной «панельке» не водилось, так что все придется делать «вручную». Тот еще геморрой! То есть сам Роман Дзюба был готов выполнять и эту, и в десять раз более трудоемкую работу, но вот Генка... Если предложить ему поискать таких свидетелей, он своего младшего напарника просто придушит.

Отправив Дзюбу опрашивать водителя, Геннадий Колосенцев уселся в приемной поудобнее, оперся затылком о стену и моментально уснул. Он умел засыпать в любой обстановке, урывая для отдыха хоть по две-три минутки, потому что спать хотел так же постоянно, как Ромчик Дзюба хотел есть. На этот раз проспать удалось недолго: через несколько минут из кабинета Игоря Панкрашина вышел врач. Колосенцев потянулся, сладко зевнул и направился к мужу убитой женщины.

Сильный запах сердечных лекарств буквально оглушил Геннадия, даже дыхание на какой-то момент остановилось. Игорь Николаевич Панкрашин полулежал на диване, очень бледный, лоб в испарине, галстук распущен, сорочка расстегнута до середины груди.

С трудом повернув голову в сторону вошедшего в кабинет Колосенцева, он тут же признал в нем полицейского и умоляюще забормотал:

— Скажите мне, что это неправда. Вы ведь ошиблись, да? Это не Женю убили, это кого-то другого с такой же фамилией... У меня же фамилия не редкая, обычная русская фамилия, ничего особенного, людей с такой фамилией сотни тысяч...

Он уговаривал сам себя, пытаясь при помощи слов превратить страшную реальность просто в дурной сон, который, конечно же, закончится, и все снова станет, как прежде. Колосенцев с этим часто сталкивался и знал, как себя вести в таких случаях.

Через несколько минут Геннадий начал задавать вопросы. Игорь Панкрашин, в уже застегнутой сорочке, но по-прежнему с ослабленным галстуком, сидел, ссутулившись, на диване и рассказывал о своей погибшей жене. Геннадий слушал, не перебивая. Потом спросил про украшение.

— Да, колье было. — Бизнесмен безучастно кивнул. — Женя сказала, что взяла его в бутике, дающем украшения напрокат. Я не понимал, почему нельзя было купить украшение, я же дал ей денег, достаточно вполне, чтобы что-то приличное купить, а она опять решила сэкономить и взяла напрокат. Лучше, говорит, Оксанке что-нибудь куплю в подарок, чем на побрякушки тратиться. Никак она не привыкнет к тому, что денег в семье достаточно.

— Кто такая Оксанка? — поинтересовался оперативник.

— Старшая внучка. У нас ведь четверо детей и внуков уже трое.

— Кто еще из членов вашей семьи знал про то, что Евгения Васильевна принесла колье? Кому она об этом говорила? Кому показывала? Может, детям, или соседкам, или подругам?

Панкрашин вяло пожал плечами, глаза у него были больными, и вообще заметно, как плохо он себя чувствует.

— Я понятия не имею, кому она могла сказать об этом по телефону, а домой к нам в тот день никто из детей не приходил, кроме Ниночки, но она с нами живет, поэтому... Ниночка колье видела, это точно.

Внезапно губы его сжались, лицо отвердело, спина выпрямилась.

— А почему вы спрашиваете? Неужели вы подозреваете?.. Да как вы смеете! — Игорь Николаевич повысил голос, мгновенно превратившись из больного и раздавленного горем человека в босса, руководителя. — Вы что же думаете, если дети приемные, то они меньше любят своих родителей, чем родные? Как у вас вообще язык повернулся такое спросить?

Вот тебе здрасьте! Дети приемные? Это интересно. Дорожкина об этом отчего-то не упоминала. Конечно, тайна усыновления и все такое, она могла и не знать, а если и знала, то не имела права разглашать первому встречному. Но тогда почему сам Панкрашин говорит об этом совершенно открыто? Родители приемных детей так себя не ведут.

— А что, дети приемные?

Панкрашин кивнул.

— Двое. Сначала родились сын и дочка, а когда они подросли, мы взяли мальчика десятилетнего, а потом Ниночку, ей было восемь лет.

Надо же, как странно! Насколько Колосенцев был в курсе, приемные родители стараются взять совсем маленьких деток, младенчиков, которые будут считать себя родными. А тут десять лет, восемь...

— Игорь Николаевич, а почему вы брали таких больших детей? — спросил он с любопытством. — Обычно же стараются взять малышей, чтобы ребенок вообще не знал, что он приемный.

Панкрашин покачал головой, то ли отрицая то, что сказал Геннадий, то ли возражая какому-то невидимому собеседнику.

— Мы такую задачу не ставили перед собой. Пусть ребенок знает, что мы не родные, какая разница? Младенцев берут, когда хотят ребенка для себя, чтобы было существо, которое будет тебя любить как родного и которое ты можешь считать своим. Такое эгоистическое побуждение, не всегда, конечно, но довольно часто. А мы брали детей просто потому, что финансовое положение позволяло дать счастливое нормальное детство, образование и профессию обездоленному ребенку. И какая разница, сколько ему лет? Вот Ниночка уже выросла, на будущий год в институт будет поступать, и мы с Женей подумывали взять еще ребенка, силы есть, здоровьем не обижены, детей оба любим.

И хотя Колосенцев не понял до конца то, что сказал Панкрашин, ему отчего-то вдруг стало неловко, и он снова заговорил о колье:

— Колье, которое ваша жена принесла из проката, было дорогим?

— На вид — да, весьма и весьма, — равнодушно произнес Игорь Николаевич. — Камней много.

— Евгения Васильевна сказала, сколько оно стоит?

— Нет, я не спросил. Это ведь не имело значения. Она сказала, что аренда колье на двое суток обошлась недорого. Какая разница, сколько стоит вещь, если ее не покупаешь?

Что ж, резонно.

— А вы можете на глаз отличить настоящие камни и золото от подделки?

— Конечно, нет, я ведь не ювелир, не специалист. Да я и не рассматривал особо это колье, мне Женя показала, я глянул, убедился, что вид у него более или менее достойный для того мероприятия, на котором мы должны были присутствовать, спросил, сколько стоит, думал, что она его купила, но Женя сказала, что взяла напрокат и за аренду заплатила совсем недорого, вот, собственно, и все. Помнится, пожурил Женечку за то, что она экономит, но... Мы не поссорились из-за этого. Я колье даже в руки не брал. А что, есть основания думать, что оно поддельное?

— Нет. — Колосенцев успокаивающе улыбнулся. — Я просто так спросил. Евгения Васильевна говорила вам, где именно, в каком бутике она взяла колье напрокат?

— Не говорила. Мне в голову не приходило, что надо об этом спросить. Какая разница? Такие бутики есть, мне это известно, ими часто пользуются молодые девушки, которые выходят замуж. Своих денег и соответственно драгоценностей еще нет, а хочется выглядеть в день свадьбы... — Он замолчал и отрешенно уставился в окно.

Далее последовали обычные в таких случаях вопросы: числится ли на Евгении Васильевне какая-нибудь собственность? Есть ли у нее собственные средства? Кто мог иметь материальную заинтересованность в ее смерти? Ответы Панкрашина были короткими и точными: собственности у его жены не было никакой. Ничего. Все записано на Игоря Николаевича. И квартира, и дача, и счета. В случае смерти Евгении Васильевны ее дети наравне с ее мужем наследуют причитающуюся ей «супружескую долю», но в этом вряд ли есть какой-то смысл, потому что всех своих взрослых детей Панкрашин опекает, помогает с работой, жильем, образованием и вообще финансирует весьма щедро. Значит, дело совершенно точно в колье, и надо досконально выяснить, кто мог знать о том, что сегодня утром Евгения Панкрашина поедет на Речной вокзал к подруге, имея при себе украшение, которого во второй половине дня при ней уже не будет.

Выйдя из бизнес-центра, оперативники сели в машину Колосенцева. Дзюба с тоской прислушался к себе и понял, что нестерпимо хочет есть. Но придется терпеть, чтобы снова не нарваться на Генкины издевательства, которые, по мере того как накапливалась усталость, становились все более едкими и обидными.

— Куда теперь? — осторожно спросил Роман, втайне надеясь, что напарник тоже проголодался и сейчас предложит заскочить куда-нибудь, где можно быстро, дешево и сердито перекусить.

— А теперь, Ромчик, мы с тобой снова поедем на Речной вокзал к маме с дочкой, к Дорожкиным. Что-то не нравится мне вся эта история. Одно с другим не стыкуется.

«Это верно, — подумал Дзюба. — Не стыкуется».

Они уже успели обменяться информацией, полученной от водителя Шилова и от мужа потерпевшей, и как-то все получалось... Негладко. Шероховато. Значит, надо зачищать концы.

— Ты позвони пока этим Дорожкиным, — скомандовал Геннадий, выруливая на полосу движения. — Скажи, чтобы сидели дома и никуда не уходили.

— А если их дома нет?

— На мобильные звони, ты же номера записал. Выясняй, где эти квочки, туда и подъедем.

Однако Татьяна Петровна и Светлана Дорожкины оказались дома.

— У мамы сердце... — озабоченно проговорила в трубку девушка. — Боюсь ее одну оставлять. Так что, если вам надо, приезжайте, когда хотите.

Татьяна Петровна лежала на диване, укрытая пледом, но все равно было видно, что на ней та же одежда, что и утром. Глаза ее были красными, видно, что много плакала. А вот Светлана переоделась, теперь на ней вместо свободных домашних брюк и длинной широкой туники надеты обтягивающие джинсики и облегающий джемпер, выставляющий напоказ все несомненные достоинства ее пышного, упругого, крепко сбитого тела.

«Интересно, она ради Генки переоделась или просто так?» — подумал невольно Дзюба.

— Давайте начнем с понедельника, — предложил Колосенцев, когда Роман устроился за столом в комнате и открыл блокнот. — Пожалуйста, как можно подробнее, желательно по минутам. Когда и при каких обстоятельствах вы договорились с Евгенией Панкрашиной о встрече в понедельник, девятнадцатого ноября?

Дорожкина-старшая вздохнула и начала рассказывать. Женя позвонила ей в воскресенье, накануне, и сказала, что хочет приехать в гости к Дорожкиным завтра, то есть в понедельник, после обеда, часика в три. Татьяна Дорожкина имела на понедельник совершенно определенные планы: на пятнадцать часов она была записана в парикмахерскую на стрижку и краску волос, хотела привести голову в порядок ко дню рождения дочери, после чего собиралась ехать в больницу навестить заболевшую родственницу. Визит Женечки в этот график никак не вписывался, о чем Дорожкина с сожалением и сообщила своей давней подруге, предложив перенести встречу на другой день.

Евгения Васильевна отчего-то сильно расстроилась и стала говорить, что в ближайшее время у нее не будет возможности выбраться к Дорожкиной, а она ужасно соскучилась и хочет непременно повидаться. Не может ли Таня отменить свои дела?.. Отменить парикмахерскую и перенести ее на другое время до дня рождения Светланы оказалось невозможным. Мастер, к которому постоянно ходит Татьяна Петровна, работала в понедельник последний день перед декретным отпуском. А больница... Что ж, в больницу можно и во вторник съездить. Стрижка и краска волос занимают обычно около двух часов, поэтому Татьяна Дорожкина уверенно пообещала подруге Женечке, что к пяти часам вечера будет дома.

— У нее в голосе прямо слезы слышались, — говорила Татьяна Петровна, — когда я сказала, что в понедельник занята. Мне так жалко ее стало... В конце концов, дружба дороже собственных планов, правда же? А как она обрадовалась, когда я сказала, что буду дома к пяти часам!

Женщина снова тихонько заплакала, стыдливо пытаясь прикрыть сморщенное, мокрое от слез лицо краешком клетчатого пледа.

— И что было дальше? — невозмутимо спросил Колосенцев. — Вы успели домой к семнадцати часам?

— Да, я где-то без десяти пять пришла, или, может, без пяти. Парикмахерская на соседней улице, я быстро дошла.

— А Евгения Васильевна?

Роман старательно записывал, чувствуя в груди приятный холодок, который всегда появлялся, когда ему казалось, что он с уверенностью может предсказать следующую реплику собеседника. И если реплика оказывалась именно такой, как он ожидал, то в такие мгновения молодой оперативник чувствовал себя необыкновенно прозорливым и обладающим недюжинной интуицией. Он вырастал в собственных глазах. Вот сейчас Татьяна Дорожкина скажет: «Женечка уже была у нас и пила чай со Светой». А если Светланы к пяти часам еще не было дома, то окажется, что Женечка стояла на лестнице возле квартиры и ждала. Никак иначе быть просто не могло, ведь водитель Шилов четко и ясно заявил, что Панкрашина села в машину в половине второго. Около трех он высадил ее перед домом, где живет Дорожкина. В три, а вовсе не в пять. В семнадцать часов Шилов вообще был в гараже, о чем свидетельствуют записи в журнале: въехал в 16.20, выехал в 17.30. За час двадцать минут добрался с Речного до бизнес-центра, за час тридцать минут до назначенного времени выехал за пассажиром на Речной. Все логично. Только непонятно, зачем Панкрашина приехала к подруге в три часа, если ей ясно сказали: раньше пяти Дорожкина дома не появится. И охота была два часа в подъезде торчать! Хотя, может быть, Евгения Васильевна созвонилась со Светланой и, узнав, что та будет дома, приехала пораньше...

Однако того ответа, который дала Татьяна Дорожкина, Роман не ожидал вовсе:

— А Женя пришла минут в пятнадцать шестого.

— Это точно? — вырвалось у оторопевшего Дзюбы. — Вы ничего не путаете?

Колосенцев бросил на него уничтожающий взгляд, дескать, твой номер шестнадцатый, опрос ведет старший и более опытный, а твое, салага, дело — записывать и не высовываться, пока тебе команду не дадут.

— Да ничего мы не путаем! — сердитым голосом вмешалась Светлана. — Я была дома, у меня работа «сутки — трое», в воскресенье я работала, понедельник, вторник и среда — выходные. Так вот, я была дома, мама пришла за несколько минут до пяти, это совершенно точно, потому что она собиралась в больницу ехать и вернуться поздно, поэтому, когда она пришла, я специально на часы посмотрела: неужели я так время упустила, что вечер наступил, а я и не заметила? И за окном еще не темно было, поэтому я и удивилась и стала время проверять. А мама сказала, что тетя Женя должна к пяти часам прийти.

— И что было дальше? — с нескрываемым любопытством спросил Колосенцев.

— Дальше я сказала, что раз тетя Женя сейчас придет, то надо быстренько на кухне прибраться и хоть какое-то угощение наметать, гость в доме все-таки. И мы с мамой кинулись в четыре руки на кухне колдовать. Мама посуду помыла, я пол протерла, начали скорее овощи на салатик резать, а тут и тетя Женя пришла. Минут пятнадцать прошло после маминого прихода, ну, максимум двадцать.

Колосенцев махнул рукой Роману, что означало: «Оторвись от писанины и выйди в прихожую». Дзюба послушно встал из-за стола. Следом за ним вышел Геннадий.

— Дуй быстро в парикмахерскую, проверяй показания Дорожкиной.

Роман с удовольствием вышел на улицу, предвкушая возможность где-нибудь по дороге в киоске ухватить какой-нибудь еды, которую можно быстро сжевать на ходу. Генка ничего не узнает и не будет издеваться.

Ему повезло: рядом с перекрестком стоял киоск «Крошка-картошка». Питания хватило как раз на путь до парикмахерской, которая действительно находилась совсем недалеко. Мастера, который стриг и красил Татьяну Дорожкину, конечно же, не было — она действительно ушла в декрет, но администратор салона красоты помнила все прекрасно. Она показала книгу предварительной записи, где напротив графы «15.00» стояла фамилия Дорожкиной и пометка: «Стрижка, краска, 2 часа». На пять вечера была записана другая клиентка, и после того, как мастер обслужила Дорожкину, оставалось немного времени, чтобы выпить чашку кофе из автомата, стоящего здесь же, в холле. Получалось, что Татьяна Петровна ничего не исказила в своих показаниях, она действительно была в парикмахерской, вышла отсюда примерно без четверти пять и уже через пять-семь минут была дома.

Съеденная на ходу вкусная горячая картошка придала сил, и назад к Дорожкиным Роман Дзюба несся почти бегом. Колосенцев уже ждал его на улице, и лицо его было каким-то странным.

— Что у тебя? — коротко спросил он.

— Все подтвердилось, Дорожкина была в салоне и ушла примерно без пятнадцати пять.

— А у меня полный караул, — бросил Геннадий загадочно. — Садись в машину, расскажу.

Выяснилось, что пока Романа не было, мать и дочь Дорожкины рассказали про Евгению Панкрашину очень странную вещь. Оказывается, иногда она приходила в гости к своей давней подруге, сидела какое-то время, разговаривала, а потом уходила со словами, что ей нужно съездить в магазин, в поликлинику или еще куда-нибудь, но она обязательно вернется. И что самое любопытное — она действительно возвращалась, сидела, пила чай, разговаривала с Татьяной. Все было как обычно. И такое повторялось не один раз. Случалось, приезжала в гости и уезжала домой, а случалось и вот так, с необъяснимой отлучкой и последующим возвращением.

— Тебе водитель что-нибудь подобное рассказывал?

Роман отрицательно помотал головой.

— Нет. Ни звука. Если верить его словам, то Панкрашина всегда ездила в понятные места и по понятным причинам. Никаких «туда, потом оттуда куда-то, потом снова туда» не было. Хотя, может, я не так спрашивал... Я же не знал, что на этом надо сделать акцент, — принялся оправдываться молодой оперативник. — Слушай, а может, этот Шилов, водитель, ее любовник?

— Чей любовник? — не понял Колосенцев.

— Ну, Панкрашиной же!

Геннадий расхохотался.

— Ты в своем уме, Ромчик? Какой у этой Панкрашиной может быть любовник? Ты ж видел ее. У таких теток любовников не бывает, у них бывают только дети и внуки. Иногда мужья, если сильно повезет. Но только не любовники. Как тебе вообще могло такое в голову твою рыжую прийти? Фантазер ты, ей-богу!

— Нет, погоди, Ген, — не унимался Роман. — Вот послушай...

— Это ты меня послушай, — прервал его Колосенцев сердито. — Ты у Дорожкиных все бутерброды сожрал? Сожрал. И сейчас, пока в парикмахерскую бегал, не отказал себе в удовольствии, от тебя до сих пор картошкой пахнет.

При этих словах Дзюба в который уже раз за день стал пунцовым и проклял себя за то, что не догадался сунуть в рот жевательную резинку. Подставился.

— А я голоден как сто волков. Поэтому мы с тобой сейчас куда-нибудь заскочим, я буду поглощать питание, а ты, так уж и быть, расскажешь мне о своих безумных фантазиях. Но пока я не начну есть, не произноси ни слова, иначе я тебя забаню на всю оставшуюся жизнь.

Словечко «забаню» пришло в лексикон Колосенцева из компьютерных игр и раздражало Романа до невозможности. В игре, насколько понимал Дзюба, оно означало перекрытие доступа к возможности играть, а в жизни в устах Гены вполне заменяло весь широкий спектр глаголов, означающих насильственное прерывание жизни. Убью, зарежу, придушу, голову оторву, повешу и так далее. Впрочем, в геймерской терминологии рыжеволосый оперативник силен не был.

Они проехали пару кварталов, прежде чем нашли более или менее приличную забегаловку, отвечающую двум основным требованиям: быстрое обслуживание и низкие цены. Вопрос чистоты не стоял вообще, ибо оба понимали: быстрота и дешевизна оную, как правило, не предполагают. Несмотря на съеденную недавно картошку — будь она неладна! — Роман набрал еды не меньше, чем его товарищ, заслужив с его стороны очередной презрительно-насмешливый выпад.

— Ладно, излагай, — милостиво разрешил Колосенцев, справившись с тарелкой горячего густого супа, кстати, сильно пересоленного.

— Понимаешь, Ген, я подумал, что если Дорожкина говорит правду, а водитель лжет, то у этого может быть только одно объяснение: он покрывает Панкрашину. А иначе зачем ему эта ложь?

Геннадий с интересом посмотрел на напарника.

— Ну? И дальше?

— А дальше вопрос: почему он ее покрывает? Он знает про эти странные отлучки из гостей, потому что сам же ее возил, куда там ей надо, но молчит. Почему молчит?

— И почему? Потому что он ее любовник, что ли?

— Конечно же! — Ярко-голубые глаза Романа сверкали. — Он ее любовник, и они ездили трахаться. В смысле на свидания, на хату какую-нибудь.

Колосенцев задумчиво посмотрел на него.

— Не такой уж ты дурак, Ромчик. Я бы даже похвалил тебя за сообразительность, если бы не один вопрос, очень простой, но требующий ответа: а зачем Панкрашина возвращалась к подруге? Ну, пришла в гости, ну, ушла из гостей. Села в машину, поехала на хату, помиловалась со своим водителем, после чего он тихо-мирно везет ее домой. Возвращаться-то зачем?

Роман удрученно молчал. Действительно, зачем возвращаться? Глупо как-то... Но все равно в версии о наличии любовника у Евгении Панкрашиной что-то есть. Только необязательно это должен быть ее водитель.

— Я понял, — проговорил он. — У Панкрашиной действительно был любовник. И он приезжал за ней к Дорожкиной. А потом привозил обратно. Она снова шла к Дорожкиной, пила чай, разводила светские беседы, а потом приезжал водитель и забирал ее домой. И ни сном, ни духом не ведал, что она вообще куда-то из гостей отлучалась. Дорожкина и ее муж водителям не доверяли, считали, что могут заложить, никаких бесед с ними не вели и ни в какие секреты не посвящали. Евгения Васильевна своему водителю не доверяла, боялась, что он может сдать ее мужу. Поэтому для всех она была в гостях у подруги. Для всех абсолютно, включая и Шилова.

Пока он произносил эту горячую тираду, Геннадий успел доесть стейк с картофельным пюре и тщательно вытирал губы салфеткой.

— Да, не ошибся я, и вовсе ты не дурак, Ромчик. Все-таки кое-чему я тебя за три года научил, — усмехнулся он. — Хорошо, примем в качестве рабочей версии, что у Панкрашиной был любовник. Что нам это дает?

— Как что? Надо его искать. Он мог быть в курсе насчет колье. И вполне мог убить любовницу, чтобы завладеть драгоценностью.

Колосенцев помолчал, прислушиваясь к вкусовым ощущениям, и вынес вердикт:

— Кофе — дерьмо, пить невозможно, а все остальное было ничего, приемлемо. Ладно, Рыжий, уговорил, будем искать любовника нашей потерпевшей.

Но мысли у Дзюбы летели быстрее, чем он успевал их озвучивать, поэтому, едва убедив Геннадия в том, что в убийстве может быть виновен любовник Евгении Панкрашиной, Роман уже начал сам в этом сомневаться.

— Гена, а может, у нее вообще колье с собой не было? Может, мы зря огород городим?

— Как это не было? А куда оно делось? Панкрашина говорила, что приедет к Дорожкиной печь торт и потом отправится сдавать украшение туда, где она взяла его напрокат. Его просто не могло не быть у нее.

— А вдруг она его сдала до того как поехала к Дорожкиной? Водитель принял ее в девять сорок пять, она могла успеть до этого съездить в бутик, — упорствовал Дзюба, увлекаясь вновь родившимися соображениями.

— Что, без водителя поехала? — усомнился Колосенцев. — Прямо вот так, ножками, на метро? Имея в сумке дорогое ювелирное украшение? Не пойдет.

— А она такси взяла! Или частника поймала!

— Опять не пойдет. Все говорят, что Панкрашина была очень экономной и зря деньги на ветер не бросала. Зачем тратиться на такси, если есть бесплатная машина?

— А может, этот бутик совсем рядом с ее домом? — упрямо возразил Роман. — И она туда быстренько пешком сгоняла?

Колосенцев глянул на напарника с одобрением.

— Будет из тебя толк. Давай, любитель Интернета, доставай свою игрушку и проверяй быстренько, есть рядом с адресом Панкрашиной подобное заведение или нет.

Роман радостно принялся тыкать пальцем в дисплей айфона, что-то долго изучал, прищурившись, и лицо его становилось все более огорченным.

— Ни одного, — грустно объявил он. — Их вообще немного по Москве, и в том районе ни одного нет. Все далеко. И все работают с десяти утра. А Панкрашина без четверти десять уже в машину к Шилову села.

— Значит, толку из тебя не будет, — злорадно проговорил Колосенцев. — Поторопился я тебя хвалить. Не могла Панкрашина сдать колье в пункт проката, стало быть, оно было при ней, а теперь лежит в кармане у убийцы. Других вариантов нет.

Он махнул рукой веснушчатой молоденькой официантке, прося счет, и полез в кошелек. Дзюба последовал его примеру.

Отсчитывая пятидесятирублевые купюры, Роман вдруг остановился, посмотрел на Геннадия и спросил:

— Ген, а как Панкрашина брала колье в бутике? Водитель такую поездку отрицает, в понедельник, кроме как к Дорожкиной, он ее никуда не возил, и по журналу в гараже все совпадает.

— Ну, значит, в другой день взяла, — равнодушно откликнулся Колосенцев. — Не сбивай меня, я опять обсчитался.

— Ген, в какой другой день? Водитель вообще поездку за колье отрицает и в понедельник, и в субботу, и в любой другой день.

— Значит, в воскресенье взяла или в пятницу. Отстань. В чем вообще проблема?

— Ездила так далеко без машины? Почему? И назад возвращалась общественным транспортом, имея с собой дорогущую вещь? Она что, на голову больная была? У мужа она машину не просила, ты сам говорил. Я вот думаю: а не с любовником ли она ездила за этим колье? Тогда он мог точно знать, какое оно, сколько стоит и когда она повезет его сдавать.

— Не гони, — поморщился Колосенцев. — В воскресенье она весь день с мужем провела, я спрашивал.

— Ну, тогда в пятницу. Или вообще в среду. Когда Панкрашин дал ей деньги на покупку украшений?

Геннадий достал свои записи, пробежал глазами по корявым строчкам:

— В четверг, пятнадцатого ноября.

— Значит, в пятницу она и могла поехать со своим любезным за колье. Муж на работе, дочка в школе, никто и знать не знал, что она вообще куда-то уезжала, — с торжеством заключил Роман.

— А на кой хрен она подруге врала, что взяла его в понедельник, если взяла в пятницу? И мужу то же самое заявила? — не сдавался Колосенцев, который терпеть не мог никаких осложнений и неожиданностей, увеличивающих объем работы. — И на кой хрен она его в понедельник к Дорожкиной повезла?

Роман уныло опустил голову.

— Не знаю. Все равно ничего не получается.

Геннадий резко встал из-за стола и принялся надевать куртку.

— Не парься, Ромчик, остынь от своих фантазий. Насчет любовника надо, конечно, покопать, но все остальное... Косяк на косяке. Ладно, пошли, надо в контору ехать. Поищешь этот бутик с цацками, там наверняка помнят и саму Панкрашину, и ее хахаля, если он был.

Они проехали уже полдороги, когда Колосенцев заявил:

— Сегодня у нас среда, надо постараться выжать из четверга-пятницы максимум.

— Почему? — не понял Роман.

— Потому что в субботу ты будешь работать без меня.

— Почему?

— Потому что я в субботу утром заступаю на сутки, — как о чем-то само собой разумеющемся сообщил Геннадий.

— Как на сутки? — оторопел Дзюба. — Ты же только три дня назад дежурил.

— А я поменялся, мне нужен выходной в это воскресенье, у меня игра, соревнования. Так что давай, Ромчик, ноги в руки и вперед. И в воскресенье ты тоже будешь землю рыть в гордом одиночестве, если только из МУРа кого-нибудь не пристегнут. Хотя вряд ли, все-таки обычная тетка, ничего такого, не фигура.

— Ну да, — засомневался Роман. — А муж?

— А что муж? Не политик же, не звезда журналистики, даже не депутат и не судья. Подумаешь, председатель попечительского совета фонда, этих фондов как собак нерезаных. Не такая уж он публичная фигура, во всяком случае, я о нем ничего не слышал.

— А я слышал, — упрямо возразил молодой оперативник. — Он часто интервью дает и по радио выступает, да и по телевизору я его видел в каких-то ток-шоу про проблемы детства, материнства и семьи.

Колосенцев презрительно усмехнулся.

— Ну, ты вообще не показатель, ты же в голову раненный, живешь в Интернете, а я живу нормальной человеческой жизнью, в которой про этого Панкрашина никто и слыхом не слыхивал.

Ну, насчет того, что Гена Колосенцев живет нормальной человеческой жизнью, Рома мог бы и поспорить... Разве может считаться нормальной жизнь, состоящая немножко из работы и в основном из стрелялок? Ни жены, ни постоянной подруги, только какие-то случайные девицы, на которых Генке жалко тратить время. Но спорить Дзюба не стал. Лучше поговорить о чем-нибудь безобидном.

— Ген, сегодня дело дежурный следак возбудил, а кому передадут, не знаешь?

Колосенцев ухмыльнулся.

— Ну, ясен пень, ты мечтаешь, чтобы к Надежде Игоревне Рыженко дело попало, тогда у тебя будет законный повод приходить по вечерам к ней домой, знаю я тебя. Ленка с тобой встречаться не хочет, нужен ты ей, как зайцу стоп-сигнал, тебя в дверь гонят, а ты в окно лезешь.

Вот в этом Геннадий был прав. И снова Роман Дзюба не мог понять, обижаться ему, злиться, дуться или сделать вид, что ничего особенного сказано не было.

Глава 3

Антон Сташис в очередной, наверное, уже сотый раз посмотрел на часы: без четверти восемь. Если вести шестилетнего Степку в садик, а десятилетнюю дочку Василису — в школу, то нужно выходить из дома через пять минут, иначе он на работу опоздает. Почему Эли до сих пор нет? Ведь она должна приходить к семи утра, и все годы, что няня работает у него, она ни разу не опоздала. Эльвира живет за городом, выезжает очень рано, сама за рулем, и по свободным рассветным дорогам ни в какие пробки не попадает. Можно же было за столько лет научиться рассчитывать время от дома за городом до дома Антона! Может, что-то случилось?

Он каждые несколько минут хватался за телефон и звонил няне, но слышал в трубке только длинные гудки. Телефон не выключен, находится в зоне действия сети, но Эльвира почему-то трубку не брала.

Впрочем, Васька уже достаточно большая, школа далеко, но она вполне может сама доехать на метро. Он сам не то что в школу с первого класса — в старшую группу детского сада ходил один, без родителей, если так складывалось, что некому было его отвести. Такое, конечно, бывало крайне редко, потому что кроме мамы и папы были еще старшие брат и сестра, но все-таки иногда случалось, и ему приходилось идти одному. И ничего, вполне справлялся.

«Но это я, — тут же одернул себя Антон. — Меня растили самостоятельным, а за своих детей я все равно буду всегда волноваться. Где же все-таки Эля? И почему она не звонит? Хоть бы предупредила, на сколько опоздает. Если вообще появится...»

Василиса, полностью одетая, с ранцем в руках, слонялась рядом с отцом и ныла:

— Пап, ну мы идем или нет? Мне жарко!

Степка, небольшой любитель посещать детский сад, и не думал одеваться — деловито копошился возле компьютера в надежде на то, что раз няни нет, то, может, все и обойдется.

— Вася, Эля ничего вчера не говорила, может, ей с утра надо куда-то заехать? — спросил Антон, сбрасывая с ног домашние шлепанцы и влезая в ботинки.

— Нет, папа.

Девочка задумалась, потом потянула отца за рукав и тихонько проговорила, хитро прищурившись:

— А знаешь, папа, наша Эля ходит на свидания.

Антон оторопел.

— С чего ты взяла? Что за глупости?

— А вот ничего и не глупости, я сама видела, она принесла в чехле красивое платье, повесила в шкаф, а вечером, когда уходила, его надела. И туфли у нее были в пакете, она их с собой взяла. И по телефону она стала с кем-то разговаривать тихонечко, даже из комнаты выходит, и лицо у нее такое делается...

Антон почувствовал, как внутри все заледенело. Неужели?.. Нет, нет и нет!

— Какое лицо? — спросил он как можно спокойнее.

Вася задумалась, подыскивая слова, но, судя по всему, не нашла и решила ограничиться мимической демонстрацией, изобразив на круглой мордашке таинственность.

— Ну, в общем, лицо, — коротко пояснила она.

— Вася!.. — строго проговорил Антон. — Ты ничего не выдумываешь? Может быть, Эля просто в театр ходила с подружкой, потому и платье принесла, и туфли.

Вася расстегнула молнию на пуховичке и посмотрела на отца с поистине недетским сожалением.

— Ага, пап, я что, маленькая совсем? В театр ходят к семи часам, а Эля уходила в десять почти, когда ты с работы пришел.

Антон не мог не признать, что малышка права. Неужели их няня завела роман? Это нормально, ничего плохого в этом нет, даже и хорошо. Молодая еще женщина, за тридцать, деньги есть, красота есть, разведена, почему не завести роман? Лишь бы не в ущерб работе, потому что если Эля начнет халтурить, отпрашиваться, опаздывать или уходить пораньше, то ему-то что делать?

— Собирайтесь, ребята, выходим, — скомандовал он, решив не ждать няню. — Степка, давай одевайся.

Мальчик нехотя отполз от компьютера и медленно поплелся в прихожую. Одевался он уже давно самостоятельно.

И в этот момент послышался скрежет ключа в замке. Эльвира влетела в квартиру, и лицо ее было одновременно виноватым и встревоженным.

— Простите, Антон, — торопливо заговорила она. — Я телефон забыла. Знаете, закрутилась утром и не положила в сумку, поэтому и не позвонила, я же ваш номер наизусть не помню. Я сейчас отведу детей, мы еще не опаздываем.

75

«Да, — подумал Сташис. — Это наша общая беда: с появлением мобильных телефонов мы любой номер набираем максимум один раз, потом только ищем в телефонной памяти по имени или фамилии. Естественно, с одного раза запомнить не успеваем, и если телефона под рукой нет, то и номер не восстановить».

— Угу. — Он мрачно кивнул. — А выехали вовремя?

— Что? — Эля в недоумении посмотрела на него.

— Я спрашиваю: выехали из дома вовремя?

Няня смешалась и, наклонившись к Степке, стала ловко застегивать на его курточке многочисленные кнопки.

— Потому что если вы выехали с опозданием, то вполне могли позвонить мне из дома, пока вы еще не забыли, — на этом слове он сделал ударение, — свой телефон, и предупредить, что задержитесь. Но вы и этого не сделали. Вы что, в первый раз ехали из этого места? Время не рассчитали?

Эля смутилась окончательно, чем подтвердила худшие опасения Антона. Да, она ночевала не дома, потому и опоздала. Значит, действительно, роман завела.

— Простите, Антон, больше это не повторится, я не знала, что там ремонт дороги, сужение и даже рано утром возникает пробка. Там постоянно проезжают фуры, из-за этого...

— Меня это не интересует, — холодно произнес он. — Потрудитесь, пожалуйста, вовремя выезжать, если ночуете не дома.

Он вышел из квартиры — только что дверью не хлопнул от злости. Злился Антон Сташис, разумеется, не на Элю, а на самого себя и свою нескладную жизнь. Ну чего он вызверился на няню? Зачем так холодно и резко с ней разговаривал? Столько лет все было хорошо, мирно, ни одного конфликта, никаких претензий друг к другу, и вот, пожалуйста...

«Я испугался, — признался он сам себе, заводя двигатель автомобиля. — Я просто ужасно испугался, потому и не совладал с собой. Что делать, если она уйдет? Я не справлюсь».

Всю дорогу на работу он боролся с раздражением и тревогой: если Эля начнет увязать в отношениях, то работать не сможет так, как ему надо. А уволить ее он не может в первую очередь потому, что на другую няню у него просто нет денег. Эля работает бесплатно, и в этом весь ужас его положения. Значит, что бы она ни вытворяла, ему придется терпеть и мириться с этим.

Только подъехав к хорошо знакомому зданию Петровки, 38, Антон сообразил, что, охваченный негодованием и испугом, выскочил из дома раньше, чем обычно. Детей-то вести в сад и школу не пришлось... Ну ничего, работа оперативника подразумевает огромный объем писанины, которую все вечно откладывают на потом. Вот он и займется с утра пораньше, пока больше никого нет в кабинете, который Антон делил еще с двумя коллегами.

Он успел сделать довольно много, пока не появился подполковник Зарубин.

— О, Тоха, ты уже на месте? Беги быстро к шефу, он уже копытами стучит.

— А что случилось? — Антон поднял голову.

— Жену какого-то деятеля вчера приговорили, тебя пристегивают.

— Чья территория? — спросил Сташис, убирая документы в сейф.

Маленький и почему-то постоянно смеющийся Сергей Кузьмич Зарубин театрально закатил глаза.

— Не смешите меня, люди! Территория его интересует! Да плевать ты хотел на территорию, тебя интересует, с какими операми и с каким следаком ты будешь работать. Так вот, выдохни, многодетный отец: следачка та самая, с которой ты уже контачил по делу о сомнительном наследстве, и опера те же, один рыженький такой, смешной, и второй, постарше и потолковее.

Антон обрадовался. Действительно, рыжеволосого Романа Дзюбу и его старшего напарника Геннадия Колосенцева он хорошо помнил. К сожалению, с того дела, которым они вместе занимались, им общаться больше не приходилось. К сожалению — потому, что Дзюба ему еще тогда понравился, да и следователь Рыженко оставила самые приятные впечатления.

Получив официальное задание от начальника отдела, Антон позвонил Дзюбе и узнал, где они могут пересечься.

— Генка говорит, что лучше всего встречаться поближе к дому, где жила убитая, — ответил Роман, о чем-то шепотом посовещавшись с Колосенцевым. — Записывай адрес.

Антон удрученно покачал головой: значит, рыжий Ромчик все еще находится под каблуком у Геннадия и смотрит ему в рот. Жаль. Ромчик — прирожденный опер, талант, искренне влюбленный в свою профессию, ему надо учиться мыслить и действовать самостоятельно, а не жить по указке Гены, который работу свою не любит. Впрочем, это не его дело.

Меньше чем через час Антон был в оговоренном месте, где уже стояла машина Колосенцева. Антон пересел в нее. На изложение собранной накануне информации времени ушло немало, очень уж она оказалась путаной и нескладной.

— Значит, что мы имеем с гуся? — подвел итог Колосенцев. — О колье знали, во-первых, подруга потерпевшей и ее дочь, во-вторых, члены семьи Панкрашиных, в-третьих, те, у кого потерпевшая взяла это колье, то есть сотрудники бутика, и, в-четвертых, все те, кто его видел на приеме. Вот из этой кучи и надо выбирать подозреваемого. При этом подвис у нас еще водитель, который клянется, что колье не видел и ничего о нем не знал, но его показания никакой критики не выдерживают, потому что взяться из воздуха колье не могло, его нужно было где-то получить, а это значит, что водитель потерпевшую туда возил. И его надо брать и трясти, пока он не расколется.

— А орудие убийства? — спросил Антон. — По нему есть результаты?

— Ага, сто результатов и еще пять в качестве довеска, — скривился Геннадий. — Нож преступник бросил там же, в подъезде, стало быть, сразу можно было догадаться, что ничего на нем нет. Так и оказалось. Ни следочка.

— Нет, Ген, погоди, — встрял молчавший до этого Роман. — А почему ты про любовника ничего не говоришь? Я уверен, что водитель Шилов не имеет отношения ни к колье, ни к убийству, я же журнал проверял в гараже... А с любовником все сойдется.

— Отвянь, — махнул рукой Геннадий. — Эти записи в гаражном журнале яйца выеденного не стоят. Все друг друга знают сто лет, все вась-вась, попросил Шилов записать конкретное время — они и записали, что им, трудно? За деньги, Рыжик, еще и не такие фальсификации делаются. Или даже за бутылку.

— Но, Ген...

— Я сказал: закрыли тему. Надо водилу трясти. Очень плохо выглядит это странное расхождение в показаниях: Дорожкина уверяет, что пришла домой к семнадцати часам, и минут через пятнадцать-двадцать появилась Панкрашина, а водитель стоит на том, что привез ее к Дорожкиной к пятнадцати часам. Что это за странные два часа? Куда они делись? Почему они вообще появились?

Антону неприятно было наблюдать за тем, как сникает Роман под напором Колосенцева. Почему-то этот рыжий паренек был ему симпатичен, и душа за него болела.

— Ребята, а что вы уперлись в это колье? — спросил он. — Почему вы думаете, что Панкрашину убили из-за него? Может быть, убийца и не знал ничего про колье, просто решил ограбить первого попавшегося подходящего потерпевшего, забрать деньги и телефон, обычное же дело. Тем более именно деньги и телефон он и забрал. Он же не знал, что в сумке еще и колье окажется, а уж когда оно подвернулось, то и взял, само собой. Другое дело, что каналы сбыта и всех барыг все равно надо перекрывать, потому что знал преступник о колье или не знал — а сбывать его все равно как-то надо. Так что на ход оперативных мероприятий это не влияет.

— Ну да, — согласился Колосенцев, — не влияет.

— И второй вопрос, — продолжал Антон. — Почему вы совсем не рассматриваете версию убийства по личным мотивам? Может быть, месть? Ревность? Почему нет?

Колосенцев зло рассмеялся:

— Ой, Антон, ты бы видел эту потерпевшую! Какая ревность? Кому она нужна? Неухоженная тетка пенсионного возраста, волосы плохо покрашены, седина так и прет, одета кое-как, аккуратно, чистенько, но полный отстой, и с кошелкой. Ты можешь себе представить пожилую женщину с кошелкой, которую кто-то приревновал бы? Да вся ее одежка не стоит и одного камешка из того колье, которое у нее якобы украли. Так что я больше чем уверен: это вообще была бижутерия. Может, и хорошая, качественная, но все равно стекляшки. А мужу и подругам наврала, что камни натуральные и золото. Мужу — чтобы не ругался, а подружкам — чтобы похвастаться. Элементарно.

— Но ведь Ромка что-то говорил о любовнике. — Антон вопросительно посмотрел на Дзюбу. — Рома, поделись со мной своими идеями.

— Да не слушай ты его! — перебил Геннадий. — Вечно у Ромчика всякая муть в голове. Не было там никакого любовника, вот зуб даю.

Даже в сумраке салона машины было видно, как сверкнули обидой глаза Дзюбы. Но Роман промолчал, ничего не сказал, только зубы сцепил.

«Вот это характер! — с уважением подумал Антон. — Я бы уже убил напарника, который так со мной обращается, да еще в присутствии посторонних. А Ромка терпит. Интересно, почему? Но в любом случае он молодец. Такой выдержке можно только позавидовать».

— И все равно я бы поговорил с подругами Панкрашиной, — сказал Сташис. — И с той же Дорожкиной, и с другими, каких найдем. Пятьдесят шесть лет — это очень много, за пятьдесят шесть лет в человеческой жизни столько всего может успеть произойти... Мало ли кого она обидела когда-то, на мозоль наступила, подвела, подставила, да мало ли что... Следователь на какую версию настроен?

— На колье, само собой, это же на поверхности лежит, — усмехнулся Колосенцев.

— Ладно, — кивнул Антон. — Уважим Надежду Игоревну, сделаем в первую очередь то, что она требует, а потом, если время останется, поработаем на свой страх и риск.

— Э, нет, — Геннадий поднял обе руки в протестующем жесте. — Это без меня. Я со следаками конфликтовать не собираюсь, а инициатива, как известно, наказуема. Что Рыженко скажет — то и будем отрабатывать. А все остальное — сами, если вам прибило. Я в субботу на сутки заступаю, в воскресенье после суток отдыхаю, так что ради бога, делайте, что хотите. Но без меня.

Оперативники разделили задания: Дзюбу отправили объезжать бутики, в которых можно взять напрокат ювелирное украшение, а Антон с Колосенцевым пошли к Игорю Панкрашину, находившемуся дома. Геннадий намеревался выяснить у бизнесмена имена тех, кто на приеме 20 ноября мог общаться с его супругой, и поехать опрашивать этих людей, а Антон собирался восстановить все события вчерашнего утра во всех возможных подробностях и деталях.

Дверь им открыла худенькая узкобедрая девушка, и даже печать невыносимого горя не могла скрыть ее красоты. Наверное, еще вчера утром это ослепительное лицо было ясным и светлым. Но и опухшие глаза, и скорбно опущенные уголки губ его не испортили. Все равно было видно, что Нина Панкрашина — настоящая красавица.

— Папа плохо себя чувствует, — объяснила она. — Я не пошла в школу, надо за ним ухаживать. Ночью пришлось «скорую» вызывать.

Игорь Николаевич выглядел еще хуже, чем накануне, когда к нему приходил Колосенцев, однако был более собранным и на вопросы отвечал вполне четко. Почти не задумываясь, назвал имена трех приятельниц жены, с которыми та, как он видел, весело щебетала на приеме. Покопавшись в мобильном телефоне, дал их координаты.

— Не подскажете, какая из этих дам самая толковая? — как бы невзначай поинтересовался Колосенцев.

«Конечно, — подумал Антон. — Надо начинать с наиболее толкового свидетеля, глядишь, и с другими встречаться не придется, экономия времени и сил. Ах, Гена, Гена! Видно, ничего за два года не изменилось. И глаза у тебя сонные, опять, наверное, всю ночь играл».

Панкрашин в качестве наиболее толковой назвал жену своего друга и заместителя Георгия Анищенко, после чего Геннадий распрощался и отбыл, а Антон принялся задавать мужу и дочери Евгении Панкрашиной многочисленные подробные вопросы о том, как та провела последнее в своей жизни утро. В каком настроении встала Евгения Васильевна? Что сказала? Как выглядела? Кому звонила? Не говорила ли о своих планах на день? И Игорь Николаевич, и Нина в один голос утверждали, что ничего особенного в поведении Евгении Васильевны не заметили, все было как обычно, настроение ровное, ни нервозности, ни спешки — ничего. Из планов на день — поездка к подруге, чтобы испечь торт, после чего поездка в бутик, чтобы сдать колье. И больше ничего.

— Евгения Васильевна не говорила, в каком именно бутике она брала колье? — допытывался Антон. — Хотя бы где он находится? В какой части Москвы? Или, может, упоминала его название?

Он пытался найти хоть какие-то ориентиры, но все было бесполезно: никто не спрашивал женщину о таких подробностях. Не добившись результата, Антон отправился по квартирам, расположенным в том же подъезде. Евгению Васильевну в доме знали почти все, но только в лицо: Панкрашины жили здесь давно, но с соседями дружбу или даже просто знакомство не водили. Ни одного худого слова о погибшей женщине Антон не услышал. И даже ни одного факта, который мог бы породить какие-то сомнения, ему не привели. Хотя в чем тут сомневаться? Добродетельная жена, заботливая мать четверых детей, бабушка троих внуков. Какие уж такие факты он надеялся узнать?

— А я Женю видела, — хитро улыбаясь, сообщила ему словоохотливая бабуля, живущая на втором этаже. — Вот как раз вчера утром и видела.

— Она в машину садилась? — спросил Антон, припоминая рассказ Колосенцева: водитель посадил пассажирку в девять сорок пять, чтобы к одиннадцати утра доставить на Речной вокзал.

— И в машину садилась, а как же, но это уж потом было. А сперва она выскочила, как ошпаренная, из подъезда, пальтушка на плечи накинута, в руках чего-то держит, и рванула прямо во-о-он туда. — Бабуля показала через оконное стекло на противоположную сторону двора.

Антон затаил дыхание.

— И что дальше?

— А там машина стояла, не та, на которой Женька ездит все время, а другая. Женька к ей подбежала, чего-то в окошко сунула — и назад.

— Что именно она сунула в окошко?

— Ой, да я не видала, далеко ведь. Ну, чего в руке несла, то и сунула, — вполне резонно заключила глазастая старушка.

— А что она в руке несла? Что-то объемное? Чемодан? Сумку? Коробку? Может, пакет какой-то?

Бабуля призадумалась, видно, вспоминала и соображала, потом решительно произнесла:

— Нет, у Женьки руки опущены были под пальтушкой, она одной рукой полы придерживала, а вторая, стало быть, внутри была. Так что ничего большого быть не могло. Маленькое что-то. Оно и в окошко влезло.

— А машина какая была?

— Так я ж разве разбираюсь? Темненькая, аккуратненькая такая, а уж как там она у вас называется — понятия не имею.

Поблагодарив бабулю, Антон пулей взлетел наверх, в квартиру Панкрашиных. Снова дверь открыла Нина, и если в первый раз глаза ее были сухими, то на этот раз было видно, что она только что плакала.

— Это снова вы, — безучастно произнес Панкрашин при виде Антона. — Вы еще не все спросили? Ну, давайте, спрашивайте.

— Игорь Николаевич, кому и что ваша жена передавала вчера утром?

Панкрашин тупо смотрел на оперативника и явно не понимал смысла вопроса. Потом с трудом разлепил губы и переспросил:

— Женя передавала? Кому? Когда?

— Вчера утром, около девяти часов, Евгения Васильевна вышла из дома, подошла к припаркованной на противоположной стороне двора машине, темного цвета, небольшой, и что-то передала в открытое окошко. Вы знаете, кому и что она передала?

Теперь Панкрашин выглядел откровенно озадаченным.

— Женя? Передала в окошко? Понятия не имею! Меня и дома уже не было, я в половине восьмого уезжаю в офис, а то и раньше. А с чего вы вообще взяли, что она кому-то что-то передавала?

— Так говорят свидетели. Скажите, могло такое быть, что кто-то из ваших детей приехал к маме за деньгами?

Несмотря на подавленность и плохое самочувствие, лицо Панкрашина преобразилось, выражая изумление пополам с негодованием.

— Да вы с ума сошли! Во-первых, наши дети обязательно сами зашли бы, а не заставляли бы мать выходить в такую погоду на улицу. Мы не так их воспитали, чтобы они смели позволять себе подобные выходки. Во-вторых, ни у кого из моих детей нет автомобилей темного цвета, я всегда категорически настаиваю на том, чтобы машины были только светлыми, в целях безопасности. И в-третьих, наши дети никогда не просят денег у матери, только у меня. Так заведено с самого детства. Я глава семьи, и только я распоряжаюсь всеми финансами и контролирую все траты.

Антон не смог совладать с лицом при этих словах, и от Панкрашина это не укрылось.

— Вы не подумайте, что я скряга, — продолжал он, словно оправдываясь. — Я всем даю достаточно денег, иногда даже более чем достаточно, но я крайне не люблю, когда меня разводят, и хочу все контролировать сам.

«А вот это уже любопытно, — подумал Антон. — Такой строгий папа, требующий отчета за каждую копейку, и такая красивая современная девушка, которой подобные строгости наверняка нравиться не могут. Надо бы в этом направлении поискать...»

— Я поговорю с Ниной? — полуутвердительно спросил он.

— Да, конечно, спрашивайте ее обо всем, что вам нужно.

Нину Панкрашину Антон обнаружил на уютной кухне. Девушка сидела на табуретке, опершись локтями о широкий подоконник, тихонько покачивалась и смотрела в окно. Вошедшего Антона она заметила не сразу, а когда перевела на него глаза, в них застыла такая боль, что Сташису стало не по себе.

— Как же мы теперь без мамы... — тихонько проговорила она. — Такое чувство, что вся жизнь закончилась, и дальше будет... сама не знаю что. Не знаю, как мы теперь будем...

Антон уцепился за ее слова и начал понемногу расспрашивать о семейном укладе Панкрашиных, о взаимоотношениях между членами этой большой семьи, о привычках и традициях. Нина постепенно оживала, рассказывала охотно, даже пару раз улыбнулась. Она, разумеется, знала, что Евгения и Игорь Панкрашины — родители приемные, но в том, что Евгению Васильевну девушка обожала, можно было не сомневаться. И горевала по матери она глубоко и искренне. А вот отца побаивалась, хотя и безмерно уважала. Если верить Нине, Игорь Николаевич был отцом безусловно щедрым не только на проявления любви к детям. Дети — все четверо — не знали отказа ни в чем, если это не выходило за рамки разумного. Конечно же, никаких яхт и «феррари-кабриолетов» он не допускал, но если речь шла, скажем, о здоровье или о получении образования, то никаких денег не жалел. Точно такой же подход у него был к покупке автомобилей: машина должна быть светлого цвета, чтобы в сумерках и в темноте не сливаться с окружающей средой, и безопасной. И если за безопасность нужно платить, то это нормально. А вот излишней роскоши он не приветствовал. Поэтому, прежде чем дать денег кому-то из детей, всегда дотошно выспрашивал, на какие нужды, и высказывал свое мнение о необходимости подобных трат. И если деньги давал, то потом обязательно проверял, потрачены ли они именно на то, о чем договаривались, или на что-то другое.

— Я лишний раз денег у папы боюсь попросить, — говорила Нина. — Он даст, вопросов нет, но ведь всю душу вынет: зачем, для чего... А потом проверять будет. А я стесняюсь.

— Стесняетесь? Чего? — удивился Антон.

— Ну... — Девушка смутилась и робко улыбнулась. — Мне, например, хочется купить хорошее белье, и не потому, что я капризная, просто у меня аллергия на синтетику, я могу носить только хлопок, а красивое белье из натуральных тканей стоит дорого. Мне неловко папе про белье объяснять, понимаете? А ведь он еще и показать потребует, когда я его куплю. Или дезодорант... Это ведь такое интимное дело, а папа мужчина... Понимаете? — снова спросила она.

Антон понимал прекрасно. Ваське всего десять, но что такое девичье смущение, он уже видел. А Нине-то шестнадцать!

— Папа вообще никакого вранья не терпит, — продолжала между тем Нина. — Он всегда всех нас наказывал за это, даже за мелкую ложь. Я, когда маленькая была, не понимала, почему он такой. А когда подросла, мама мне объяснила, что сейчас очень много наркомании, и даже в школах наркотики открыто продают, и папа строго следит, чтобы мы в беду не попали. Ну, за старших-то он теперь спокоен, а вот за мной бдит во все глаза. Тотальный контроль.

Интересная семейка... И девушка прелюбопытная. Такая красавица наверняка хочет хорошо одеваться и пользоваться всяческими женскими прибамбасами, а тут строгий папа, у которого нужно просить каждый рубль и потом за него отчитываться. Не мог ли у Ниночки возникнуть соблазн завладеть взятым напрокат украшением и одним махом решить массу финансовых проблем? Разумеется, не сама она на мать руку подняла, но ведь у такой красотки наверняка масса поклонников, а то и близких дружков.

Антон глянул на часы: вполне можно зайти в школу к Нине и поговорить с кем-нибудь из ее педагогов.

— Нина, в какой школе вы учитесь?

— Я в гимназии имени Ушинского учусь, можно на автобусе две остановки проехать, а можно через парк пешком пройти. А что?

— Просто интересно, — улыбнулся Антон. — Нравится учиться?

— Нравится, — спокойно ответила Нина, хотя особого энтузиазма в ее голосе оперативник не услышал.

Впрочем, это вовсе не свидетельствовало о ее равнодушии к учебе. У девушки мать погибла, и все ее мысли только об этом.

Гимназия имени Ушинского действительно находилась «через парк», Антон на машине доехал очень быстро. Уроки уже закончились, но, судя по количеству бегающих и неспешно идущих по коридорам подростков, имели место и какие-то дополнительные занятия, факультативы, секции. Мимо Антона с громким криком пронеслась группа парней в спортивной форме, и от их разгоряченных потных тел пахнуло здоровьем и молодой нерастраченной силой.

Учительская находилась на втором этаже. Классного руководителя Нины Панкрашиной там не оказалось, но Антону посоветовали поискать ее в лингафонном кабинете, где та — преподаватель английского — вела факультатив. Так и оказалось. Пятеро подростков сидели в наушниках и что-то слушали, а симпатичная немолодая дама вполголоса о чем-то беседовала с шестым — лопоухим обритым наголо пацаненком лет двенадцати-тринадцати. Причем беседовала отнюдь не на русском языке. Увидев Антона, дама поднялась и подошла к нему.

— Вы ко мне?

О том, что мать Нины Панкрашиной погибла накануне, она, конечно же, знала и сама лично разрешила Нине в течение ближайшей недели не приходить на занятия.

Выслушав Сташиса, она кивнула:

— Сейчас я дам детям задание и выйду к вам в коридор, там мы сможем поговорить.

О Нине Панкрашиной педагог отозвалась в самых восторженных выражениях: девочка прилежно училась и демонстрировала примерное поведение, хорошо успевала по всем предметам, и никаких проблем с ней у педсостава не возникало никогда.

— Но это на уроках, — заметил Антон, который очень хорошо знал, насколько может разниться поведение подростка дома, в школе и на улице. — А вообще, в жизни? Нина — она какая? Добрая, злая? Контактная или замкнутая?

Англичанка усмехнулась:

— Понимаю, о чем вы. Сама за много лет разные метаморфозы наблюдала. В школе — чистый ангел, как за порог школьного здания ступит — хоть святых выноси. Вплоть до уголовщины. Но Ниночка Панкрашина — не тот случай. Я ее родителей знаю очень давно, у нас ведь ее старший брат учился и сестра. Но это когда мы уже стали гимназией. До этого мы были просто английской спецшколой, и самый первый сын Панкрашиных тоже здесь учился, они давно в нашем районе живут. Знаете, такие родители редко встречаются: ведь когда старший мальчик здесь учился, они были совсем молодыми, и квартира у них была крошечная, от производства полученная. А потом Игорь Николаевич занялся бизнесом, и очень успешно, и встал вопрос о покупке нового жилья, так они район менять не захотели, чтобы второй ребенок, дочка, тоже здесь училась. А потом и в третий раз стали квартиру менять на более просторную, и снова здесь же, потому что школа... Евгения Васильевна у нас бессменный член родительского комитета, хотела все знать про своих детей, чтобы ничего не упустить, очень она боялась, что они с плохой компанией свяжутся и учебу запустят. А Игорь Николаевич, как разбогател и встал на ноги, является нашим постоянным спонсором: ремонты, массовые мероприятия, выпускные вечера, поощрительные стипендии или ценные подарки лучшим ученикам, поездки и экскурсии — ничего этого не было бы, если бы не его помощь. Это я к тому рассказываю, что родители очень следят за Ниночкой, очень сильно ее контролируют, поэтому могу точно сказать, что ни с какой плохой компанией она не связана. Совершенно домашняя девочка, жестко ориентированная на учебу и получение хорошего образования. Она ведь и на курсы ко мне ходит.

— На курсы?

— Да, у меня по диплому два языка — английский и испанский, а в нашей гимназии преподают английский и еще один язык в обязательном порядке и третий язык факультативно. Все, конечно, берут английский, а дальше решают сами: или немецкий обязательно и французский факультативно, или наоборот. Так что здесь я могу только английский язык преподавать, а на курсах я преподаю испанский. Вот на испанский Ниночка и ходит.

— Часто?

— Три раза в неделю по два часа.

Теперь Антон решил подобраться к тому главному вопросу, ради которого он, собственно, и пришел в гимназию.

— Нина — очень красивая девушка, очень современная, — осторожно начал он. — Я знаю, что Евгения Васильевна не приветствовала роскошь в одежде, одевалась очень просто и скромно. Вероятно, она и Нину так же одевала. Не могли у девочки из-за этого появиться какие-нибудь... — Он постарался аккуратно подобрать слова: — Неправильные мысли? Может быть, она завидовала другим девочкам, которые одеты более модно и дорого? Ну, вы понимаете...

Англичанка рассмеялась.

— Да ну что вы! Евгения Васильевна — это Евгения Васильевна, а Ниночка — это совсем другое.

— То есть? — приподнял брови Антон.

— Евгения Васильевна была очень опытным родителем, если можно так выразиться. Она прекрасно понимала, что есть ее жизнь — такая, какой она ее прожила, и есть жизнь ее детей, которая развивается и протекает в совершенно других условиях, в другой среде, в другой стране, в конце концов. И никогда не пыталась в отличие от очень многих родителей заставить своих детей прожить такую же жизнь, какой жила она сама, и разделять ее вкусы и принципы. А принципы у Евгении Васильевны были. Она отлично понимала, что такое детская зависть и детская ревность. И ее дети всегда — я подчеркиваю: всегда! — были одеты не хуже других и имели все то же самое, что имело большинство. И мобильные телефоны, и модные ранцы, и всякую технику. Об одежде я уж не говорю. Знаете, у Панкрашиных есть удивительное качество, которое вообще-то крайне редко встречается: они абсолютно точно чувствуют грань, отделяющую понятие «всё, что нужно» от понятия «избыточное». У их детей всегда было все, что нужно, чтобы чувствовать себя комфортно в среде сверстников, и никогда не было ничего лишнего, что как-то выделяло бы их или вызывало зависть. Поистине редкое качество.

— Значит, у Нины нет острой потребности в деньгах, в тратах? — уточнил Антон на всякий случай, хотя из слов учительницы уже и так понял, что промахнулся.

Ради денег Нина на преступление вряд ли пошла бы, у нее и так все было.

— Нет, — покачала головой англичанка.

— А приятели? Поклонники? С кем Нина дружит в классе?

— Вы знаете, особо ни с кем. И одновременно со всеми. Ниночка не из тех девочек, которые умеют... — Она покачала головой и вдруг озорно глянула на Сташиса. — Есть такое полуприличное выражение «дружить взасос». Так вот это — не про Нину. Она со всеми ровная, доброжелательная, списывать дает любому, кто попросит, не делит одноклассников на своих и чужих. Впрочем, классы у нас маленькие, по десять человек всего, так что все как-то умудряются хороводиться одной компанией, не разделяясь на группки. Самой близкой, самой задушевной подружки у Ниночки нет. И в то же время все девочки из ее класса — ее подружки. Это от мамы, от Евгении Васильевны. Такая особенность характера.

«Это точно, — подумал Антон. — Про это я уже наслышан. Множество подружек и приятельниц, и ни одной — самой близкой, которая знает о тебе всю правду, всю твою подноготную».

— А мальчики?

— Только дружеские отношения, — заверила его педагог. — Мальчикам она очень нравится, и одноклассникам, и из параллельного класса, и даже из одиннадцатого. Но Нина на них не реагирует. Учеба, учеба и учеба. А потом карьера, карьера и карьера. Правда, на курсах есть хороший паренек, который за ней ухаживает, и Ниночка его ухаживания принимает.

— Принимает? — насторожился Антон. — В чем это выражается? У них близкие отношения?

Англичанка тонко улыбнулась.

— Молодой человек, я давно уже не обольщаюсь насчет нравов современных школьников. Половая жизнь начинается в тринадцать лет, а иногда и в одиннадцать, это мне отлично известно. И поверьте мне, я по поведению и внешнему виду подростка, и мальчика, и девочки, могу совершенно точно вам сказать, занимается он этим или нет. То, что Ниночка не поддерживает со своим кавалером интимных отношений, я вам гарантирую. Она просто позволяет ему провожать себя домой после занятий на курсах и иногда ходит с ним в кафе или в кино. Не более того. Кстати, я ведь тоже живу в этом районе и несколько раз видела Ниночку в компании с этим пареньком, они шли через наш парк в сторону Ниночкиного дома. А я шла сзади, метрах в тридцати. И ни разу ничего не заметила — ни поцелуев, ни объятий, ничего. Просто шли и разговаривали. Более того, один раз я торопилась, и мне пришлось их обогнать, так что я невольно услышала обрывок их разговора. И знаете, что они обсуждали?

— Что?

— Фильмы Альмодовара. И, между прочим, говорили на испанском.

Да, все это — совершенно идиллическая картина, но надо прояснить ситуацию до конца. Подонки с хорошим образованием и знанием иностранных языков — не такая уж редкость в наше время.

— А этот паренек — что вы можете о нем рассказать?

Учительница сделала жест — мол, подождите минутку, — заглянула в класс, сказала ученикам несколько слов по-английски и снова вернулась к Антону.

— Мальчик... — задумчиво проговорила она. — Знаете, мне пора на урок, так что я не буду вам ничего долго объяснять, хотя могла бы рассказывать о нем так же много, как о Ниночке. Скажу одно: если бы у меня был такой сын — я была бы счастлива. А уж я детей на своем веку повидала, можете мне поверить.

И Антон поверил.

От версии о причастности Нины Панкрашиной и ее кавалера к убийству Евгении Васильевны на данный момент придется отказаться. Но это пока. Потому что в любой момент может обнаружиться какой-нибудь фактик, самый незначительный, который заставит снова об этом задуматься. Ладно, пойдем дальше. И без Нины Панкрашиной есть над чем поработать.

Дом Георгия Владиленовича Анищенко, заместителя Игоря Панкрашина, находился за городом, и Колосенцев с тоской думал о том, что придется по пробкам тащиться в такую даль, чтобы поговорить со свидетельницей, и убить на это хорошо если полдня, а то и весь день, ведь обратную дорогу тоже придется осилить... Но ему несказанно повезло: ответившая на его звонок супруга Анищенко по имени Алла сказала, что весь день собирается провести в Москве, у нее масса дел. При этих словах Колосенцев усмехнулся: знает он прекрасно, какие такие дела бывают у неработающих дамочек. Небось массажисты-стилисты всякие или безумный шопинг. Они долго согласовывали время и место и наконец договорились, что беседу с оперативником Алла Анищенко втиснет между двумя деловыми встречами.

— У меня будет не больше часа, — предупредила она.

— Мне достаточно, — ответил Геннадий.

Встречу она назначила в кафе на первом этаже гостиницы «Балчуг». Место Колосенцеву не нравилось, уж больно пафосное, и цены чудовищные, так что даже чашку чаю он там себе позволить не сможет, но спорить и тем более настаивать на чем-то он не решился, памятуя о своем же правиле: никогда не давить на фигуранта при первом контакте. Пусть будет так, как ей удобно. Тем более это в любом случае лучше, чем пилить невесть куда за город.

Алла Анищенко, стройная ухоженная женщина с крашеными в очень красивый, но столь же неестественный цвет волосами, опоздала на двадцать минут, но извиняться и не подумала.

— То, что случилось с Женей, ужасно, — заявила она в первую же секунду. — Но я не совсем понимаю, какую информацию вы от меня ждете. Мы ведь не были близкими подругами. Да и не близкими тоже. Просто знали друг друга много лет, потому что наши мужья очень дружны, вот и приходилось встречаться. Бывает, что дружат семьями, и мужья, и жены, но это не наш случай. Игорь с Жорой дружат, а мы с Женечкой просто приятельницы.

— Я бы хотел поговорить о приеме, на котором вы были двадцатого ноября, — объяснил Колосенцев, с завистью поглядывая на официанта, прошмыгнувшего мимо них с двумя тарелками, на которых красовались какие-то немыслимые десерты.

Алла быстро, не глядя в меню, сделала заказ — чай и фруктовый салат, Колосенцев воздержался, небрежно солгав, что он уже выпил кофе и перекусил, пока ждал ее. Не признаваться же, что дорого!

— А что с приемом? — не поняла Алла. — Вы спрашивайте, время идет. Через полчаса мне придется уйти, я не могу опаздывать.

Вот так, несколькими словами, она вроде бы поставила оперативника на место, а на самом деле — ткнула мордой в стол. Мол, на встречу с тобой и опоздать можно, не такое уж важное дело — расследование убийства, а вот мои дела по-настоящему важны, и опаздывать я никак не могу.

— Вы общались с Евгенией Васильевной на приеме?

— Ну конечно! С кем ей там еще общаться, кроме нас? Она же там никого больше не знает.

— Кроме вас? — уточнил Колосенцев. — А сколько вас?

Алла рассмеялась:

— Трое. Или четверо, я сейчас точно не вспомню, в каком составе мы стояли, когда Женя к нам подошла. Я была, еще две дамы, если нужно — я назову их имена и дам координаты, а вот четвертая, известная журналистка, то ли была в тот момент, то ли нет — точно не скажу. Она какое-то время с нами стояла, потом отходила, потом снова подходила...

Все это Колосенцев и так знал со слов Игоря Панкрашина, и имена этих дам, и их телефоны. Пока ничего нового.

— Евгения Васильевна не рассказывала вам о том, что кто-то из присутствовавших на приеме заинтересовался ее украшением? Может быть, кто-то комплимент ей сказал или поинтересовался стоимостью... Не было такого?

— Украшение? — Алла Анищенко сделала движение, при котором у нормального человека на лбу должны были бы появиться морщины. Ее же лоб, судя по всему, накачанный ботоксом, остался неподвижным. — Да, на Женечке было украшение, и что? Что в нем особенного? Большое, даже громоздкое на мой вкус, и аляповатое какое-то. Я такие называю: «богачество показать». А что не так с этим украшением?

— Оно пропало.

— Что вы говорите? Ну надо же...

Алла покачала головой, и Колосенцеву почему-то показалось, что она не одобряет людей, которые позарились бы на такое «барахло».

— Не понимаю, — продолжала она задумчиво. — Колье как колье, ни серег к нему, ни кольца, ни браслета, то есть это даже не гарнитур. Кому оно могло понадобиться?

— Евгения Васильевна не говорила, сколько оно стоит?

— Нет, мы его вообще не обсуждали. То есть мы, конечно, заметили, что Женя наконец-то появилась хоть в каком-то украшении, но сразу заговорили о другом и больше к колье не возвращались. А что, с установлением цены какие-то проблемы? Игорь же наверняка знает стоимость, он же сам платил.

— С чего вы взяли? — насторожился Геннадий.

— А разве нет? Разве его не Игорь купил? А кто?

Глаза Аллы хищно блеснули неподдельным интересом.

— Его вообще никто не покупал, Евгения Васильевна брала его напрокат в рент-бутике.

— Да-а-а? — Изумлению Аллы не было предела. — Правда? С ума сойти! Ну, тогда я вам совершенно точно скажу, что никто на это колье не позарился бы, и если оно пропало, то не потому, что его украли, а потому, что Женя его куда-нибудь засунула.

— Откуда такой вывод?

— Ой, ну неужели вы не понимаете? Украшения напрокат — это в основном бижутерия, очень красивая, иногда даже дорогая, но все равно это всего лишь бижутерия. В Москве есть несколько точек, где можно взять в аренду настоящую ювелирку, немного, всего две или три, но там с вас возьмут залоговую стоимость в размере ста процентов цены изделия, плюс еще проценты за прокат. Если бы это «богачество» было настоящим, оно бы стоило огромных денег. Ни один бутик никогда — запомните это! — не связался бы с такой вещью. Если бы камни в этой, простите за выражение, красоте невозможной были натуральными, цена была бы неподъемной. Напрокат дают только недорогую ювелирку. Так что, если колье было настоящим, оно не могло быть прокатным, его можно было только купить, причем за бешеные деньги.

— А если все-таки прокатным?

— Тогда это бижутерия, — безапелляционно заявила Анищенко и добавила: — Без вариантов.

— И Евгения Васильевна сказала вам, что колье взято напрокат?

— Нет, ничего этого она не говорила, мы думали, что это Игорь наконец расщедрился, начали Женечку подкалывать, а она сразу принялась щебетать про то, какой Волько чудесный, так что если кто-то из нас и обратил внимание на украшение, то мы быстро отвлеклись.

Волько... Это еще кто? Такое имя пока не всплывало.

— А что такое с Волько? — спросил Колосенцев как бы между прочим, будто бы отлично зная, кто это такой.

— Да это певец, который там выступал. Вы ж понимаете... Женя наша, конечно, простота необыкновенная, перекинулась парой слов с Волько и потом весь вечер только об этом и трещала, дескать, какой он милый человек, какой обаятельный, какой приятный. Ну скажите мне, вот как можно назвать этого надутого высокомерного хлыща приятным? Просто смешно!

Геннадий не очень хорошо представлял себе мужчину, о котором так возбужденно говорила Алла Анищенко. При слове «певец» он припомнил, что действительно слышал его фамилию, но ничего больше он об этом человеке не знал и уж тем более не имел представления о том, действительно ли он такой надутый и высокомерный, как утверждает свидетельница, или это исключительно ее личные впечатления?

— Тогда почему же он показался Евгении Васильевне милым и приятным, если он такой противный?

— А вы не понимаете? — Алла фыркнула и изящно повела плечиком. — Этот прием и люди на нем — не Женина тусовка, ей там одиноко и скучно, муж занят переговорами с нужными людьми, а она ходит одна, неприкаянная и брошенная. Поэтому любой, кто с ней заговорит и улыбнется ей, покажется нашей Женечке сказочным принцем. Разве вам такое не знакомо?

Эти слова Колосенцев почел за благо не комментировать: ему самому такое было незнакомо, оперативная работа не предполагает ситуации, когда не смеешь или не можешь заговорить с незнакомым человеком. Во всяком случае, Гена Колосенцев мог заговорить с кем угодно и где угодно, не испытывая ни малейшей неловкости.

— Значит, Волько с ней заговорил? — уточнил он.

— Ну, или она с ним, не знаю, но в любом случае они разговаривали, это точно, я сама видела.

— А кроме Волько с кем Панкрашина разговаривала?

— Я же вам уже говорила: со мной. С Дашей. С Катей. — Правильные черты лица Аллы Анищенко исказились в недовольной гримасе: ну сколько можно спрашивать про одно и то же? — Да мы все вместе стояли, она к нам подошла и принялась трещать про Волько. Наша Женя как бездомная собака, готова пойти за первым же, кто ее погладит. А уж если покормит, так она будет ему предана до гробовой доски.

— А вы ее не очень-то жаловали, — едко заметил Геннадий.

Алла смутилась и даже вроде бы растерялась:

— Нет, что вы, не в том дело, что я не любила Женю, наоборот, ее все любили, она была чудесная, просто не нашего круга. Женечка была очень общительная, умела хорошо контактировать с людьми и расположить их к себе. И вообще она без общения засыхала, поэтому очень держалась за своих подружек, с которыми по сто лет вместе работала, никак расстаться с ними не могла. Без конца к ним в гости ездила или в кафе приглашала. И они ее очень любили, между прочим. Женечка, конечно, простовата была, но безвредная и добрая. И подружки у нее такие же, как она сама, без образования, всю жизнь секретарями и делопроизводителями работали. Вот это — ее круг, с ними ей было хорошо, уютно. И Женя очень дорожила их отношениями, старалась не раздражать подруг, не вызывать зависти, поэтому одевалась очень плохо и украшений не носила, всячески подчеркивала, что она осталась такой же, как они, несмотря на то, что Игорь стал состоятельным человеком.

АЛЕКСАНДРА МАРИНИНА

— И откуда вы это знаете? Евгения Васильевна сама вам об этом говорила?

— Нет, что вы. — Алла рассмеялась. — Мы не настолько задушевные подружки, чтобы делиться такими подробностями. Я ведь уже говорила: мы просто приятельницы, давние знакомые. Об этом моему мужу Жоре рассказывал Игорь Панкрашин, а муж соответственно мне пересказал. Но я не думаю, что это чистая правда.

— Вот как? А почему? В чем вы сомневаетесь?

— Да Женя никогда не интересовалась своим внешним видом. Можно носить дешевую плохую одежду и обувь, но всегда видно, когда женщина занимается собой, а когда ей на свою внешность наплевать. Я понимаю, к подругам — в старых брюках и растянутом свитере. Но в другие-то места можно одеться как-то по-другому? Она на мероприятия с Игорем приходит уже несколько лет в одном и том же платье, а ведь здесь ее подружек нет, могла бы надеть и что-то поприличнее, поновее. Своего косметолога у Жени нет, массажиста нет, маникюр всегда самодельный, в парикмахерскую ходить не любит. Волосы у Женечки от природы очень хорошие, густые, но запущенные — это же ужас какой-то! Нестриженые, неуложенные, краской пренебрегает, даже голову помыть вовремя — и то может забыть. — Алла деловито посмотрела на часы: — Простите, мне пора бежать.

«Ну и ладно, — подумал Колосенцев. — Я уже все спросил».

Женщина достала из сумочки деньги, сунула их под сахарницу, не дожидаясь, пока официант принесет счет, и встала.

— Расплатитесь, пожалуйста, — бросила она, словно перед ней сидел не сотрудник полиции, а молодой навязчивый поклонник, которому можно давать любые поручения и который будет счастлив их выполнять.

— А сдача? — язвительно спросил Геннадий. — Официанту оставить?

И тут Алла Анищенко допустила ошибку: она произнесла слова, которыми нажила себе в лице Гены Колосенцева смертельного врага.

— Как хотите, можете оставить официанту, можете взять себе.

И удалилась, красиво покачивая стройными бедрами.

«Ну погоди, сучка, — зло подумал Колосенцев, засовывая блокнот в карман. — Вот только подставься, вот только кончик ногтя покажи — я тебе всю руку по локоть отрежу. Стерва!»

Миниатюрная, как статуэточка, молоденькая девушка с короткой мальчишеской стрижкой улыбалась Роману Дзюбе так лучезарно, что он с большим трудом сохранял приличествующее ситуации выражение лица: ему страшно хотелось улыбнуться ей в ответ, но нужно же было держать марку! Все-таки он из полиции, из уголовного розыска — организации серьезной и уважаемой.

— Да, наш ломбард дает украшения напрокат, — говорила девушка с редким, давно забытым русским именем Евдокия. — Мы открыли при ломбарде специальный рент-бутик. Понимаете, ювелирку напрокат вообще целесообразно пристегивать именно к ломбардам, потому что у нас есть специальная аппаратура, позволяющая определить подлинность камней и драгметаллов. А то ведь клиент может взять вещь с камнями, а вернет со стразами. Поэтому там, где такой аппаратуры нет, стараются с ювелиркой не связываться, работают в основном с бижутерией. А мы даем настоящие ювелирные изделия, но в любом случае это недорогие вещи, а вы мне описали изделие, которое наверняка стоит очень и очень дорого. Мы с такими украшениями дела не имеем.

— А кто имеет? — спросил Роман.

Евдокия задумалась, не сводя при этом глаз с оперативника.

— Господи, какие у вас ресницы, — неожиданно произнесла она. — За такие ресницы я бы полжизни отдала.

Дзюба потерял дар речи. О чем это она? О нем? О рыжем и нескладном Ромчике, над которым без конца потешается Колосенцев и которого в упор не видит обожаемая Лена Рыженко? Наверное, эта девушка шутит. Или она слепая? Или у нее дальтонизм, и она не замечает Ромкину вопиющую рыжину, которой он сам ужасно стесняется?

— Вам надо обратиться в специализированный свадебный салон, — продолжала Евдокия. — Вот там могут давать дорогие украшения, хотя все равно они не будут такими, как то, о котором вы спрашиваете.

— А где этот салон?

— Я вам дам адрес. И еще напишу адреса двух ломбардов, которые тоже дают ювелирку напрокат. — Она потянулась было за стопкой стикеров и ручкой, но внезапно остановилась. — Хотя нет... знаете, так вы ничего не добьетесь. Вы нас как нашли?

— Я в Интернете искал, там есть адрес вашего бутика.

— Многие заведения дают изделия напрокат, но не рекламируют этого. А многие, наоборот, дают только бижутерию и совсем простенькую ювелирку, а рекламу себе делают такую, что можно подумать, будто у них можно бриллиантовую диадему взять за копейки. Если вы будете объезжать все места, адреса которых найдете в Интернете, только время зря потратите. Хотите, я вам помогу?

— Хочу, — вырвалось у Дзюбы раньше, чем он смог сообразить: а действительно ли он этого хочет? — А как вы мне поможете?

— А я сама им позвоню. Я знаю, куда надо звонить и как спрашивать, чтобы сказали правду. Вы мне только точно напишите все, что вам нужно узнать. А дальше я сама.

— И когда вы будете звонить?

— Да прямо сейчас. Я же не приемщица, я оценщица, мне в зале находиться не нужно. Вас как зовут? А то вы мне удостоверение показали, а я не прочитала.

— Роман. А вас мне называть Евдокией или можно как-то покороче?

— Можно Дуней. — Девушка снова улыбнулась. — Меня так все называют. Давайте мы с вами сядем, чайку заварим, я буду звонить, а вы будете мне подсказывать, если что не так. Ой, Роман, а может, вы голодны? А то у меня печенье есть, сушечки. Будете?

— Буду, — кивнул решительно Дзюба, наплевав на приличия. И вдруг совершенно неожиданно для себя добавил: — Я все время есть хочу. Мама говорит, что я еще расту. А на самом деле я активно спортом занимаюсь, поэтому трачу много энергии.

Дуня быстро заварила чай и поставила на стол две тарелочки с печеньем и сушками. Роман попытался взять чашку, локоть немедленно уперся в стоявшую на столе коробочку размером примерно 10 на 15 сантиметров, из которой торчал какой-то шнур с щупом на конце.

— Ой, — испугался он, — я вам тут что-нибудь разобью...

— Не волнуйтесь, — рассмеялась Дуня. — Это даймонд-тестер, прибор для оценки камня. С его помощью можно сказать, алмаз это или стекляшка.

— Да? — заинтересовался оперативник. — А как он работает?

— Вот видите, это предметное стекло, — стала объяснять оценщица. — На него кладется камень, прибор включается, и к камню прикладывается наконечник щупа. На дисплее выводится результат, по которому все становится понятно. Все просто и быстро, как видите.

Дзюба прихлебывал горячий напиток, грыз сушки и внимательно слушал, как эта необыкновенная девушка ловко и быстро выясняет ту информацию, на поиски которой у него ушел бы, наверное, не один день.

«Вот повезло — так повезло, — думал Роман. — Надо же: и помощь предложила, и толковая. Еще и кормит».

— Дуня, — спросил он, улучив момент, когда девушка закончила один разговор и еще не начала другой, — а почему вы решили мне помочь? У вас ведь своей работы много.

Она посмотрела удивленно и даже как будто с упреком.

— Но ведь человека убили, — очень серьезно объяснила она. — Хуже этого ничего не может быть. Когда человека убивают, мне кажется, неприлично считаться, кто что должен и что не должен, все должны дружно браться за руки и помогать друг другу, чтобы найти преступника. Разве нет?

Вообще-то Роман Дзюба именно так и считал, но почему-то нигде и никогда, ни на работе, в уголовном розыске, ни вне работы, ни даже в книгах и кинофильмах он не видел людей, разделявших такую позицию.

Закончив очередные телефонные переговоры, Дуня огорченно произнесла:

— Нет, вашу Панкрашину никто нигде не помнит.

— Но она могла быть не одна, — заметил Роман. — Она могла быть с кем-то, с мужчиной, например, или с женщиной, и прокат колье оформили не на имя Панкрашиной, а на другое имя.

— Да, но такого колье тоже никто не знает. И вообще, я была права: куда бы я ни позвонила, мне всюду отвечали, что такие дорогие вещи напрокат не даются, это исключено.

— А если бижутерия?

— Но по описанию-то никто изделие не признал, — возразила Дуня. — Судя по вашим словам, оно достаточно необычное, крупное, броское. Его бы не забыли. — Она бросила взгляд на две опустевшие тарелки и всплеснула руками. — Ой, боже мой, Ромочка, какой же вы голодный!

Дзюба с изумлением понял, что съел все, что было, подчистую. Вот вечно он так... И Ромочкой никто, кроме мамы, его никогда не называл.

— У меня есть три рыбные котлетки, — продолжала добросердечная Дуня. — Я с собой принесла, чтобы пообедать. Хотите?

— А вы?

— А мы поделимся, — деловито предложила миниатюрная оценщица ломбарда. — Каждому по целой котлетке и одну пополам. Не бог весть что, конечно, они не домашние, из кулинарии, но все равно же еда. У нас и микроволновка есть, если их разогреть, то вполне сносно получится. Будете?

В принципе Дзюба понимал, что надо отказаться. Девушка покупала обед в расчете на одну себя, и порция разделения пополам не предполагала. Но почему-то, по какой-то совершенно необъяснимой причине отказаться он не смог и согласно кивнул.

— Буду. Только за это вы мне должны пообещать, что сходите со мной когда-нибудь в кафе. Сегодня вы меня кормите, а в следующий раз я буду кормить вас. Вы уже всем позвонили?

Дуня задумалась, потом тряхнула головой.

— Можно еще в пару мест позвонить. Хитрые такие места, про них никто не знает, но там тоже дают напрокат ювелирные изделия. Если уж и там понятия не имеют про ваше колье, то тогда точно — больше нигде в Москве его взять не могли.

— Дуня, мне в другом бутике сказали, что за прокат берут сто процентов стоимости изделия. Это правда? Всюду так? Или есть варианты?

Дуня между тем достала из сумки магазинную упаковку с рыбными котлетами, сняла пищевую пленку и сунула еду в стоявшую на подоконнике микроволновую печь. Печь многообещающе загудела, и по небольшой комнатке почти сразу разлился довольно приятный запах.

— Нет, Ромочка, вариантов нет. Сто процентов стоимости — это стандарт. Другое дело, что проценты от этой стоимости, которые начисляются за пользование вещью, могут быть немножко разными. У кого-то пять процентов, у кого-то четыре или три, у кого-то скользящая шкала, например, за первые два дня — пять, за следующие три дня — три процента, потом по два или по одному. У всех свои правила, но в таких примерно рамках.

— А вы как оценщица можете мне сказать примерно, сколько стоит такое колье?

Дуня отрицательно покачала головой.

— Мне нужно точно знать, сколько там камней и каких, только тогда я смогу подсчитать, но и то очень приблизительно, «от и до», потому что камни же бывают разного качества, и дело не только в том, сколько их и как они называются, но и в том, какой они каратности и чистоты, от этого зависит их цена. Но, конечно, только в том случае, если колье настоящее. А если это бижу, то не больше сорока тысяч рублей, но это уж самый верхний предел. Вернее всего — тысяч пять-восемь. Хотя опять же... Если это брендовая вещь, например, Картье или Лалик, то, конечно, дороже. А кстати...

Микроволновка пискнула, гудение прекратилось, Дуня достала из шкафа чистые тарелки и приборы и ловко, одним точным движением, разделила третью котлету ровно пополам.

— Так вот, Рома, я знаете о чем подумала? Если бы вы сказали мне, сколько та женщина заплатила за прокат, я бы вам примерно подсчитала общую стоимость колье, тогда можно было бы разговаривать более предметно.

Дзюба задумался. Действительно: сколько Панкрашина заплатила за аренду? Ее муж говорит, что сущие копейки, но ведь это только с ее слов. А на самом деле? И почему такая простая вещь сразу не пришла ему в голову?

Он перевел глаза с дымящихся на тарелке котлет, источавших соблазнительный запах, на лежащий рядом мобильный телефон. Нет, сначала котлеты, а то остынут. Вот поест быстренько и сразу позвонит. Вкуса еды Дзюба не понял. Надо же, запах был таким симпатичным, а на вкус — лежалая бумага. Может, котлеты были пресными, а вернее всего, ему мешали глаза этой необыкновенной Дуни, которые не отрывались от его лица. Он даже жевать стеснялся.

— Почему вы так смотрите на меня? — наконец не выдержал он.

— Любуюсь, — просто ответила Дуня, нимало не смущаясь. — Вы очень красивый. У вас потрясающие глаза. Я таких ярко-голубых глаз ни у кого не видела.

Дзюба поперхнулся и долго откашливался.

— Кто красивый? Я? Вы что, смеетесь?

— Вы очень красивый мужчина, — повторила Дуня абсолютно спокойно. — И не верьте никому, кто в этом сомневается. Вы женаты?

— Нет, — пробормотал Роман.

— Если когда-нибудь вы надумаете жениться, вспомните про меня. — Девушка задорно рассмеялась. — За таким мужчиной, как вы, я готова на край света пойти.

Он совершенно не понимал, как реагировать на такие слова, поэтому счел за благо схватиться за телефон. Антон Сташис как раз находился в квартире Панкрашиных, поэтому через несколько минут ответ был получен: Игорь Панкрашин дал жене на приобретение нового платья и украшений пятьсот тысяч рублей в нераспечатанной банковской упаковке — сто купюр по пять тысяч. Деньги Евгения Васильевна хранила всегда в одном и том же месте, и именно в этом месте Панкрашин на глазах у Антона обнаружил конверт, а в нем — все ту же нераспечатанную упаковку, запаянную в полиэтилен — так выдали в банке. Кредитными картами убитая не пользовалась, банкоматов панически боялась, по старинке предпочитала наличные.

Получалось, что изделие действительно стоило совсем недорого, и у Евгении Васильевны вполне хватило имевшихся в кошельке денег на залог, составлявший сто процентов стоимости. Как следовало из слов Дуни, проценты за первые два дня берутся с клиента сразу, в момент заключения договора, а остальное он платит, когда сдает изделие, в зависимости от сроков проката. И из всего этого недвусмысленно следовало, что пресловутое колье настоящим все-таки не было. Бижутерия. И даже, вероятнее всего, дешевая. Но, несмотря на дешевизну, сделанная очень хорошо, настолько хорошо, что никто ничего не заметил. Как-то это все сомнительно... Очень хорошо и дешево? Такое бывает только в сказках. В жизни, как давно усвоил Ромчик Дзюба, очень дорогое далеко не всегда бывает хорошим, но вот дешевое всегда бывает только плохим.

Что же за ерунда такая с этим колье? Допустим, оно все-таки было настоящим. Но его аренда не стоила Евгении Васильевне ни рубля. Как такое могло получиться? Кто-то дал ей эти деньги, и вполне возможно, любовник. Что бы там ни говорил Генка Колосенцев об убитой женщине, как бы ни уверял, что на такую ни один мужик не позарится, а Романа с этой версии сдвинуть невозможно. Полюбить можно кого угодно, и подонка, и идиота, и урода. Любовь вообще такая штука... Сложная и неуправляемая.

Но есть и второй вариант, который почему-то раньше в голову ему не приходил: Панкрашина взяла колье вообще не в бутике и ничего никому не платила. Где взяла? Круг ее подруг — бывшие коллеги по работе, секретарши, машинистки, мелкие клерки. У них настоящего украшения такого класса быть не может, а вот дорогая бижутерия, полученная, например, в подарок, вполне реальна. И вещь хорошо сделана, так, что на быстрый взгляд от настоящего не отличишь, и денег никаких платить не надо. Мужу наврала про прокат, чтобы не ругался, он ведь велел надеть на прием настоящие украшения. А что? Как рабочая версия — очень даже годится. Хотя... Нет, снова не получается. Зачем тогда она сказала про прокат Татьяне Дорожкиной и уверяла, что колье настоящее? Если подруги все знакомы между собой, то правда через несколько дней вылезет наружу. Бессмысленно.

«И все равно надо проверить», — упрямо решил Роман.

— Дуня, а почему вас родителя назвали Евдокией? — поинтересовался он. — В честь кого-то?

— Моя бабушка очень любила фильм «Евдокия», был такой давно-давно, даже моя мама тогда еще не родилась. Но его по телевизору иногда показывают. Вот поэтому и назвали, хотели бабушку порадовать. Но папа мне говорил, что редкое имя — это особая судьба или особые способности.

— А у вас особая судьба?

— Да нет, — рассмеялась девушка. — Судьба у меня самая заурядная. А вот способности действительно есть кое-какие. Я камни вижу без аппаратуры. И людей тоже вижу. Не всех, конечно, только необыкновенных, ни на кого не похожих, особенных. Вот вас, например, вижу.

И снова оперативник не нашел, что ответить.

Дуня снова взялась за телефонную трубку, а Дзюба вышел в крохотный тесный тамбур между комнатой оценщицы и торговым залом и позвонил Татьяне Дорожкиной с просьбой назвать имена их с Панкрашиной общих подруг и дать их номера телефонов. Вот закончит здесь — и начнет звонить.

«Все-таки она издевается», — решил Роман, выходя из ломбарда через полчаса.

Дуня позвонила еще в несколько мест, но результат был все тем же: ни Панкрашину, ни ее необыкновенного колье нигде не видели.

Он поежился под моросящим ноябрьским дождем, порыв влажного пронзительного ветра взъерошил его непослушную густую шевелюру и немедленно пробрался через неплотно застегнутый воротник куртки на шею и сполз на грудь мерзкими мурашками. О том, чтобы тихо-мирно сесть на лавочку и начать обзванивать подруг убитой, даже речи идти не могло. Дзюба трусцой добежал до ближайшей троллейбусной остановки — крытого павильончика, в котором и присесть можно, и сверху не капает. Чем больше он звонил, тем быстрее таяли его надежды: никто никаких украшений Евгении Васильевне не давал, никто о таком колье ничего не слышал.

Конечно, все это было чрезвычайно огорчительно, потому что мешало продвижению вперед в деле раскрытия убийства. Но настроение у Романа Дзюбы было, несмотря на это, превосходным, а в груди поселилось необъяснимое, но такое приятное тепло.

Они хотели зайти вечером к следователю и доложиться, но оказалось, что Надежду Игоревну Рыженко вызвало руководство и на месте ее нет.

— Приезжайте ко мне домой, — предложила она по телефону, когда Колосенцеву удалось дозвониться до нее. — Часам к девяти я точно вернусь, меня минут через десять примут, пока что я еще в приемной отсиживаюсь. Приезжайте, Ленка собиралась вареники с картошкой лепить, заодно и поужинаем.

— Хорошо, мы приедем в начале десятого, — недовольно скривившись, пообещал Геннадий.

Дзюба при этих словах радостно встрепенулся: он увидит Лену, сможет с ней поговорить, а даже если и не поговорить, то хотя бы просто посмотреть на нее. Подышать одним с ней воздухом. Генка, конечно, недоволен, но это и понятно: сейчас отчитался бы перед Рыженко быстренько — и домой, к компьютеру, к играм своим. Ну ничего, не всегда же празднику быть на Генкиной улице, иногда и ему, Дзюбе, должно повезти.

— Ребята, это без меня, — покачал головой Антон. — Работу я сделал, а пересказывать результаты следователю вы и одни сможете. Мне домой нужно, у меня дети, я и так их почти не вижу.

Антон уехал домой, а Роман робко предложил:

— Ген, а чего нам тупо в машине сидеть, давай поедем к Надежде Игоревне и у нее посидим, подождем ее. Ленка же дома, она нам откроет.

Колосенцев кинул на него насмешливый взгляд.

— Дураков ищешь? Перебьешься. Поедем пока, постоим у подъезда, а как Надежда появится — вместе с ней и зайдем. И ни минутой раньше.

— Но почему, Ген? Чего ты упираешься?

— Потому что в машине я могу спать, — раздельно произнося слова, объяснил Геннадий. — А если мы войдем в квартиру, то какой сон? Ленка в меня тут же вцепится и начнет болтать, ты же знаешь.

В его голосе звучало нескрываемое злорадство. В самом деле, чем больше уставал Колосенцев, тем больше проявлялось в нем непонятно откуда берущееся желание унизить Романа или хоть чем-нибудь уесть.

Дорога до дома следователя Рыженко заняла минут сорок. Колосенцев набрал номер ее домашнего телефона, выяснил у Лены, что мама еще не пришла, и велел Дзюбе смотреть в окно, чтобы не пропустить Надежду Игоревну, а сам прикрыл глаза и оперся затылком на подголовник. Через полминуты он уже крепко спал, а Роман, пытаясь унять гнев и горькую обиду от недавнего унижения, стал вспоминать все то, что рассказали подруги Евгении Панкрашиной. Сам он успел съездить только к двоим, остальных опрашивали другие сотрудники розыска, которых начальство бросило на оказание экстренной помощи Сташису, Колосенцеву и Дзюбе.

Все приятельницы Евгении Панкрашиной рассказывали одно и то же: дружат давно, много лет, когда все вместе работали в огромной организации, только один секретариат — 28 человек. Женя часто приезжала в гости, или они куда-нибудь ходили вместе, например, прогуляться или кофе с пирожными выпить. Но иногда она приезжала, сидела какое-то время и уезжала, а потом снова возвращалась. Вот в этой части все опрошенные были единодушны.

— Она говорила вам, куда именно уезжает и зачем? — спрашивал Роман у тех свидетельниц, с которыми разговаривал сам.

— Точно не говорила, но... — усмехнулась его собеседница, худощавая дама в возрасте за шестьдесят с обильно покрытым морщинами лицом, — давала понять, что у нее есть любовник.

— Каким образом она давала это понять?

— Вот, например, я спрашивала: «Уж не любовничка ли ты завела, подруга?» — а Женя только улыбалась в ответ, но молчала. Ни да — ни нет. Не подтверждала, но и не отрицала.

— Может быть, Евгения Васильевна что-нибудь о нем говорила? — допытывался Роман.

— Нет, ничего, ни слова. — Дама покачала головой. — Да и повода не было, она же не признавала впрямую, что у нее кто-то есть.

— Скажите, кто из вас является самой задушевной подружкой Панкрашиной? Самой близкой, такой, от которой нет секретов?

Свидетельница глянула на него острыми умными глазками и покачала головой.

— О, такой среди нас нет. Вернее, у Женечки такой подружки не было. У нее, понимаете ли, муж —

хороший дрессировщик, смолоду приучил ее не распускать язык, никому не доверять полностью и не болтать лишнего, как бы чего не вышло... Они оба такие, и Женечка, и Игорь. Игоря я помню еще пацаном сопливым, только-только после института, еще в профессии ничего не умел, а уже был закрытым наглухо. Женечка ни с кем никогда не была полностью откровенной, сначала это обижало и бесило, ну, по молодости, а потом мы поняли, что не в этом суть. Женька добрая была и всегда готова помочь, поддержать, всех жалела, всем сочувствовала, рядом с ней было тепло, и за это мы все ее любили. И еще, знаете, она очень хорошо умела слушать. Мы всегда делились с ней своими проблемами, и она слушала нас, сочувствовала, если хоть чем-то могла помочь — обязательно помогала, постоянно интересовалась, как дела у нас, у наших мужей, у детей, у всех наших родственников, про которых она тоже помнила — и их имена, и их проблемы. Поэтому нам всегда было о чем поговорить, и даже как-то незаметно было, что мы никогда не говорили о ней самой. Ну, не рассказывает она о себе — так это ее дело. Мы давно уже перестали обижаться и просто любили Женечку такой, какой она была.

И здесь та же самая песня: никому не доверяла, ничего не говорила, ни с кем ничем не делилась. Как так можно жить? Роман Дзюба этого не понимал.

— Как давно у Панкрашиной появился этот любовник? — задал он очередной вопрос.

— Понятия не имею, — развела руками свидетельница.

— Ну хорошо, а вот эта странная привычка приезжать, потом уезжать и снова возвращаться? Она когда появилась?

Женщина подняла глаза к потолку, вспоминая.

— Года два назад, может, два с половиной. Или около того.

— Но не год? — уточнил Роман.

— Нет-нет, совершенно определенно не год, намного больше.

— И не пять лет? Не четыре?

Женщина с недоумением посмотрела на него и сердито повторила:

— Два — два с половиной года, я же ясно сказала.

Все остальные приятельницы Евгении Панкрашиной, которых оперативники успели опросить за сегодняшний день, повторили то же самое. И показания их совпали с показаниями Татьяны Петровны Дорожкиной, за исключением, разумеется, истории с колье. Про колье никто, кроме Дорожкиной, не знал...

Роман очнулся от того, что кто-то стучал согнутым пальцем в стекло с его стороны. Рядом с машиной стояла Надежда Игоревна Рыженко. Довольно бесцеремонно растолкав крепко заснувшего Колосенцева, Роман выскочил на тротуар и буквально выхватил из рук следователя тяжелую сумку и два пакета с продуктами.

По квартире витал запах вареников, Надежда Игоревна не обманула, а ее дочь-студентка Лена не подвела. Увидев Колосенцева, девушка расцвела, глаза засияли. На Романа она, по обыкновению, ни малейшего внимания не обратила.

— Ленуся, накрой нам в комнате, — попросила Надежда Игоревна. — Нам нужно поговорить.

При этих словах Дзюба сник, хотя чего еще он ожидал? Что следователь будет обсуждать с оперативниками ход и результаты оперативно-следственных мероприятий в присутствии посторонних? Так бывало всегда, ничего удивительного, но каждый раз

Роман надеялся, что удастся хоть пару минут поболтать с девушкой или даже просто посидеть рядом с ней. Иногда получалось. Да что там иногда — получалось всегда, когда Роман за той или иной надобностью приходил домой к Рыженко и заставал дома ее дочь, уж на это-то смекалки и сообразительности у Дзюбы хватало, только вот толку-то... Ни малейшего интереса Лена к рыжему оперативнику не испытывала. Ее интересовал Колосенцев.

Надежда Игоревна ушла в свою комнату переодеваться, Лена Рыженко, медлительная, какая-то сонная, но при этом невыразимо женственная, с лицом мадонны, накрывала на стол, бросая кокетливые взгляды на Геннадия и перекидываясь с ним ничего не значащими репликами. Романа в комнате словно и не было вовсе. Ему стало грустно. И почему-то очень обидно.

И даже вареники с картошкой показались ему невкусными, хотя Ромка их вообще-то очень любил. Может, Лена не умеет хорошо готовить? Или просто настроение не то...

Первым докладывал Роман — излагал информацию, полученную в рент-бутиках и у подруг убитой:

— По всему выходит, что на протяжении примерно двух последних лет у Панкрашиной был любовник. Он мог знать о колье и о том, что в среду утром Панкрашина поедет к своей подруге Татьяне Дорожкиной и украшение будет при ней. И вполне мог ее убить, — закончил Роман. — И вообще, с этим украшением история темная. Ювелирное оно или бижутерия — а все равно непонятно, откуда появилось. Где Панкрашина его взяла?

— Может, просто купила? — высказала предположение Рыженко. — Зашла в первый попавшийся магазин, где есть соответствующий отдел, нашла бижутерию поярче и покрупнее и заплатила недорого. И не было никакого рент-бутика. Почему нет?

— Нет, — твердо ответил Дзюба. — Не может так быть. То есть теоретически могло бы, но тогда зачем так много лжи вокруг дешевой цацки? Зачем выдавать ее за ювелирное украшение? Зачем придумывать рент-бутик? Евгения Васильевна была, как мне кажется, женщиной неоднозначной, но отнюдь не глупой. Она не могла не понимать, что появится на приеме в стекляшках, а там такие акулы бизнеса тусуются, которые вмиг ее расколют и все поймут. И смеяться будут не над ней, а над ее мужем. Как-то это глупо и необъяснимо.

— Что скажешь? — обратилась следователь к Колосенцеву. — У тебя какое мнение?

— Ну, — улыбнулся Колосенцев. — Ромка, конечно, не гигант мысли, но тут я с ним согласен. Я с такими дамочками сегодня имел честь побеседовать, которых на мякине не проведешь. Все трое видели колье и очень хорошо его рассмотрели. Более того, они все в один голос твердили, что Женечка очень любит мужа и никогда его не подставит. А появление на великосветском приеме в дешевой бижутерии при наличии богатого мужа — это или подстава, или эпатаж.

— Одним словом, как бы мы с вами ни крутились, получается, что колье было настоящим, но непонятно откуда взявшимся, потому что деньги все на месте, — подвела итог Надежда Игоревна. — И тут я склонна согласиться с Ромой: попахивает любовником, который сделал Панкрашиной дорогой подарок. И надо вам, ребятки, его найти. А что с врагами? Были у Панкрашиной враги?

— Опять же теоретически, — снова заговорил Дзюба, изрядно приободренный тем, что следователь поддержала его версию о наличии любовника, с которой так упорно не соглашался Геннадий. — Враги могут быть даже у младенца, который пока еще слова худого никому не сказал. Но, судя по тому, что рассказывают подруги Панкрашиной, врагам взяться неоткуда. Работа у нее такая была, на которой врагов не наживешь. И любовников не было. Если только вот этот, последний. И у него, конечно, может быть жена или подруга, которая узнала о Панкрашиной и убила ее из ревности. Она, кстати, и про колье могла не знать, просто выследила соперницу и порешила, а уж когда в сумке порылась, тогда и колье прибрала к рукам.

Надежда Игоревна молча кивала, слушая Дзюбу, потом внезапно подняла руку, жестом останавливая оперативника.

— Погоди, ты же говоришь, что потерпевшая была скрытной особой. Как же ты можешь утверждать, что у нее и раньше не было романов на стороне? Да, подруги не знали, но это, как мы понимаем, в данном случае не показатель. Если был сейчас, значит, мог быть и раньше. И не один. Может быть, Панкрашину настигла месть со стороны давнего любовника, прошлого, или его женщины?

— Может быть, — согласился Роман удрученно. — Об этом мы как-то не подумали.

— Мы! — фыркнул Колосенцев. — Ты уж выражайся корректно, друг любезный. Не мы, а лично ты. Потому что я в этом направлении вообще не думаю. Бред это все полный! Надежда Игоревна, видели бы вы эту потерпевшую! Вот если бы вы ее своими глазами увидели, вам бы тоже такая мысль в голову не пришла. Очень уж она невзрачная и... безвкусная какая-то, пресная. Мы, конечно, видели ее только мертвой, может, она живая-то была обаятельная, привлекательная, но что-то непохоже. И кстати, никто, ни один человек из опрошенных не назвал ее обаятельной. Вот хоть Ромкины свидетельницы, хоть мои — все говорили: добрая, простая, отзывчивая, мягкая. А про обаяние никто и словом не обмолвился. Про так называемую харизьму, — добавил он с неприкрытой издевкой, умышленно выделяя неправильно произносимое «з» с мягким знаком и тем самым подчеркивая полное пренебрежение и недоверие к общепринятому понятию.

Надежда Игоревна почему-то долго и внимательно рассматривала Колосенцева, и Роману показалось, что в ее глазах проступило не то неодобрение, не то осуждение.

— Хорошо, — вздохнула она. — Идем дальше. Что еще есть?

Выслушав сообщение Колосенцева о машине, к которой Евгения Панкрашина подходила утром в день убийства, следователь строго спросила:

— Камеры запросили?

— Это Сташис, — быстро откликнулся Геннадий, словно снимая с себя всю ответственность. — Он нашел свидетеля, опросил, потом побеседовал с мужем потерпевшей. Сташис говорит, что камер наблюдения на доме нет, дом не элитный, старая сталинка после капремонта, у Панкрашиных сдвоенная квартира с перепланировкой, остальные жильцы — средний класс.

— Кто был за рулем, мужчина или женщина?

— Ну, Надежда Игоревна, ну побойтесь бога, — взмолился Колосенцев. — Свидетель — бабка столетняя, что она может увидеть на противоположной стороне двора? Спасибо, хоть цвет машины запомнила и Панкрашину узнала, уже большая удача.

— Столетняя? — усмехнулась Рыженко. — Так, может, она совсем ничего не видит? И просто обозналась? Может, это вообще была не Панкрашина? А мы тут с вами землю роем. Ты, Гена, своей ленью и пофигизмом скоро всех достанешь. Идем дальше: что другие члены семьи? Не могли детки позариться на мамино украшение?

Геннадий, судя по всему, ни капли не задетый ее замечанием, спокойно доложил:

— Муж погибшей даже мысли такой не допускает. Но мы, конечно, все проверили. Старшие дети работают, Панкрашин постарался, помог кому с трудоустройством, кому с бизнесом, у всех хорошее жилье, машины, короче, у всех все в полном шоколаде.

— А младшая девочка? Вы же знаете этих малолеток...

— Тоже проверяли.

— Кто? — требовательно спросила Рыженко. — Кто проверял?

— Сташис, — почему-то неохотно признал Геннадий. — Нина Панкрашина, шестнадцать лет, учится в десятом классе гимназии имени Ушинского. Признает, что видела у матери колье в понедельник вечером. Приличная девочка во всех отношениях, ни в чем дурном не замечена, посещает курсы испанского языка, дружит с мальчиком из хорошей семьи, они на курсах вместе занимаются. Старшие дети в те дни, когда колье было в квартире, к Панкрашиным не приезжали и видеть его не могли.

— Мальчик из хорошей семьи? — Следователь скептически приподняла брови. — Знаю я таких мальчиков, навидалась на своем веку. Проверяли?

— Да, Сташис проверял. Говорит, что там все чисто, во всяком случае на первый взгляд.

— Дальше, — потребовала Рыженко. — Что с мужем? У него не могло быть мотива на убийство жены?

Колосенцев отрицательно мотнул головой.

— Мы думали об этом, поспрашивали кое-кого. Ничего. У Игоря Панкрашина нет материальной заинтересованности в смерти жены, имущество и счета оформлены на его имя.

— А любовницы? — прищурилась следователь насмешливо. — А желание вступить в новый брак? Вы же говорили, что для Панкрашина репутация семьянина — это свято. Может, он не хотел подрывать ее разводом и решил просто и незатейливо овдоветь? Тогда второй брак никого не шокирует.

Геннадий подлил себе еще чаю из пузатого фарфорового чайника и щедрой рукой насыпал в чашку сахар. Дзюба подавил завистливый вздох: вот если бы он позволил себе при Генке положить в чай четыре ложки сахару, даже страшно представить, сколько оскорбительных издевательств пришлось бы выслушать!

— Мы, Надежда Игоревна, тоже на это надеялись, но обломались. Панкрашин, как нам сказали источники, приближенные к императору, постоянной любовницы не имел, но, разумеется, позволял себе разные... Сейчас я вам зачитаю показания дословно, как-то она так выразилась изящно. — Колосенцев полез за блокнотом, полистал его, нашел нужные странички и зачитал вслух: — «...позволял себе различные романтические экспромты. Однако на его желание сохранить брак они никак не влияли. Игорь очень привязан к жене, он безумно любит своих детей, он вообще очень любит детей, в принципе, по жизни, любых детей, а уж в своих просто души не чает и очень дорожит близкими и доверительными отношениями с ними. Если он женится во второй раз, дети его не поймут и отвернутся от него, потому что Женечка была в семье центром вселенной, неиссякаемым источником любви и заботы, ее обожали и надышаться на нее не могли». Во как красиво! Мне так никогда в жизни не сформулировать! — прокомментировал он, закрывая блокнот. — Так что у нашего Игоря Панкрашина нет ни малейшего повода избавляться от жены, ни материального, ни матримониального. Но если вы, Надежда Игоревна, настаиваете, то мы, конечно, еще пороем землю в этом направлении. Указания ваши — исполнение наше, как говорится.

Рыженко еще какое-то время что-то записывала в свой блокнот, который в отличие от помещающихся в карман блокнотов оперативников имел довольно большой формат и твердую обложку, потом посмотрела на Геннадия и Романа с одобрением и даже будто бы с восхищением.

— Господи, ребятки, как же вы все успели за такой короткий срок? Вас двое да Сташис с Петровки, а информации натащили, будто целый полк работал.

— Это начальство, — пояснил Колосенцев. — Пошли нам навстречу с учетом личности мужа потерпевшей, дело-то может оказаться резонансным, если муж начнет хай поднимать и искать ходы к высшему руководству, чтобы... Ну, сами, короче, все знаете. Высшее руководство тут же наших начальников на ковер затребует, так надо заранее постараться, чтобы не с пустыми руками идти. Так что выделили людей на первые три дня, всех сняли с текущих заданий, ноги в руки — и нам помогать. Но эта лафа только до завтрашнего вечера, потом мы останемся втроем. Все как обычно.

Надежда Игоревна собралась было что-то ответить, но внезапно повернула голову в сторону двери.

— Елена, в чем дело? Я же просила дать нам возможность поговорить о служебных делах, а ты уже в третий или четвертый раз в комнату заглядываешь, — сердито произнесла она.

— Мам, у нас кран подтекает в кухне, — неторопливо и нараспев объявила девушка, красиво встряхивая длинными светлыми шелковистыми волосами. — Может быть, Гена мне поможет?

«Ну, конечно, — с тоской подумал Дзюба. — Именно Гена и должен помочь».

Хотя он, Ромка, справился бы с краном не хуже, а то и лучше, он дома с детства все сам чинил, навык есть. Но Лене нужен Колосенцев. А он, рыжий смешной Ромчик, не нужен.

Колосенцев с деловитым видом тут же поднялся.

— Инструменты есть?

— Есть, на антресолях, — пропела Лена. — Пойдем, я покажу где.

И Роман остался вдвоем со следователем.

— Что, тяжко? — тихо и сочувственно проговорила Надежда Игоревна.

И старшему лейтенанту полиции, оперуполномоченному уголовного розыска Роману Дзюбе вдруг показалось, что он готов заплакать. Но, конечно же, всего лишь показалось.

— Иногда мне хочется его убить, — едва слышно признался он. — Почему он так со мной, а? Что плохого я ему сделал? Генка так много умеет, я хочу у него всему научиться, а он, вместо того чтобы учить меня, делиться опытом, только шпыняет меня постоянно, оскорбляет, унижает, да еще при других. При Лене тоже...

Надежда Игоревна протянула через стол руку и погладила Романа пальцами по щеке.

— Терпи, милый, — сказала она со вздохом. — Терпи, мой хороший, другого выхода у тебя нет. Молодость прекрасна, она всем хороша: и здоровье есть, и красота, и силы, вся жизнь впереди, вся карьера в твоих руках, все интересно, все будоражит, эмоции захлестывают, все огнем горит. И это замечательно! Но! У молодости есть один существенный минус: каждый, кто старше тебя хотя бы на год, кто опытнее хотя бы на месяц работы, считает возможность окунуть тебя мордой в дерьмо. Это неизбежно для молодых. И я через это прошла. И все проходят. По-другому не бывает. Так что терпи, Ромочка.

Ромочка! Уже второй раз за сегодняшний день его называют этим милым «маминым» именем. Первой была девушка Дуня, оценщица из ломбарда. Дуня... Евдокия... Существо крошечного роста, которое так искренне предложило свою помощь, потому что убийство человека — это самое плохое, что только может быть, и все должны взяться за руки и дружно искать убийцу.

Почему-то при мысли о Дуне Роману Дзюбе стало легче. И даже Генкино поведение уже не казалось таким оскорбительным.

Глава 4

Даже когда существует риск, что совершенное преступление получит громкий общественный резонанс и о ходе оперативно-следственных мероприятий придется постоянно докладывать «на самый верх», все равно из каких-нибудь щелей да вылезет разгильдяйство. Наука называет это человеческим фактором.

Запросы в Московскую городскую телефонную сеть и в компанию сотовой связи, обслуживавшую мобильный телефон Евгении Панкрашиной, были составлены дежурным следователем, возбудившим уголовное дело по факту убийства, еще в среду, в первые же часы после обнаружения трупа. И вот наступила пятница, и совершенно неожиданно выяснилось, что ноги документам никто не приделал, как лежали они в папке — так и лежат по сей момент, и ни у кого отчего-то не ёкнуло. Следователь Рыженко накричала на Дзюбу и велела немедленно везти запросы по месту назначения, а пока будут готовить ответы, предпринять все возможное, чтобы наверстать упущенное время.

Развезя запросы и вдоволь поунижавшись перед телефонными компаниями с просьбами сделать побыстрее, Роман отправился прямиком к Игорю Панкрашину домой. Он искренне не понимал, почему нельзя просто распечатать с компьютера сразу же нужную информацию и отдать правоохранительным органам? Почему надо строить из себя бог весть что и нудно получать на запросе следователя множество виз и разрешений у разных чиновников внутри компании? И ведь некоторым удается отвезти запрос и тут же вернуться с ответом. А некоторым, самым опытным и ушлым полицейским и следователям, бывает достаточно сделать всего лишь телефонный звонок — и вся требуемая информация тут же выдается на-гора. Но Роман Дзюба ни к ушлым, ни к опытным явно не относился.

Зато он столь же явно относился к тем, кого завистливо называют везунчиками.

— Разумеется, у меня есть все отчеты телефонной компании с детализацией всех звонков, — сразу же ответил Игорь Николаевич Панкрашин.

Сегодня он выглядел намного лучше, было видно, что лечили его правильно.

Он открыл дверцу высокого книжного шкафа и достал толстую папку с наклейкой на корешке «Мобильные телефоны», протянул ее Дзюбе и пояснил:

— Женин номер оформлен на мое имя, я за него плачу, и я же каждый месяц получаю детализацию звонков. У меня предусмотрена такая услуга в договоре.

«Ну, понятно, — подумал Роман. — Ты же у нас стремишься все контролировать».

Панкрашин словно подслушал его мысли:

— Я стараюсь контролировать все расходы, в том числе и эти. Не люблю, когда часами треплются по мобильному телефону. Я слишком хорошо помню, как трудно зарабатываются деньги, и не намерен пускать их на ветер. Есть городской телефон с безлимитным тарифом — вот и болтай по нему сколько угодно, хоть весь день. Кроме того, пару раз были случаи, когда гастарбайтеры, в основном из стран Юго-Восточной Азии, практиковали подключение к номеру и всем своим немалым коллективом общались с семьями, а мы потом получали невероятные счета. И это тоже нужно проверять. Я и Ниночкин мобильник контролирую таким же образом. И если вижу в счете слишком большую сумму за какой-то разговор, сразу спрашиваю, чей это номер. Если известно, чей — просто делаю строгое внушение, а уж если неизвестно, то иду в телефонную компанию разбираться. Скандалить приходится, но без этого не обойтись, иначе вообще всякое ворье на шею сядет.

— Я могу это забрать? — все еще не веря в собственную удачу, спросил Роман.

— Конечно, берите все, что нужно. Если нужны еще какие-то документы — вы только скажите, я все найду. И если помощь какая-то нужна, чтобы найти того, кто Женю... — Панкрашин запнулся. — Только скажите, я все организую.

— А счета за городской телефон вы сохраняете?

— Счета где-то у Жени должны лежать, она платит... платила за все коммунальные услуги и за телефон, это была ее епархия, там мне проверять нечего. Пойдемте поищем вместе.

Он завел Романа в просторную спальню, где рядом с беленьким дамским комодиком стоял такой же беленький секретер с множеством ящиков и полок. Все документы у Евгении Васильевны хранились в безупречном порядке, в надписанных папочках и файлах, как и у ее мужа: вероятно, сказывались навык и опыт работы делопроизводителем, и счета за городской телефон нашлись буквально в первую же минуту.

Работа опера, конечно же, тяжелая и нервная, что и говорить. Но в ней есть одно неоспоримое достоинство: иногда можно находиться там, где тебе нужно, и тогда, когда это нужно, несмотря на рабочее время, и при этом не ставить в известность начальство. Появившись утром у себя в отделе, а потом получив выволочку и задание от следователя, Роман отчетливо понимал, что дальше может делать, что угодно. Но в конце дня выдать результат.

И он поехал домой. Можно было, конечно, со всеми этими бумагами и в отдел вернуться, сесть в кабинете, но разве там дадут спокойно работать? Опера ходят туда-сюда, телефон беспрестанно звонит, а если что-то срочное на территории — так еще и выдернуть могут за милую душу, на очередное место происшествия отправить.

Дома было тихо, родители на работе и придут еще не скоро. И в холодильнике полно еды, что немаловажно. Считается, конечно, что такую работу надо делать в конторе, но... Детализация звонков, которую присылают абоненту, отличается от той детализации, которую выдают по запросу правоохранительных органов. И отличается одной существенной деталью: если абоненту присылается просто перечень номеров телефонов, с которыми происходили соединения за отчетный период, с указанием длительности разговора и его стоимости, то по официальному запросу рядом с каждым номером стоит и имя того, на кого данный номер оформлен, и его паспортные данные. И предполагается, что оперативник, имеющий на руках только детализацию абонента, без имен, должен запрашивать сведения по каждому номеру в специальной службе или искать эти сведения в служебной базе данных. Но если так работать, то вообще никогда ничего не раскроешь, зато штаны до дыр в кабинете просидишь. Все нужные базы давно уже были у Романа Дзюбы в личном пользовании. И хотя никто открыто на эту тему не распространялся, Дзюба был уверен, что базы эти есть не у него одного.

Он запасся солидным количеством крекеров, печенья и нарезанного квадратиками сыра и уселся в своей комнате за стол. Включил компьютер, расчистил место для бумаг и принялся за работу. К сожалению, в счетах за городской телефон детализации не было, стояло только указание на услуги внутризоновой связи и первые три цифры номера, то есть код. Остальные семь цифр заменялись крестиками. По соединениям же с городскими номерами вообще никакой информации не предоставлялось.

«Ну и ладно, — решил Дзюба, засовывая в рот два крекера с проложенным между ними сырным квадратиком. — Будем работать с тем, что есть».

Ему нужно найти любовника убитой Панкрашиной, к которому она ездила на свидания, прикрываясь визитами к подружкам, и который помог ей приобрести неизвестно где дорогое украшение. И он его найдет, что бы там ни думал и ни говорил Гена Колосенцев.

Он изучал номер за номером, искал информацию в компьютере, звонил, снова искал в компьютере, снова звонил и... с сожалением вычеркивал очередную строчку в документе. Мужчин среди абонентов Евгении Панкрашиной оказалось совсем немного, и ни один из них в любовники не годился, во всяком случае на взгляд самого Дзюбы. Старший сын, младший сын, зять, отец старшей невестки, отец младшей невестки, отец зятя, водитель Шилов, стоматолог,

Георгий Владиленович Анищенко, заместитель Игоря Панкрашина, еще несколько давних знакомых мужа... Ничего подозрительного.

На роль любовника не подходил никто.

Кроме все того же водителя Шилова. Который либо точно знал про любовника, либо сам им и являлся.

И Дзюба поехал в гараж бизнес-центра.

Вернулся в отдел он часам к восьми вечера, усталый и расстроенный. Разговор с Шиловым ничего не дал. Как Дзюба ни старался, как ни пытался формулировать свои вопросы с максимальным коварством, но водитель твердо стоял на своем: если Евгения Васильевна приезжала в гости к подругам, он потом забирал ее и отвозил домой. Иногда по дороге заезжали на рынок или в магазин. Никаких поездок от подруги куда-то, потом снова к той же подруге, а потом домой не было никогда. В конце концов Дзюба не поленился и сделал выписки из журнала въездов-выездов: все передвижения Шилова на служебной машине за три последних месяца. Если обнаружится хоть одна нестыковка, можно будет взять и более длительный период. В конце концов, адреса подруг есть, адрес гаража и адрес Панкрашиной тоже известны, и вполне можно прикинуть маршруты и посчитать. Ох ты господи, боже мой! И кто сказал, что опера ноги кормят? Опера кормит чугунная задница. Роман представил себе, сколько времени ему придется провести за письменным столом со всеми этими изысканиями, и ему стало плохо. Аж замутило.

— Ну, ты даешь, — протянул заглянувший вечером в отдел Колосенцев, который весь день выполнял другие поручения следователя, касавшиеся уточнения разных сведений о членах семьи Панкрашиных. — А с телефонами разобрался?

Роман устало и коротко поведал, что по звонкам с мобильного телефона Евгении Васильевны ничего интересного не выявилось, а детализацию звонков с городского телефона придется еще ждать. В имеющихся документах пока нет ничего, кроме кодов в тех случаях, когда происходило соединение городского номера с чьим-нибудь сотовым.

Похоже, Геннадий сегодня не очень устал, потому что вместо обычного язвительного замечания вдруг дал (редкий случай!) своему напарнику дельный совет:

— Ты сличи списки контактов с мобильника и с городского телефона, иногда вылезают очень интересные различия. И если их правильно интерпретировать, то можно прийти к прелюбопытнейшим выводам.

— К каким? — тут же оживился мгновенно забывший о своих невзгодах Роман.

Учиться он любил. И вообще любил получать новую информацию.

— Ну... — Колосенцев пожал плечами. — К разным. Например, окажется, что на какие-то номера человек звонит только с городского телефона, а на какие-то — только с мобильного. На какие-то номера могут быть вообще только входящие звонки, а на какие-то — только исходящие. А это же система контактов, то есть характеристика взаимоотношений людей, понимаешь, Рыжик? Почему Иванов всегда звонит Петрову сам, а Петров ни разу за все время Иванову не позвонил? Что у них за отношения такие? Ну и далее везде.

— Спасибо тебе, Гена, — искренне, от души поблагодарил Дзюба.

— Да ладно. — Колосенцев великодушно улыбнулся. — Пользуйся, салага, пока я жив, учись у мастера.

Алексей Юрьевич Сотников был недоволен и собой, и своей работой. Уже третий час работает он с мастер-моделью изделия и чувствует, что не то, не так, какая-то мелочь режет глаз, но какая? Что не так? Пропорции? Или рисунок, который в готовом изделии будет украшен камнями? Или с цветом металла он ошибся, надо было изначально делать мастер-модель в желтом металле, а он сделал в белом, потому что изделие, согласно эскизу, должно быть из белого золота. Может, он ошибся еще на этапе работы над эскизом, и нужно было с самого начала думать о желтом золоте? Но ведь заказчику понравилось, он эскиз утвердил с первого же предъявления, да и самому Сотникову очень нравилось то, что нарисовала его жена Людмила, Люля, художник-дизайнер ювелирных изделий.

А теперь вот получается, что где-то вкрался изъян. И как ни бьется Алексей Юрьевич, не может он понять: в чем ошибка? Что не так?

«Не мой день сегодня, — сердито подумал он. — Бывает, две минуты смотрю — и все вижу, и переделываю, и радуюсь результату. А случается — как сегодня. Отупение какое-то нашло. И почему многие думают, что ювелирное изделие можно изготовить на раз-два?»

Для него, с самого раннего детства наблюдавшего за работой отца, казалось нормальным и естественным, что Настоящее Изделие, индивидуальное, осмысленное, как говорил Юрий Алексеевич Третий, делается месяцами. Да на один только эскиз уходило от недели до месяца! Конечно, сейчас есть программы 3D и работа над эскизом идет легче и быстрее, но все равно порой угодить заказчику и нарисовать то, что ему понравится, бывает ох как непросто, по три-четыре варианта приходится делать, пока клиент утвердит эскиз.

Еще от месяца до полутора уходит на изготовление мастер-модели — воплощение утвержденного эскиза в изделии из недорогого материала. Сейчас Сотников делает мастер-модели у себя на производстве, а отец все частные заказы выполнял дома, и маленький Алеша обожал рассматривать многочисленные крохотные тигли для плавки металла, фарфоровые мензурки для реактивов, разные инструменты, многие из которых перешли по наследству от старых мастеров и имели отполированные временем деревянные ручки — кусачки, рашпили, надфили от «нулевого» до крупного, отвертки, зажимы. Особенно завораживала мальчика шлифовальная машинка, похожая на дрель с множеством разных насадок. Все эти инструменты до сих пор лежат на рабочем столе ювелира Сотникова, хотя и не полагается заниматься ювелирным ремеслом в жилом помещении, но ведь испокон веку это правило нарушалось! Главное, чтобы была хорошая вытяжка и проветриваемое помещение, ну и конечно, чтобы газовый баллон для сварки и пайки не представлял угрозы для безопасности жильцов.

Алексей Юрьевич сделал эту мастер-модель у себя на фирме и принес домой, чтобы доработать. Модель должна быть показана заказчику, но предварительно в нее нужно вставить фианиты вместо камней, если таковые предусмотрены эскизом. В портсигаре камни по эскизу предполагались, но Сотников даже не начал их вставлять: его беспокоило что-то неуловимое, неосязаемое, но мешающее глазу и уму наслаждаться. Вот когда он разберется с этим неведомым «чем-то», тогда уж вставит камни и предъявит модель заказчику: точно так же будет выглядеть готовое изделие, только выполнено оно будет уже в золоте и декорировано настоящими камнями. Если заказчику мастер-модель не понравится, начинается процесс подгонки: ювелир выясняет, что не устраивает клиента, и устраняет недостатки. Иногда достаточно просто доработки, а иногда приходится заново делать другой вариант модели. Вот и три месяца уже прошли...

Когда заказчик принимает мастер-модель, начинается новый этап работы: изготовление восковки. Для этого мастер-модель кладется на специальную резиновую массу и вырезается, получается так называемая резинка. В нее заливается воск, и, когда он застывает, резинка аккуратно снимается. В итоге остается то, что называется восковкой — модель будущего изделия в воске. И на эту работу уходит от недели до месяца. Ювелир делает восковки много раз: льет — смотрит — переделывает — снова льет — и снова смотрит...

После этого из восковки отливается металлическая болванка, которая должна быть чуть-чуть больше по размеру, чем предполагаемое изделие, чтобы затем обточкой и шлифовкой придать изделию точную форму. Многие ювелиры сегодня отдают свои восковки в «литейку» другим мастерам, но многие льют металл сами. Сотников тоже льет сам. Так с детства приучен.

Затем наступает очередь монтировки и обработки, шлифовки и полировки. В их среде это называется «вывести болванку на форму мастер-модели». И занимает этот этап от нескольких часов до нескольких дней, хотя работа, казалось бы, не бог весть какая объемная, но сделать ее быстро не получается: очень устают глаза, поэтому мастера работают час-два и делают большой перерыв, иногда до следующего дня. Усталыми глазами здесь работать нельзя ни в коем случае! На этом этапе глаз ювелира должен быть свежим и острым.

И снова приглашают заказчика. Если делается какой-то предмет, например, рамка для фотографий, каминные часы или ручное зеркальце, то, как правило, проще: изделие оценивается только визуально, а вот если речь идет об украшении, то заказчик должен его примерить, и если что-то не так с размером кольца, неудобно села на мочке уха серьга или неловко носить браслет, то начинается доводка, допуски для которой оставлены заранее. Если изделие с камнями заказчика, то их вставляют в его присутствии. Самое трудное — правильно подготовить камень к закрепке. С мелкими камнями проще, и за один день можно подготовить и вставить несколько десятков камней, камень весом до одного карата требует на подготовку к закрепке от одного до трех часов, а вот если камень больше карата, то можно провозиться и целый день, готовя место, в которое должны попасть крапаны. Так называются крошечные лапки, сжимающие камень. Ошибиться нельзя ни в коем случае, вставить крупный дорогой камень можно только один раз. Сама закрепка — минутное дело, а вот подготовка... Самый рискованный и требующий максимальной тщательности вариант — это бриллиант с фацетированным рундистом.

Рундист — это узкий поясок, определяющий форму бриллианта. Его плоскость отделяет верх камня от низа. Он может быть матовым либо ограненным, то есть фацетированным.

Рундист сам по себе узок, а на нем еще и грани выбиты, чтобы камень лучше пропускал свет, и если по неосторожности выбить крапаном микроскопический кусочек из фацета, то цена камня существенно падает. И начинаются проблемы.

Однако до того, как начнется работа над закрепкой камней, следует получить на изделии пробирное клеймо в Пробирном надзоре, а это тоже время, не меньше двух недель. Мастер ставит на изделие свое личное клеймо и сдает изделие без камней в Пробирный надзор, где его проверяют и своим клеймом удостоверяют: золото именно той пробы, которая указана в заявке.

Или не удостоверяют... Всякое случается. И тогда все начинается сначала: литье, доводка, примерка.

Но вот проба проставлена, камни закреплены, наступает конечный этап — финишная шлифовка и полировка.

Сотникова буквально до слез умиляют люди, которые приходят и просят сделать подарок ко дню рождения, который будет через две недели. С такими заказчиками он даже не разговаривает. Неужели кому-то еще приходит в голову, что можно за две недели сбацать произведение ювелирного искусства? Как говорила Зинаида Гиппиус, если нужно объяснять, значит, ничего не нужно объяснять.

Но что же все-таки не так с этим портсигаром? Клиент попросил придумать и сделать изделие для мужчины, который долго и тяжело болел. В изделие следовало вложить пожелания здоровья, долголетия, умения не падать духом и бороться до конца. Сотников долго размышлял, какими камнями подкрепить идею дизайна. Сама идея родилась быстро, а вот с камнями пришлось повозиться. Он спросил, как зовут мужчину, кто он по знаку Зодиака и чем именно болеет. Человек по имени Василий оказался Львом и страдал болезнью суставов и позвоночника. Алексей Юрьевич полез в справочники по камням и понял, что по всем параметрам подходит только рубин. Рубины он не очень жаловал, но обрадовался, что тем единственным камнем, на котором все сошлось, не оказался алмаз, работать с которым Сотников уж совсем не любил.

Алексей Юрьевич Четвертый терпеть не мог алмазы и бриллианты, поскольку в основе творчества видел чувства, эмоции и мысли, а они, по его твердому убеждению, не могут быть бесцветными. Он работал только с цветными камнями, а алмазы и бриллианты считал пустой демонстрацией богатства, которая с детства вызывала у него изжогу. Конечно, бывали и исключения, но это должны быть совсем особые случаи: например, у заказчика есть бриллиант из другого изделия, он хочет сделать новую вещь, а денег на то, чтобы купить еще один камень, у него нет. Или клиент хочет сохранить конкретный камень как память, реликвию. Тогда Сотников, конечно, брался за выполнение заказа и работал с нелюбимым камнем. В тех же случаях, когда весь дизайн и приобретение камней возлагались на самого ювелира, Алексей Юрьевич выбирал только «цветник».

Хотя был случай, всего один раз, но действительно был, когда Сотников добровольно принял решение работать с алмазом.

К нему пришел мужчина и попросил придумать и сделать прощальный подарок женщине, которую он больше не любит, но которая никак не хочет это признать, понять и принять. У него не осталось к ней никаких чувств, он пуст и холоден, а она пылает страстью и не желает видеть, что между ними возникла непреодолимая пропасть. Заказчик хотел, чтобы вещь недвусмысленно объясняла это и в то же время была памятью о проведенных вместе годах.

Алексей Юрьевич долго думал и пришел к неутешительному выводу: без бриллианта ему не обойтись. Он придумал браслет, состоящий из двух частей. В нижней части имелся замок, в верхней — тонкая цепочка, один конец которой крепился в пасти у льва, второй — на языке змеи. Когда защелка цепочки открывается — открывается одновременно и нижний замок, и браслет распадается. Тело змеи Сотников собирался сделать из расположенных ромбообразно мелких цветных камней, тело льва — выложить мелкими желтыми бриллиантами. Хотя можно было бы и топазами, если у заказчика есть финансовые ограничения, вышло бы дешевле. Но заказчик твердо заявил, что никаких финансовых рамок он перед мастером не ставит. Чем дороже — тем лучше. Опять же, если глаза змеи можно было обозначить мелкими изумрудами, то глаза льва вполне могли бы оказаться рубиновыми, но... мелкие бриллианты смотрелись лучше, хотя и были дороже. И самое главное: крупный красный камень в пасти льва и крупный бриллиант в пасти змеи. Да, нелюбимый рубин в этом случае можно было бы заменить красной шпинелью, но вот без белого прозрачного бриллианта «один-один» (что означало: цвет номер один, самый белый, и чистота номер один, самое высшее качество) вся идея изделия шла насмарку. Конечно, Сотников сдался не сразу, он просил Люлю сделать несколько эскизов — с горным хрусталем, с лунным камнем, еще с какими-то светлыми камнями, но все время получалось не то. Слишком мягко. Слишком нежно. Слишком неубедительно. В изделии не было окончательности и решимости, твердости и непреклонности. Все это придавал браслету только бриллиант, сверкающий и холодный.

Но тот случай был единственным, когда Алексей Юрьевич Сотников Четвертый сам выбрал алмаз для своего изделия.

Он задумчиво походил по комнате, переоборудованной в домашнюю мастерскую, посмотрел в окно, потом снова перевел глаза на мастер-модель портсигара: может, все-таки сумеет сегодня понять, в чем проблема? Нет, не видит. Хотя, кажется...

Он упустил мысль, потому что затренькал назойливой мелодией мобильный телефон, на дисплее появилась надпись: «Сева». Всеволод, «вторая правая рука» Сотникова на фирме. «Первой правой рукой» была, разумеется, жена Людмила. Сева настолько хорош как менеджер и организатор, что супруги Сотниковы имеют возможность приезжать в офис фирмы на бывшем заводе «Кристалл» далеко не каждый день.

— Алексей Юрьевич, тут из «Софико» приходили, спрашивали вас. Они опять шефа потеряли.

Опять! Ну что ж такое! «Софико» — фирма Лёни Курмышова, и поскольку всем известно об их давней и близкой дружбе, то, когда не могут найти хозяина, в первую очередь идут к Сотникову: Курмышов либо у него в кабинете, либо Алексей Юрьевич знает, как его разыскать.

— Говорят, у него телефон не отвечает, ни домашний, ни мобильный, он же вчера был в офисе и на сегодня договорился о деловой встрече, люди приехали, а его нет, — тараторил Сева.

— Не знаю, дружочек, — вздохнул Алексей Юрьевич. — Вот сегодня как раз не знаю, где наш Леонид Константинович. Так что ничем помочь не смогу.

Ах, Лёнечека, Лёнечка, что ж ты творишь! Конечно, для тебя такое поведение нормально, и все к нему, в общем-то, привыкли. Как привыкают к плохой погоде. Но сама плохая погода от этого хорошей не становится. И когда-нибудь ты нарвешься. Когда-нибудь у кого-нибудь лопнет терпение.

Сотников не сомневался: его друг просто-напросто закрутил очередной ослепительный роман, в который окунулся с головой, наплевав на дела фирмы и прочие обязательства. Такое происходило регулярно, несмотря на многолетние отношения с дочерью Илюши Горбатовского Кариной. Причем Лёнька ведет себя так нахально и неосмотрительно, что Каринка наверняка обо всем не то что догадывается — знает точно. Но почему-то мирится с этим. Почему? Красивая умная молодая женщина. Зачем ей все это? Неужели она до такой степени любит Лёнечку и не любит саму себя?

А ведь в детстве Лёнька таким не был. Или был? Может, он, Сотников, просто не помнит? Внимания не обращал? Да нет же, Лёня был тихим старательным учеником Юрия Алексеевича, Алешиного отца, очень хотел овладеть профессией, учился жадно, домой уходить не хотел — гнать приходилось. Правда, не скрывал, что ювелиром стремится стать не потому, что красоту любит и к искусству тянется, нет, вовсе не для этого.

«Деньги надо зарабатывать, — говорил Лёня. — Ювелир — профессия денежная, лучше многих. И в институте потеть не надо, а деньги можно получать хорошие, и уважаемым человеком быть».

Нет, тогда все было нормально. А вот позже, когда Лёня начал выполнять частные заказы, все и началось. Тоже ведь не сразу, постепенно все складывалось. Первый клиент, пятый, двадцатый... Лёне Курмышову было уже под тридцать, когда ему заказала кольцо какая-то певица, не очень известная в народе, но, как выяснилось впоследствии, близко знакомая с огромным числом знаменитых на всю страну артистов. Работа оказалась весьма удачной, кольцо произвело фурор среди знакомых заказчицы, и к Лёнечке караваном потянулись звезды театра, кино и эстрады, художники и поэты, композиторы и скульпторы. Прошло совсем немного времени, и ювелир Курмышов стал своим в их среде, его приглашали на премьеры, вернисажи и юбилеи, горбачевская перестройка шла полным ходом, частнопредпринимательская деятельность перестала быть уголовно наказуемой, и Лёня развернулся в полный рост. А родители Лёнькины, дай им Бог здоровья на долгие годы, твердили, не переставая:

— Ой, какой же ты молодец, какой же ты умный и талантливый, ведь с какими людьми на «ты» и за руку здороваешься, как же ты пробился-то на самый верх, ты нарасхват, ты всем нужен, и какие люди громкие с тобой запросто... и ты с ними...

И дотвердились в результате. Взрастили в сыне непомерное тщеславие. То есть оно, тщеславие это, наверное, от рождения в Лёньке было, но так бы и засохло на корню, если бы его не поливали и не окучивали восхищенные успехами сына папа и мама. Тщеславие — тот же соблазн, соблазн казаться лучше других, а Лёня Курмышов соблазнам противостоять не умел. Так-то он честный и порядочный человек, но слабый, и коль есть соблазн, то удержаться он не мог. А соблазном было всё, от удовольствия засветиться рядом со звездой до новой женщины, которую ну просто никак невозможно было пропустить мимо себя. Да и ТОГДА, в ТОЙ ситуации его соблазнила легкая возможность удовлетворить мелкое тщеславие, показать себя человеком знающим, компетентным, да к тому же обладающим некоей тайной. Слаб оказался Лёнечка, не устоял.

Слабость характера привела к тому, что Лёнька начал гулять направо и налево, жена в конце концов бросила его и уехала вместе с детьми в другой город, к себе на родину. Спустя короткое время Лёня закрутил роман с Кариной Горбатовской, девушкой красивой и умной, которая влюбилась в Леонида по уши и без него света белого не видела. Однако жениться на дочери коллеги-ювелира Курмышов отчего-то не торопился. А может, и не собирался вовсе. Морочил девчонке голову, говорил о любви, делал подарки, причем отнюдь не дешевые, — натурой он всегда был широкой, деньги любил, но тратить их не скупился. И при этом постоянно заводил то совсем короткие, то более или менее длительные интрижки. Мать Карины, тихую, очень больную женщину, почти не встававшую с постели, в личную жизнь дочери старались не посвящать — берегли, а вот отец, Илья Ефимович, относился к роману Карины с Леонидом сложно. То ненавидел Лёню, то страстно желал, чтобы тот, наконец, сделал Горбатовского тестем и дедом, то снова ненавидел... Сейчас, судя по сделанной на заказ треугольной подвеске, наступил очередной виток ненависти. Надолго ли?

Сотников снова вернулся к портсигару и вдруг подумал, что ошибся с камнями. Да, по всей мифологии камней здесь нужно использовать рубин, но, может быть, именно то, что камни будут красными, и лишает все изделие гармонии? Он захотел попробовать вариант с другим цветом, достал из ящика стола коробочку с разноцветными фианитами и потянулся за пинцетом... Пинцета на месте не оказалось. В принципе ничего страшного, фианит — не драгоценный камень, можно и пальцами взять, но должен же быть порядок! На рабочем столе ювелира Сотникова все предметы и инструменты лежали в строго определенном порядке, и брать нужную вещь он мог не глядя. Куда девался пинцет? Тем более пинцет старинный, достался ему от деда и дорог как память. Да и не делают сейчас таких — легких, удобных, прочных, в лапках которых даже самые малюсенькие камни держатся как влитые, не переворачиваются и не выпадают.

— Люля! — громко позвал он, выглядывая из мастерской в коридор.

Из кухни вышла жена — узкие брючки, свободная длинная футболка, размера на три больше, чем нужно, дизайнерский фартук с невероятно смешной аппликацией, в одной руке полотенце, в другой — тарелка: Людмила вытирала вымытую посуду.

— Да? Что случилось?

— Ты не видела мой пинцет?

— Видела, — засмеялась Людмила. — Три дня назад.

— А сегодня видела?

— Сегодня я в мастерскую не заходила. А что, найти не можешь?

— Не могу, — пожаловался Сотников, любуясь стройной моложавой женой.

— Спроси у детей, — посоветовала Людмила. — Наверняка кто-нибудь из них утащил.

— Ну, Юрка-то точно не брал, — возразил Алексей Юрьевич и добавил грустно: — К сожалению. Ему, увы, мой пинцет никогда не понадобится. Люленька, а что там у него с женитьбой? Слышно что-нибудь? Парню двадцать семь, и так уже традиция нарушена, он до сих пор холост, да еще и ювелиром не стал.

— Так ведь все равно традиции нарушены, — заметила Людмила. — От того, что Юрка женится, они не восстановятся. Ему не станет снова двадцать пять, и ювелиром он тоже не станет.

— Но внуки! — горячим шепотом воскликнул Сотников, оглядываясь на дверь, ведущую в комнату сына. — Есть надежда на внуков. Если они появятся в ближайшие два-три года, я еще успею дождаться, пока они хоть немного подрастут, и передам им ремесло, привью любовь к профессии. А если Юрка с этим делом затянет, я могу и не дождаться. Кому же мне дело передавать?

— Маруське передай, — пожала плечами Людмила. — Мы с тобой тысячу раз об этом говорили. Маруська влюблена в камни, она будет заниматься ювелирным делом, можешь не сомневаться. Или ты охвачен мужским шовинизмом и не видишь женщину продолжательницей династии?

— Люленька, Маруська не любит ювелирное искусство и не понимает его, она любит только камни, а это немножко другое. Тебе ли не знать. Так что ты уж воздействуй, пожалуйста, на Юрку, потереби его насчет женитьбы. У него же есть девушка, с которой он уже года два, по-моему, встречается. Почему он на ней не женился до сих пор?

Людмила поставила вытертую насухо тарелку на комод, стоящий в коридоре, подошла к мужу вплотную и обняла его.

— Сотников, — прошептала она, едва касаясь губами его уха, — я тебя обожаю, ты самый умный и самый талантливый мужчина из всех, кого я знаю. Но я тебя умоляю, Сотников: не лезь ты в чужую личную жизнь. Оставь Юрку в покое. Пусть встречается со своей девушкой, пусть пишет свою книгу, пусть проживает свою собственную жизнь. А Маруська тебя не подведет, обещаю.

Но спросить про пинцет у сына Сотников всетаки решил. Юрий, такой же стройный и высокий, как его отец, с тонкими чертами лица и рано обозначившейся плешью на темени — точная копия Алексея Юрьевича в молодости — что-то писал от руки, сидя перед включенным компьютером. Рядом с его столом на стене висел лист ватмана с тщательно нарисованным генеалогическим древом ювелиров Сотниковых: имя, годы жизни, жены, дети. Первым, в самом низу, стояло имя Юрия Даниловича Сотникова, последним — имя Алексея Юрьевича Четвертого, 1960 года рождения.

Конечно же, никакого пинцета Юрка не брал. Чего и следовало ожидать.

— Сын, я не понял твоего замысла, — озабоченно проговорил Сотников, пробегая глазами строчки на экране компьютера. — То отрывки, которые ты мне даешь прочесть, имеют чисто художественный вид, то документальный. Ты что пишешь вообще? Хронику или роман?

— Я экспериментирую, — не отрываясь от записей, проговорил Юрий. — Пытаюсь найти свой собственный стиль, сочетание разных форм и жанров. Раз уж ты зашел, проверь, пожалуйста, текст на экране. Там все правильно? Я ничего не напутал?

«Основатель Ювелирного Дома Сотникова — Алексей Первый Юрьевич Сотников родился в 1790 году, в семье ювелира, ничем не выдающегося, имевшего свое небольшое ателье. Отец его Юрий Данилович Сотников в 1791 году получил неожиданное наследство, которое позволило ему расширить дело, и в 1792 году маленькое скромное ателье превратилось в подобие производства. Родившийся в 1790 году сын Алексей превратил это производство в Ювелирный Дом Сотникова, придал ему размах, поставил дело на широкую ногу, поскольку обладал не столько художественным вкусом, сколько деловой и финансовой хваткой. А для вкуса у него всегда были превосходные мастера, настоящие художники своего дела. И хотя официально Ювелирный Дом Сотникова как вывеска появился только в 1823 году, датой его основания в семье принято было считать тот год, когда от простого маленького ателье начался взлет к вершинам — 1792 год».

— Все верно. — Алексей Юрьевич кивнул, потрепал сына по плечу и отправился в комнату Маруси, младшей дочери, названной в честь выдающейся женщины-ювелира девятнадцатого века Марии Семеновой, владелицы производства, на котором работало более 100 человек.

Девятиклассница Маруся сидела за столом, склонившись над высыпанным на лист бумаги тростниковым сахаром и еще кучкой какой-то разнокалиберной мелочи. И, конечно же, в руках у нее был тот самый ювелирный пинцет, который безуспешно искал ее отец.

— И что это? — насмешливо спросил Алексей Юрьевич.

— Я тренируюсь, — коротко ответила девочка, беря пинцетом очередной кусочек сахара размером с «соточный» камень — камень весом в одну сотую карата, совсем крохотный.

Маруся хочет стать геммологом, изучает только физику, химию, геологию и математику, все остальное ей не интересно. Ее завораживает и привлекает только красота камня, на камнях она буквально помешана, влюблена в них, а вот сама по себе работа ювелира ее мало волнует. И в ее комнате на полках десятками теснятся тома справочников, учебников, энциклопедий... А вот художественной литературы нет совсем. И это Алексея Юрьевича беспокоит не на шутку. Он твердо убежден, что смысл и глубину красоты невозможно постичь, мало зная и не будучи образованным человеком. Он говорил об этом дочери множество раз. И сейчас снова скажет.

— Маня, ты бы лучше романы читала или стихи, — с упреком проговорил он. — Тебе нужно развивать художественное мышление, а ты только руки тренируешь.

— Да брось ты, пап, — недовольно отозвалась Маруся и с досадой скривилась: очередной псевдокамень с округлой поверхностью выскользнул из лапок пинцета и укатился на пол. — Вон Михаил Першин вообще был без всякого образования, из простых крестьян, самоучка, а мастеров, равных ему, и тогда не было, и до сих пор нет. Зато его работы идут на аукционах за сотни тысяч долларов. А он тоже романов и стихов не читал.

Это было правдой, о Михаиле Евлампиевиче Першине, прожившем, к сожалению, очень недолгую жизнь и умершем в 43 года, много писал в своих дневниках Алексей Юрьевич Второй, родившийся в 1845 году. В 26 лет этот удивительный человек стал старшим мастером в Доме Фаберже, и его работы отличались настолько высоким качеством, что именно Першину Фаберже поручил отвечать за создание знаменитых императорских пасхальных яиц на протяжении семнадцати лет, то есть до самой смерти великого мастера, искусство которого позволило славе Фаберже возрасти многократно. И Сотников знал, что на недавнем аукционе в Нью-Йорке миниатюрное кресло-бонбоньерка работы Михаила Першина было выставлено при стартовой цене в 1 миллион долларов и куплена за 2 миллиона 280 тысяч коллекционером из России. Но ведь Алексей Юрьевич сейчас говорит с дочерью не совсем об этом...

— Марусенька, красота камня видна и сама по себе, с этим трудно спорить, но ее можно и нужно правильно подавать в изделии, тогда она станет поистине ослепительной. А для того, чтобы изделие заговорило, нужно уметь передавать в формах и линиях чувство и мысль.

Но Мария Сотникова была непоколебима:

— Чувства, пап, всегда одинаковы. Зачем мне читать про ревность или грусть в девятнадцатом веке, когда я и сама могу и грустить, и ревновать?.. Все одно и то же.

— Нет, Маруся, ты не права. — Он покачал головой. — Меняется мораль, а вместе с ней меняются и чувства, и эти изменившиеся чувства в визуальном ряду выглядят совершенно по-разному. Ты понимаешь меня?

Девочка оторвалась, наконец, от своего увлекательного занятия и соизволила посмотреть на отца.

— Нет, папа, я не понимаю. По-моему, ты все усложняешь.

Ну что ж, придется прибегнуть к наглядным примерам.

— Вот послушай, — попросил он. — Только не отвлекайся на свои крупинки, слушай меня внимательно. Это стихотворение поэт Греков написал в тысяча восемьсот пятьдесят шестом году, в середине девятнадцатого века. У человека умерла жена или любимая женщина, и он идет на кладбище.

Он сделал паузу и негромко продекламировал:

> В час, когда мерцанье
> Звезды разольют
> И на мир в молчанье
> Сон и мрак сойдут,
> С горькою истомой

> На душе моей
> Я иду из дома
> На свиданье к ней.

На глазах у Маруси появились слезы. Хоть главное в ее жизни — камни, а все равно она остается девочкой, нежной и чувствительной.

— А вот это написано спустя примерно полвека, это уже искусство модерна, Гийом Аполлинер.

> Жена в земле... Ура! Свобода!
> Бывало, вся дрожит душа,
> Когда приходишь без гроша,
> От криков этого урода.
> Теперь мне царское житье.
> Как воздух чист! Как небо ясно!

Маруся фыркнула и рассмеялась.

— Чувствуешь разницу? — оживленно заговорил Алексей Юрьевич. — И в том, и в другом случае речь идет о человеке, потерявшем жену. Но как по-разному они чувствуют! И не потому, что они разные люди, а потому, что время разное, система ценностей и чувствований изменилась, а вместе с ней изменился и изобразительный ряд, эти чувствования передающий.

Он взял с полки толстый иллюстрированный том энциклопедии ювелирного искусства, быстро нашел нужную страницу и показал фотографию броши с эмалью и бриллиантами, состоящей из кольца и продетой в него ленты. Изделие было создано около 1850 года, то есть примерно тогда, когда написано стихотворение Грекова. Вещица была необыкновенно изящной и какой-то печальной, хотя, казалось бы, ничего особенного: кольцо с бриллиантами, обвитое лентой из желтого золота, покрытого синей эмалью с накладным растительным узором с мелкими бриллиантами. Золотая окантовка ленты украшена филигранью.

— Вот посмотри. — Он положил раскрытый том на стол перед дочерью. — Дизайн сочетает перевитую ленту и кольцо, изделие украшено характерной синей эмалью и растительным узором с бриллиантами. Темно-синяя эмаль соотносится с ночью, кольцо — с брачными узами, лента темного цвета обвивает кольцо, словно траурный венок. На концах лента раздваивается наподобие двух языков, и витиеватость ее демонстрирует, как трудно двум душам найти взаимопонимание. Один умер, другой остался жить, то есть они оказались по разные стороны этого кольца. И, несмотря на это, они остались верны друг другу, они вместе, как и были в браке. С помощью накладных цветов показано, что весь путь до смерти жены был усеян цветами, то есть муж очень любил ее и радовал постоянно вниманием. Бриллианты на кольце — твердость намерений остаться навечно вместе. Синий цвет эмали — синий цвет вечности, синие небеса символизируют место, где обитает после смерти душа любимой, твердые бриллианты — твердость его намерений любить ее до конца. Филигрань на краях ленты — это их частная жизнь, их личная жизнь, состоящая из повседневных радостных мелочей. Ты чувствуешь, как слова стихотворения гармонично перекликаются с этой брошью?

Маруся неуверенно кивнула, но по глазам ее Сотников понял, что пока не смог девочку убедить. Он поставил том на полку, достал другой, где, как он помнил, была фотография другой броши, сделанной в 1910 году Йозефом Хоффманом. Расцвет стиля модерн, дизайн броши выполнен ювелирами Венских мастерских — объединения архитекторов, художников, ремесленников и коммерсантов. Они работали по эскизам художников Венского сецессиона. Так назывался союз, созданный в 1897 году. По мнению Алексея Юрьевича, эта брошь как нельзя лучше соответствовала стихам Аполлинера.

— А теперь посмотри вот на это изделие, — сказал он. — Это брошь в форме квадрата с тремя рядами крупных, средних и небольшим количеством мелких камней-самоцветов грубых насыщенных цветов, завальцованных в золотую оправу. Два золотых дерева — тот же растительный мотив, все прямолинейно, нет изящества, сухо, грубо. Выражает примитивные инстинкты: я свободен и хочу жить на дереве, как обезьяна, то есть как хочу — так и буду жить. Две прямоугольные золотые пластины, из которых растут ветки с листьями, напоминают две створки двери, которые распахиваются в свободную новую жизнь без жены. В каждом ряду камни разные, расположены по-разному, нет никакой закономерности ни в форме, ни в цвете, ни в количестве, то есть выражение полной свободы и отсутствия регулирования. В то же время все изделие целиком абсолютно симметрично, три полосы камней равной ширины на равном расстоянии друг от друга, две золотые пластины одинаковые, растительный узор имеет одинаковую площадь с обеих сторон, и все это заключено в рамку квадратной формы из золота с филигранью. То есть все изделие ярко демонстрирует жесткость форм, отсутствие развития, фантазии. Теперь ты понимаешь, как система чувствований отражается в изобразительном искусстве?

Нет, далека его Маруська от этого, далека... Слушает отца из дочернего уважения и обыкновенной вежливости, но в глубине души только и ждет, когда он, наконец, оставит ее в покое и выйдет из комнаты.

И уж конечно, читать художественную литературу она не начнет.

Настоящая образованность нынче не в цене.

Странные времена...

Почти каждый день, за редкими исключениями, Карина Горбатовская приходила к родителям, подолгу сидела рядом с матерью и, держа ее за руку, рассказывала о работе. И каждый раз Илья Ефимович радовался тому, что Карина выбрала для себя ту же профессию, что и его жена, закончила тот же институт и пришла работать в ту же организацию. Обе были экономистами, и теперь, когда жена, несколько лет назад получившая инвалидность, совсем не может работать, Карина заняла ее должность, стала главным бухгалтером и трудится в том же коллективе, в котором провела многие годы ее мать. Поэтому, что бы ни рассказывала дочь о работе, мать понимала ее с полуслова, ибо и работу знала, и людей отлично помнила, и деловой совет могла дать, и отношения, складывающиеся между сотрудниками, были для нее прозрачны. Вот и радовался Илья Ефимович, глядя на мирно воркующих двух самых дорогих для него женщин. Ведь если бы не разговоры о работе и сотрудниках, вряд ли мать и дочь нашли бы другую, столь же увлекательную тему для разговора. Мужа у Каринки нет, детей нет, о чем еще поговорить жене с дочкой? Пока есть производственная тема, пока не иссякают разговоры о ней, жена как-то не особо заостряется на неустроенной личной жизни Карины, которой уже за тридцать. А вот если бы поговорить было не о чем, отсутствие зятя и внуков постоянно мозолило бы глаза, напоминало о себе и мгновенно превратилось бы в целую проблему.

Жена не знает... Не знает ничего, кроме того, что у Кариши есть Лёнечка, который появился в жизни девочки, когда ее мать еще была здорова. Ну — есть и есть, лишь бы девочка была счастлива. А вот о том, во что к сегодняшнему дню превратился этот роман, ей не известно. И про то, что Карина сделала аборт, потому что Лёня не захотел больше иметь детей, матери тоже не сказали. Волноваться ей нельзя.

«Не в том я возрасте, чтобы снова растить малышей», — заявил тогда Курмышов.

И Карина послушно легла в больницу.

А Горбатовский тогда за один день постарел лет на десять. Ему так хотелось внучку или внука! Пусть бы у Кариши не было мужа, черт с ним, но был бы ребеночек...

Жена лежит в постели, Карина примостилась рядышком, полулежит рядом с матерью, обнимая ее, они тихонько что-то обсуждают, а Илья Ефимович сидит в этой же комнате, в старом уютном кресле, с ноутбуком на коленях, смотрит каталоги международных аукционов предметов ювелирного искусства.

Из прихожей раздался мелодичный звук — кто-то звонил Карине на мобильный. И почему она никогда не выкладывает телефон из сумки? Забывает? Или не хочет разговаривать при матери? Наверное, последнее. Ведь если телефон здесь же, под рукой, то как-то невежливо выходить для разговора в другую комнату, сразу понятно становится, что пытаешься что-то скрыть. А если телефон в коридоре, то все получается естественно и подозрений не вызывает.

— Кариша, — позвал он. — Твой мобильник звенит.

Она ловко соскользнула с широкого дивана, на котором днем стелили постель для больной, и бесшумно, но быстро, как на крыльях, промчалась к двери.

«От Лёньки звонка ждет, — с закипающей злобой подумал Горбатовский. — Крутит он девочкой во все стороны, а она ему позволяет. И где только ее самолюбие?»

Он приготовился к тому, что дочь вернется в комнату не скоро, однако Карина появилась уже через пару минут.

— Сотников звонил, — сообщила она в ответ на вопросительный взгляд отца. — Опять Лёню потеряли. Он думал, может, Лёня со мной или я знаю, где он.

— А ты не знаешь? — прищурился Илья Ефимович.

— Нет, папа, — спокойно ответила Карина. — Я не знаю.

«Зато я знаю! — с внезапно вспыхнувшим остервенением подумал ювелир. — Он с бабой, с той самой, с которой я его видел несколько раз в одном и том же ресторане. Видно, ей этот ресторан нравится, вот Лёнька и водит ее туда. Что ж, ничего удивительного, мне тоже этот ресторан нравится, и Лёньке, мы давно его открыли для себя и при любой возможности туда заглядывали. И место удобное, и парковка своя, и кухня превосходная. А теперь Курмышов свою новую пассию туда водит, даже не думая о том, что я там часто бываю. Ничего не боится, сукин сын! А если я Карине скажу? Нет, знает, сволочь, что не скажу. Не захочу девочку травмировать. А баба эта его новая мне не понравилась, ох, не понравилась. Опасная она. С виду — тихая, как мышка, спокойная такая, неяркая, неброская. Но как Лёнька на нее смотрел! Как смотрел, подонок! Никогда я не видел, чтобы он такими глазами смотрел на Каришу».

Илья Ефимович отлично помнил, как заколотилось у него сердце в тот самый первый раз, когда он увидел Курмышова с новой любовницей. Он и раньше видел Лёню с другими женщинами, но всегда одного взгляда хватало, чтобы определить: это на неделю, максимум — на две, Лёнька просто никак перебеситься не может, бегает от надвигающейся старости, как черт от ладана, вот и стремится задрать как можно больше юбок, встречающихся на пути. Противно, но не смертельно, и на отношениях с Кариной никак не сказывается. А с этой женщиной все было иначе. И сама она была другой, не такой, каких обычно Лёня «снимал». И Курмышов рядом с ней был совершенно другим. В каждом взгляде, которым они обменивались, в каждом жесте, которым прикасались друг к другу, даже в том, как они сидели за столом, сблизив головы, сквозили не похоть и быстро вспыхнувший и легко проходящий интерес, а настоящее чувство, глубокое, безрассудное, не поддающееся ни описанию, ни определению, ни объяснению.

Ради этой женщины и ради такой любви Курмышов может бросить Карину. Это Илья Ефимович Горбатовский понял сразу же и со всей отчетливостью. Что будет с девочкой? Она этого не переживет. Ей уже за тридцать, подходящих поклонников как не было — так и нет, не говоря уж о потенциальных женихах, а неподходящие поклонники вроде женатых и обремененных детьми коллег по работе Карине не нужны, хоть и вьются постоянно вокруг красавицы главбуха, и если на ней не женится Леонид, то через пару-тройку лет не женится уже никто. Значит, не будет у Карины Горбатовской ни мужа, ни детей, а у ее родителей — внуков и радости за устроенную семейную жизнь дочери. Если бы оторвать ее от Лёни сейчас, пока еще не стало совсем поздно, пока Карина не растеряла свою привлекательность, пока здоровье и возраст позволяют рожать, то, возможно, она и нашла бы себе хорошего мужа.

Или уж, на худой конец, Лёньку вынудить жениться на ней. Да, не о таком зяте мечтали супруги Горбатовские, но ведь Карина столько лет любит этого проходимца, и не считаться с этим нельзя.

И все-таки... может быть... а вдруг с этой женщиной не сложится? И Лёня вернется в прежнюю колею. И тогда останется шанс сделать Карину счастливой.

Поэтому Илья Ефимович твердо решил ничего не говорить дочери о новой любовнице Леонида Курмышова. В конце концов, раз Лёня сам открыто не порывает отношений с Кариной, значит, до конца не уверен. И надежда еще остается.

Но терпение Горбатовского на исходе. Еще немного — и он не сможет за себя поручиться. Лёнька, как всегда, ничего не понял в подвеске-треугольнике, и, даже когда Алеша Сотников разложил все по полочкам, объяснил все связи и смыслы, Курмышов и ухом не повел. Не чует своей вины. И опасности не чует.

А зря.

Глава 5

Совет, данный Колосенцевым, оказался дельным. Даже не получив еще детализацию звонков с домашнего городского телефона Панкрашиных, Роман Дзюба обнаружил некоторое расхождение: в счетах, присланных для оплаты городского телефона, в графе «услуги внутризоновой связи», указывались соединения с номером, имевшим странный код 51140. Такого кода в детализациях звонков с мобильного Евгении Васильевны не попадалось ни разу. Там все было обычно, коды самые распространенные — 903, 910, 916, 985 и так далее. И точно такие же коды стояли в счетах за городской телефон. Точно такие же, за исключением одного. Почему-то с этим абонентом Евгения Панкрашина разговаривала только с городского телефона, причем никогда не болтала подолгу — от одной до трех минут. На всякий случай Роман полез, по обыкновению, в Интернет и очень быстро выяснил, какая компания сотовой связи предоставляет номера с таким кодом. Компания называлась «Интсат», но толку от этого...

И все равно Роман был уверен: это он, тот самый таинственный и неуловимый, никому не известный любовник Евгении Васильевны Панкрашиной. Она понимала, что муж тщательно изучает детализации звонков, поэтому никогда не связывалась с этим мужчиной при помощи мобильного телефона. Поскольку все счета за городской номер она оплачивала сама, то отлично знала, что номер полностью там не указывается. Да и не проверял Игорь Панкрашин эти счета. Все логично. Теперь осталось только дождаться ответа из Московской городской телефонной сети, и можно будет считать, что любовник Панкрашиной у них в кармане.

В субботу утром Роман Дзюба держал в руках полученный из МГТС документ, из которого узнал не только номер телефона загадочного абонента, но и потрясающий факт: последнее соединение с этим номером из квартиры Панкрашиных имело место в день убийства Евгении Васильевны, в 8.17 утра. Правда, для того, чтобы выяснить, кому принадлежит этот номер, придется оформлять у следователя еще один запрос, на этот раз в компанию «Интсат», но ведь есть и куда более простые пути.

Именно этим простым путем и пошел Роман Дзюба, взяв в руки телефонную трубку и набрав номер, начинающийся с 51140. Он был уверен даже не на сто — на двести пятьдесят процентов, что ответит ему мужской голос.

И ошибся. Голос был женским, молодым и довольно приятным. Представившись и обменявшись с абонентом несколькими фразами, Дзюба выяснил, что номер принадлежит некоей госпоже Нитецкой Веронике Валерьевне, которую с покойной Евгенией Панкрашиной связывали приятельские отношения, не особенно близкие. О гибели Евгении Васильевны она уже знала из новостей, размещенных в Интернете, и искренне сожалела о том, что произошло.

— Когда вы разговаривали с Панкрашиной в последний раз? — спросил Дзюба разочарованно.

Он-то был так уверен, что нашел любовника убитой! А это оказалась очередная приятельница.

— Утром в среду, — тут же ответила Нитецкая, не задумываясь. — Я точно помню. Когда в четверг я прочитала в новостях, что Евгению убили, то подумала, что разговаривала с ней прямо перед смертью, в тот же день. Может быть, я даже вообще была последней, с кем она разговаривала.

— Кто кому звонил, вы ей или она вам?

— Она сама мне позвонила.

— Зачем? У нее что-то случилось? Почему она звонила вам рано утром?

— Ну, для меня это не раннее утро, — заметила Вероника Валерьевна. — Я в это время обычно уже выхожу из дома, чтобы ехать на работу. Евгения сказала, что у нее очень болит шея, буквально голова не поворачивается, а я как-то говорила ей, что у меня есть хороший мануальный терапевт. Вот она и спросила, можно ли попасть к нему на прием.

— И что вы ответили?

— Он сейчас в отъезде, каждую осень на два месяца уезжает в Китай учиться. Так что, к сожалению...

— Евгения Васильевна ничего не говорила вам о планах на тот день?

— Да нет... Насколько я помню, мы говорили только о мануальщике. Обменялись буквально парой фраз, я торопилась на работу, звонок Евгении застал меня уже в прихожей.

— И о планах поехать в рент-бутик сдавать колье она тоже не говорила?

— Куда поехать? — переспросила Нитецкая. — В какой бутик?

— Ну, туда, где дают украшения напрокат, — пояснил оперативник. — Ничего не говорила?

— Нет, — твердо ответила женщина.

— Вы часто встречались с Панкрашиной? — продолжал Роман.

— Нет, не очень. От случая к случаю.

Он поблагодарил и нажал кнопку отбоя. Не может быть, ну не может быть, чтобы он оказался неправ. И если Нитецкая — не ниточка к любовнику Евгении Панкрашиной, то, возможно, это ниточка, ведущая к убийце, кем бы он ни был? Роман потратил еще некоторое время на сбор информации о Веронике Валерьевне Нитецкой. Год рождения 1979, уроженка Свердловска, разведена, в настоящее время владеет небольшой, но крепко стоящей на ногах фирмой по торговле израильской косметикой с Мертвого моря. Ни судимостей, ни каких бы то ни было провинностей перед государством за ней не числилось.

Вот и рухнула последняя надежда. Столько времени убито на тупое просиживание за столом, на изучение и сравнение документов из телефонных компаний, и все оказалось мартышкиным трудом. Ничего. Ни любовника, ни вообще кого бы то ни было подозрительного или хотя бы просто сомнительного.

Может, Антону повезет больше? Генка Колосенцев утром заступил на суточное дежурство в составе оперативно-следственной группы, а Антон собирался пообщаться со своими «источниками» на предмет каналов сбыта краденых ювелирных изделий. Конечно, для перекрытия таких каналов оперативным путем все возможное было сделано еще в среду, в день убийства, но ведь известно, что всех каналов не перекроешь, это просто невозможно, так попытаться получить информацию у знающих людей «изнутри» никогда не лишнее.

Антон Сташис тоже был огорчен: ничего полезного он не выяснил. Хотя если бы он знал, как надеялся на него молодой Дзюба, то расстроился бы, вероятно, еще больше. Четыре человека, с которыми Антону удалось встретиться сегодня, повторяли одно и то же: изделие нигде не засветилось, но глупо ждать, что оно появится в целости и сохранности.

— С такой цацкой только два пути, — говорили ему. — Либо разобрать на части и сбывать отдельно как кучу камней и кучу лома, либо ее взяли под заказ, для коллекционера конкретного. Тогда уж она совершенно точно нигде не всплывет, будет лежать у него в загашнике, как у Скупого рыцаря.

Все встречи прошли в разных концах города, для одной из них даже пришлось в область выехать, и когда Сташис закончил с этой частью запланированной работы, стало понятно, что больше все равно он уже ничего не успеет. Надо ехать домой.

Дома царила полная идиллия: Степа читал няне вслух какой-то текст с экрана компьютера, Василиса в своей комнате, нацепив кимоно, отрабатывала движения: с прошлого года ее отдали в секцию таэквондо, где девочка занималась с неожиданным удовольствием и упорством. Ей так нравились занятия, что она даже дома тренировалась не в обычной спортивной одежде, а в кимоно.

— Не могу заставить его взять книгу в руки, — пожаловалась Эльвира Антону. — Нет — и все. А читать вслух надо непременно. Вот нашли компромисс.

Антон прислушался, но так и не понял, что именно читает его шестилетний сын. Сам он в этом возрасте читал про Незнайку и про приключения Элли и ее друзей в поисках Изумрудного города. Сейчас же все изменилось, и книги уже не те, и читают их на компьютере. Мальчик читал бегло, без запинок,

163

но и без выражения, видно, содержание ему совсем неинтересно, просто повинность отбывает, потому что послушный ребенок.

— Вас покормить? — спросила Эля. — Ужин готов.

— Не надо, занимайтесь, я сам.

Он разогрел стоявшую на плите еду и принялся медленно жевать. Надо собраться с силами и поговорить с Элей, надо прояснить ситуацию до конца, невозможно так мучиться неизвестностью и не понимать, что будет дальше. В конце концов, если все совсем плохо, то надо начинать искать возможности как-то решить проблему.

Он так и сидел на кухне, вытянув длинные ноги и прикрыв глаза, пока не пришла Эля, закончив со Степкой урок чтения.

Антон решился:

— Эля, у вас роман?

Няня усмехнулась и кивнула, усаживаясь за стол напротив него.

— И кто он, я могу спросить?

— Мой сосед, живет через два дома от меня.

— Женат? Или холост?

— Женат. Но собирается разводиться.

— Это он вам так сказал?

Эля помолчала, потом резко подняла голову.

— Антон, я понимаю вас. Вы думаете, что меня завлекли разговорами о будущем разводе и морочат мне голову. Так действительно поступают очень многие мужчины, тут я с вами согласна. Но только не в моем случае. Там и вправду дело идет к разводу.

«Ну-ну, — недоверчиво подумал Антон. — Знаем мы эти разводы».

— И вы ночевали у своего возлюбленного, когда опоздали на работу в четверг?

Эля смотрела на него спокойно и прямо, и ни следа смущения на ее лице Антон не заметил.

— Нет, я действительно ночевала не дома, но и не у него. Я же сказала: его дом находится через два участка от меня, это не такое большое расстояние, чтобы я опоздала на работу. Мы ездили на семейный праздник к его друзьям. И остались там ночевать.

Сердце Антона ухнуло и остановилось. Вот и все. Больше никакой надежды. Если женатый мужчина возит свою подругу на семейные праздники к друзьям, вместо того чтобы ехать туда с законной женой, да еще и ночевать там остается, то дело серьезное, легко не рассосется.

— Вы собираетесь замуж? — на всякий случай спросил он, хотя непонятно, на какой ответ рассчитывал.

— Да, Антон, я собираюсь выйти замуж. Я хочу иметь свою семью и родить своих детей. Простите меня. Я понимаю, что создаю вам огромную проблему. Но я хочу быть честной с вами. Я устала.

Она опустила голову и принялась теребить край скатерти — кружевного синтетического покрывала, лежащего на кухонном столе.

— То есть вы нас бросите сразу после свадьбы? Или не сразу?

— Он не хочет, чтобы я работала няней, — тихо проговорила Эля. — Я бы осталась у вас, если бы он не возражал. Но он возражает. И потом, я ведь хочу родить своего ребенка, так что работать у вас в любом случае не смогу. Простите, — снова повторила она.

— Но как же так?.. — Антон почувствовал себя совершенно растерявшимся. — Как же мы без вас? Дети к вам привязались, они вас любят. Васька, конечно, понимает, что вы всего лишь няня, но Степка... Он ведь свою маму совсем не помнит, слишком мал был, когда она погибла, он вас считает матерью. Если вы уйдете, это будет колоссальная травма для детей. Вы же знаете: когда разводятся родители, дети начинают думать, что это ИХ бросили, потому что это ОНИ недостаточно хороши. И потом, у меня такая работа... Я и прихожу поздно, и дежурства суточные, и ночевать могу не дома — всякое ведь случается. И нанять другую няню я не смогу, мне зарплата не позволит. Что же мне делать? Эля, может быть, вы все-таки поговорите со своим женихом, объясните ему мою ситуацию. Возможно, он изменит свое мнение и позволит вам работать у меня. Ну, хотя бы пока вы сами не родите. Вы ведь еще не завтра рожаете?

— Нет, — Эля улыбнулась. — Еще не завтра. Он даже еще не развелся. Антон, я могу оплачивать вам няню. Хотите?

— Нет, — резко и громко ответил он, выпрямляясь на стуле. — Об этом не может быть и речи.

— Но почему? Вы же принимаете от меня бесплатную работу. Почему вы не можете принять вместо нее денежный эквивалент этой работы? Вы найдете другую няню, если хотите — я помогу вам ее подобрать и буду платить ей зарплату. И все будут довольны.

— Нет, Эля. — Антон покачал головой. — Это невозможно. Я не могу на это пойти. Услуги и доброе отношение я принимал, но деньги от вас я не возьму ни за что. Могу я узнать, чем занимается ваш будущий муж? Хотя, наверное, я напрасно спрашиваю: если у него дом через два участка от вашего, значит, он человек далеко не бедный. Да?

Эля молча кивнула.

— Но хотя бы имя у него есть? Или вы так и будете называть его местоимением «он»?

— Трущёв, Александр Андреевич Трущёв. — Она помолчала и добавила: — Корпорация «Вектор-сервис». Я понимаю, вы хотите навести справки о нем. Вы думаете, что если мой первый муж оказался бандитом и идиотом, то я ничего не понимаю в мужчинах и снова вляпаюсь в какую-нибудь грязь. Проверяйте, ваше право.

«Значит, Трущёв, — подумал Антон с неожиданным для себя ожесточением. — Ладно, посмотрим, что ты за фрукт. Может, по тебе нары уже давно скучают? В любом случае я на тебя обязательно посмотрю. А может, и побеседую с тобой. О жизни и о любви к красивым одиноким соседкам».

Соревнования закончились, команда, за которую играл Геннадий Колосенцев, одержала блестящую победу. Призовые, выделенные спонсорами, будут разделены на пять равных частей, по числу игроков в команде. Призовые были солидными, и даже пятая часть — существенное подспорье.

В зале интернет-кафе столпилось не меньше сотни болельщиков, некоторые из них во время соревнований стояли прямо за спиной у игроков, за которыми хотели понаблюдать, поучиться у мастеров приемам работы с «мышью» и клавиатурой, другая же часть пришла, чтобы оказать моральную поддержку. Геннадий, расплываясь в довольной улыбке победителя, быстро обвел глазами толпу: всегда любопытно посмотреть на тех, кого знаешь в основном по никам — игровым именам, да по голосам. Кое-кого он знал: каждый клан два-три раза в год собирался в каком-нибудь пивном баре для личного знакомства, и, если у Геннадия была возможность, он приезжал на такие встречи. Но возможность провести вечер в пивбаре у оперативника была далеко не всегда, так что тех, кого он мог узнать в лицо, оказалось немного.

Зато самого Колосенцева знали здесь почти все. Во-первых, каждый участник соревнований должен был надеть майку, на которой крупно написан его игровой ник. Даже если тебя не знают в лицо и по имени, то по нику тебя знают все игроки. И во-вторых, Геннадий играл давно, играл хорошо, многократно участвовал в соревнованиях, где его могли видеть в реале, имел блестящую репутацию и пользовался среди игроков большим уважением, за что ему и предоставлена была «админка» — специальная компьютерная программа, позволяющая регулировать ход игры, объявлять голосование при решении спорных вопросов и, что самое главное, «банить» недобросовестных игроков, тем или иным способом нарушающих установленные на игровом сайте правила. «Забаненному» игроку доступ на сайт перекрывался, и если он хотел продолжать играть, то вынужден был покупать новую игру и устанавливать ее. Причем нельзя было решить проблему, просто сменив псевдоним: «банился» не ник, а аккаунт, то есть конкретный зарегистрированный компьютер. И для игроков очень важно, чтобы администратор был внимателен к соблюдению правил, строг и справедлив, не имел любимчиков и не отличался неоправданной злобностью, перекрывая аккаунты просто тем, кто ему по тем или иным причинам не нравился. Именно таким админом и был Геннадий Колосенцев, игравший под ником Пума.

— Пу-ма!!! Пу-ма!!! — ревели болельщики, каждый из которых старался пожать руку игроку, благодаря мастерству которого команда одержала столь убедительную победу, или хотя бы просто похлопать по плечу в знак уважения и одобрения.

Началось награждение, всем игрокам команды-победителя вручили дипломы и памятные медали на широких разноцветных лентах.

Кондиционеры в зале работали исправно, но на такое количество присутствующих их мощность рассчитана не была. Душно. Жарко. Колосенцев стянул через голову майку с логотипом компании-спонсора и крупными буквами «ПУМА» и попытался вспомнить, куда девал свою куртку. Вон она, на вешалке вдоль стены, но ведь к ней еще пробраться нужно...

— Пума, мы в «Орбиту», там столы заказаны, ты идешь?

По обычаю, победу отмечали в какой-нибудь недорогой кафешке поблизости от места проведения соревнований. Впрочем, проигравшие тоже обязательно собирались где-нибудь, иногда даже в том же заведении, что и победители: не так часто удается собраться всем вместе, познакомиться, повидаться, пообщаться. И Колосенцев с удовольствием думал о вечере, который он проведет в обществе таких, как он сам, людей, фанатично влюбленных в игру.

Пробравшись сквозь толпу, судорожно прижимая к груди клавиатуру и «мышь» — единственное свое, что разрешалось приносить на соревнования, он отыскал куртку, оделся, медаль и диплом сунул в сумку и направился к эскалатору: интернет-кафе располагалось на третьем этаже крупного торгового центра, и, чтобы добраться до «Орбиты», нужно было выйти на улицу и пройти метров пятьдесят. Соревнования закончились, когда уже стемнело, холодный северный ветер швырял в лицо горсти мелких дождевых капель, успевавших промерзнуть на воздухе почти нулевой температуры и оттого колких и злых. Едва ступив на тротуар, Колосенцев немедленно натянул на голову капюшон. Жаль, нет перчаток, но можно спрятать руки в карманах, только сумку, в которой лежат драгоценные «клава» и специальная игровая «мышь», придется перевесить по-другому, чтобы не соскальзывала с плеча.

— Пума? — послышался рядом незнакомый голос. Геннадий поправил ремень сумки, засунул руки поглубже в карманы и посмотрел на заговорившего с ним парня.

— Ну, Пума. А ты кто?

— А я — Михаил. У меня нет ника, я не играю. Разговор есть на пять минут. Можно?

— О чем?

Колосенцев нетерпеливо повел плечами: промозгло, ветер задувает внутрь капюшона, а ведь совсем рядом, в каких-нибудь пятидесяти метрах, уже накрыты столы, и сидят члены клана, и официант вот-вот начнет разносить высокие кружки с пивом...

— Насчет античитерской программы. Интересуешься?

Все было забыто мгновенно — и столы, и официанты с пивом, и игроки, и даже пронзительный ветер.

Читеры — проблема серьезная. Изначально каждый производитель игр зашивает в свою разработку программу, не допускающую к игре тех, кто пытается использовать разные хитрости, позволяющие, например, видеть сквозь стены, стрелять без перезарядки или без отдачи, бегать быстрее, прыгать дальше других. Но ведь компьютерные гении — они на каждом шагу. Равно как и известные на весь мир российские хитрецы-умельцы. Постоянно находились те, кто пользовался читами — программными усовершенствованиями, дававшими возможность иметь преимущества в игре и при этом не оказаться заблокированными античитерской программой самого разработчика. И здесь в процессе игры постоянно возникали конфликты: вроде бы и есть основания подозревать, что какой-то игрок, к примеру, видит противника сквозь стены, потому и стреляет в него так эффективно, едва тот чуть-чуть голову высунет, но, с другой стороны, поди докажи, что это читер, а не просто умелый мастер, обладающий недюжинной интуицией и высочайшей реакцией. Если ты читер, администратор имеет полное право тебя забанить. А если все-таки мастер? А тебе перекрыли доступ к игре на длительный срок, тем самым вынуждая тратить деньги на покупку нового комплекта и его установку? Несправедливо. А ведь от справедливости или несправедливости выносимых решений зависит репутация админа. Репутация, которую Геннадий Колосенцев берег и очень не хотел терять.

— Что за программа? — настороженно спросил он.

— Мой приятель... — начал было Михаил, и в этот момент порыв ветра налетел с такой силой, что у него дыхание перехватило, он закашлялся и сдавленным голосом попросил: — Давай за угол отойдем. Там потише, а то тут мы на самой «розе ветров» стоим.

Они направились в сторону переулка, где и в самом деле ветер был не таким сильным.

— Пума, ты куда? — послышались голоса, когда Колосенцев с парнем сворачивали за угол. — Мы же в «Орбите» собираемся.

Геннадий обернулся и приветственно махнул рукой.

— Я сейчас, через пять минут подойду.

Они остановились в нескольких метрах от угла. Парень по имени Михаил объяснил, что у него есть приятель, талантливый программист, который сделал программу, позволяющую администратору абсолютно безошибочно отличать читеров от истинных мастеров. Но он хочет отдать программу только в хорошие руки, то есть админу с безупречной репутацией. Именно поэтому он и попросил его, Михаила, узнать, когда будет ежегодный лан — соревнования, потолкаться среди народа и поузнавать, кто из админов пользуется уважением и имеет надежную репутацию.

— Вот мне тебя и назвали, — смущенно улыбнулся Михаил. — Сказали, что Пума — самый лучший и как игрок, и как админ. Тебя, оказывается, на всех серваках знают и уважают. Я смотрел, как ты играешь. Ты действительно самый лучший, без базара. Ваша команда сегодня выиграла только благодаря тебе.

— Сколько твой кореш хочет за эту программу?

Михаил пожал плечами.

— Ну, это ты с ним сам договаривайся, это не мой вопрос. Ну так что, нужна тебе программа? Или мне кого-то другого поискать?

— Нужна, — быстро ответил Колосенцев, уже прикидывая в уме, какие преимущества получит, обладая столь редким инструментом. — Давай связывай меня с ним, пусть скажет, где и когда можно пересечься.

Михаил достал телефон. Геннадий стоял чуть поодаль, курил и вполуха прислушивался к разговору: по репликам Михаила можно было догадаться, что встречаться нужно сегодня, потому что завтра рано утром программист собирается куда-то сваливать. Если встречаться сегодня, значит, посиделки в «Орбите» отменяются. Да и черт с ними, античитерская программа во сто крат важнее.

— Слушай, — огорченно произнес Михаил, — они завтра на трех машинах большой компанией отправляются путешествовать по Европе, Колька сейчас собирается в гараж, ему нужно машину в порядок привести перед поездкой, возиться будет несколько часов. Если хочешь, он может программу взять с собой, а ты к нему подъедешь. Или жди, пока он вернется.

— А скоро он вернется из поездки?

— Они месяца на полтора планируют маршрут. Может, дольше получится, если задержатся где-нибудь. Смотри сам, как тебе удобнее.

— Рассказывай, как найти твоего Кольку, — решительно произнес Геннадий. — Я прямо сейчас поеду.

Он достал из сумки блокнот, чтобы записать координаты. Михаил принялся подробно описывать маршрут, которым нужно добираться до гаражного кооператива, где у Кольки стоит машина. Место оказалось где-то у черта на куличках, точного адреса Михаил не знал, но дорогу и все ориентиры мог описать достаточно детально. Он попытался перезвонить приятелю, чтобы уточнить адрес, но тот ответил, что и сам не знает, и вообще, эта захудалая кучка жестяных коробок в районе Кольцевой автодороги, похоже, адреса вообще не имеет, поскольку является самовольной застройкой, которую уже лет пять как грозятся снести и, вероятно, все-таки вот-вот снесут. Михаил снова перечислял перекрестки и повороты, которые нужно миновать, чтобы от того места, где они в данный момент находились, попасть к гаражам, и сожалел, что не может сам поехать с Геннадием и показать дорогу: у него дела, которые нельзя отменить.

— Рядом с гаражами кафешка есть придорожная, вывеска такая голубая с белым, ее хорошо видно, — объяснял Михаил. — Вы с Колькой там посидите, свои вопросы порешаете, а я постараюсь все быстренько закруглить и подскочить к вам. Заодно и Кольке счастливого пути пожелаю. Ну, до встречи, Пума!

Они обменялись рукопожатием, и Колосенцев направился в подземный паркинг торгового центра, где стояла его машина, а Михаил быстро ушел в сторону метро.

— Ничего! — с горечью пожаловался Роман Дзюба Антону Сташису. — Все контакты проверил, все до единого. Нашел только один номер, более или менее подозрительный, но и там оказалась женщина, приятельница Панкрашиной.

— А в чем подозрительность? — поинтересовался Антон.

Они встретились в отделе, где служили Дзюба и Колосенцев, чтобы обменяться полученной за последние сутки информацией. Похвастаться было нечем ни одному, ни другому.

— Понимаешь, Генка мне посоветовал сличить соединения с мобильного и с городского, и вот я нарыл один номерок, с которым соединения были только с городского телефона Панкрашиных, — принялся объяснять Дзюба. — А счета за городской телефон приходят без детализации, чуешь? То есть Великий и Ужасный Контролер Игорь Панкрашин не узнает, что его жена контактирует с владельцем этого номера. Ну, короче, я обрадовался, думал, что любовника нашел. Тем более что последнее соединение с этим номером было утром в день убийства. А там опять баба.

— Кто такая?

— Нитецкая Вероника Валерьевна, семьдесят девятого года рождения, разведена, мелкий бизнес по торговле израильской косметикой, — уныло доложил Роман и добавил: — Или, может, средний. В общем, не мужик.

— Не мужик, — задумчиво повторил следом за ним Антон. — Не мужик. Молодая женщина тридцати трех лет, деловая, одинокая... И почему, интересно, наша потерпевшая звонила ей только с городского телефона, а? Ромка, ты чего, слона не приметил? Что общего может быть у Панкрашиной с этой дамочкой, которая больше чем на двадцать лет моложе? Что тебе сама Нитецкая сказала?

— Сказала, что они приятельницы, — растерянно проговорил Дзюба.

— На какой почве они приятельницы? Вместе посещают кружок кройки и шитья? Нам с тобой за последние дни столько рассказали о Евгении Панкрашиной, что я тебе голову дам на отсечение: уж точно не на почве приобретения косметики они контактировали. Ну-ка бери адрес этой Нитецкой, попробуем застать ее дома, — скомандовал Антон.

— Но она же сказала, что они с Панкрашиной просто приятельницы! — Роман был близок к отчаянию: неужели даже в таком простом вопросе он наделал ошибок? Не выйдет из него толкового сыщика, никогда не выйдет.

— Мало ли что она тебе по телефону сказала. Вот пусть нам в глаза это повторит, а мы послушаем. И посмотрим.

Они по свободным воскресным улицам довольно быстро добрались до дома, где жила Вероника Валерьевна Нитецкая, которая (вот хоть в чем-то повезло!) оказалась дома. Среднего роста, ничем не примечательной внешности женщина, одетая в спортивный костюм из серого велюра, обладала глазами, в которых светились одновременно ум и глубокая печаль. Черты лица ее были правильными, но без косметики казались невыразительными. Длинные волосы забраны в пучок на затылке. Антону показалось, что где-то он эту Нитецкую уже видел, только очень давно, когда она была моложе, свежее, ярче и прическу носила другую. Может, проходила по кому-нибудь делу?

И еще Вероника Валерьевна обладала несомненным обаянием. И самообладанием. Во всяком случае, вопросы о том, где и как она познакомилась с Евгенией Панкрашиной, из колеи ее не выбили. Познакомились они в магазине детской одежды «Юленька», где Евгения Васильевна выбирала подарки для внуков.

— А вы что там делали? — довольно бесцеремонно спросил Дзюба. — Разве у вас есть маленькие дети?

— Нет, — спокойно ответила Нитецкая. — Детей у меня нет. Но у меня есть подруги. А вот уже у подруг есть дети.

Антон отошел чуть в сторону и взглядом дал понять Роману: задавай вопросы, а я помолчу, понаблюдаю.

— И с этого момента началась ваша дружба? — продолжал Дзюба с плохо скрываемым недоверием.

Нитецкая тонко улыбнулась.

— Так бывает. Вас это удивляет? И потом: я не говорила, что мы с Евгенией дружили. Мы приятельствовали. Это не одно и то же.

— Вы часто встречались?

— Нет, не особенно. Примерно раз в месяц, иногда реже.

— Скажите, Вероника Валерьевна, у Евгении Панкрашиной был любовник?

На ее лице мелькнуло удивление, но голос не дрогнул.

— Мне об этом неизвестно. Евгения ничего о нем не говорила. Но мне кажется, что его и не было. Евгения не тот человек, чтобы заводить романы на стороне. С чего вообще вы это взяли?

Роман кинул взгляд на Сташиса, который едва заметно качнул головой: не объясняй ничего, просто задавай следующий вопрос.

— Не было ли таких случаев, когда Евгения Васильевна встречалась с вами, потом уезжала куда-то, потом снова возвращалась к вам?

Глаза Нитецкой слегка прищурились, она о чем-то задумалась, потом вздохнула.

— Ах, вот вы о чем... Нет, такого не было. Этот фокус она проделывала с другими своими подругами. Но не со мной.

«Горячо! — подумал Антон. — Давай, Ромчик, хватай ее за жабры, дожимай!»

— И в чем смысл фокуса? — спросил Дзюба, изо всех сил стараясь выглядеть равнодушным.

— Евгения скрывала свои встречи со мной. Никто не должен был узнать о том, что мы общаемся. И о том, что мы вообще знакомы. Никакого любовника у Евгении не было, это я могу вам гарантировать. Она ездила встречаться со мной.

«Господи! — пронеслось в голове у Антона. — Только не это... Вот для полного счастья мне еще лесбиянок в этом деле не хватало».

Нитецкая снова замолчала, задумчиво разглядывая коротко остриженные, но тщательно наманикюренные ногти, покрытые блестящим бесцветным лаком. Потом подняла голову и смело посмотрела сначала на Романа, затем на Сташиса, слегка качнулась вперед.

— Дело в том, что я являюсь матерью Нины Панкрашиной. Биологической матерью, как теперь принято говорить.

История была столь же печальна, сколь и банальна. Забеременевшая «по страстной любви» шестнадцатилетняя девочка долго не могла решиться признаться родителям, затянула до таких сроков, когда прерывать беременность искусственно уже было нельзя, и родила в 17 лет. Отец ребенка, как это водится, немедленно исчез с горизонта, едва услышав о проблеме. Родители были в ужасе, скандалы дома стали ежедневными, Вероника родила и оставила ребенка прямо в роддоме, после чего ее немедленно отправили в другой город к родственникам, где она и школу закончила, и институт, и работать начала. Вышла замуж, через несколько лет развелась, муж оказался человеком приличным и все имущество разделил пополам, а было этого имущества немало. Теперь Вероника смогла начать свой собственный бизнес, поскольку много помогала мужу и кое-чему научилась, да и связями обзавелась.

О девочке, рожденной в далекой юности и оставленной в роддоме, не забывала ни на минуту. Став старше, горько сожалела о том, что сделала. А года три тому назад решилась: нашла людей, которые за конвертик с деньгами выдали ей всю необходимую информацию. Теперь Вероника Валерьевна знала, что ее девочка носит имя Нина Игоревна Панкрашина. И адрес знала. И даже телефон. Все имеет свою цену. В том числе и тайна усыновления.

Она отправилась к Игорю Николаевичу Панкрашину в офис. Не собиралась ни на чем настаивать, не хотела ничего требовать. Ей нужно было только одно: чтобы ей рассказали, какой выросла ее дочка, какой она стала, что она любит, что читает, как учится, какой у нее характер. И еще фотографии девочки. Или видео. Больше ничего.

Панкрашин страшно кричал на нее. Выставил за дверь со словами, что, если она еще раз посмеет приблизиться к его семье, он устроит ей такие неприятности, что небо покажется с овчинку.

Он был груб и несправедлив. А Вероника Нитецкая была настойчивой.

И спустя какое-то время предприняла еще одну попытку. На этот раз она вступила в контакт с женой Игоря Панкрашина, Евгенией. И действительно, женщины впервые заговорили друг с другом в магазине «Юленька», тут Нитецкая не солгала.

Евгения Васильевна оказалась непохожей на своего мужа.

— Меня Игорь предупредил, что вы можете попытаться встретиться со мной, — сказала она, ничуть не удивившись. — Он строго-настрого велел ни в коем случае с вами не разговаривать, а если вы будете настаивать — обратиться в милицию.

— И вы... обратитесь? — осторожно спросила тогда Вероника.

— Нет. — Евгения Васильевна улыбнулась. — Я вас понимаю. Я мать. Только придется постараться, чтобы муж ничего не узнал, в противном случае будет страшный скандал. Да и вам не поздоровится. Я никогда не настаиваю на своем, даже если уверена, что права. Я просто делаю так, чтобы он не знал. А в данном случае я считаю, что Игорь не прав. Но обсуждать это с ним я не собираюсь.

Они начали встречаться, Евгения Васильевна привозила фотографии Ниночки, домашнее видео, часами рассказывала о девочке.

— И знаете, я поняла, что Евгения стала для Ниночки лучшей матерью, чем могла бы стать я сама. Гораздо лучшей. Ниночка была у Панкрашиных четвертым ребенком, они многому научились и многое поняли, пока растили троих старших. Я бы не смогла так воспитать девочку. И, наверное, не смогла бы дать ей столько любви, внимания и заботы. Молодые матери, как правило, больше заняты собой и карьерой. Так что я была Евгении от души благодарна, — закончила Нитецкая свой невеселый рассказ.

— В день убийства, в среду утром, вы звонили Панкрашиной?

— Нет, что вы, я никогда ей не звонила. Евгения звонила сама, когда это было удобно и безопасно для нее. И только с городского телефона, потому что мобильный муж контролировал.

Ну, об этом оперативники и без нее уже знали.

— Значит, она позвонила в среду утром и...

— И сказала, что есть свежие фотографии Ниночки, которые она хотела бы мне передать. Я собиралась ехать по делам, и мы договорились, что я подъеду к ее дому, и Евгения вынесет мне фотографии.

— И все?

— А что же еще?

— Фотографии можете показать? Или Евгения Васильевна их показала и забрала?

— Пожалуйста, смотрите.

Вероника открыла большую шкатулку, стоявшую на полке книжного шкафа, и достала оттуда несколько фотографий: смеющаяся Нина Панкрашина танцевала в развевающейся широкой юбке не то цыганский, не то испанский танец; Нина с двумя девочками того же возраста возле окна, похоже, в школьном коридоре; Нина и Игорь Панкрашины на улице на фоне деревьев с голыми ветками. На всех фотографиях внизу сбоку пропечатана дата: «11 ноября 2012 года».

— У Ниночки в гимназии был испанский вечер, — пояснила Вероника. — Евгения сделала несколько фотографий для меня.

Антон внимательно разглядывал снимки. Ну конечно, вот почему лицо Нитецкой показалось ему знакомым! Нина была поразительно похожа на мать, только ярче и свежее. Впрочем, если Вероника Валерьевна сделает макияж, то превратится, вероятно, в такую же ослепительную красавицу, как ее дочь.

— Значит, Евгения Васильевна скрывала ваше знакомство не только от мужа, но и от подруг? — уточнил он. — Не знаете почему?

Нитецкая пожала плечами, взяла в руки шкатулку с фотографиями и поставила на место. Руки у нее дрожали.

Но голос был по-прежнему спокойным:

— Мы не настолько близки, чтобы я посмела интересоваться подобными тонкостями. Но Евгения как-то раз обронила несколько слов... Я так поняла, что когда-то в юности вышла какая-то некрасивая история, из которой Евгения вынесла твердое убеждение: никому ничего нельзя доверять, никакими секретами делиться нельзя. Сдадут, продадут или просто сдуру проболтаются. Не стану скрывать, мне было любопытно, что это за история. Но расспрашивать я не стала.

— Почему?

— А вы не понимаете? — Голос Нитецкой зазвенел, в нем появились нотки горького унижения. — Я ведь зависела от Евгении, от ее доброй воли, от ее хорошего отношения ко мне. Стоило мне сказать хоть слово, которое ей не понравится, и она могла развернуться, уйти и больше никогда не появиться. А могла и мужу пожаловаться на меня, сказать, что я ее преследую, и тогда у меня начались бы проблемы и в бизнесе, и в обычной жизни. И если дело дошло бы до полиции, то обязательно встал бы вопрос о том, кто разгласил тайну усыновления и сколько денег я за это заплатила. А это еще и взяточничество. Единственное, что я могла себе позволить, это спрашивать про мою дочь.

Что ж, с этим все понятно. На всякий случай Дзюба спросил, какая у Нитецкой машина и где именно она стояла утром, в среду, 21 ноября, когда Евгения Панкрашина передавала ей фотографии. Машина оказалась именно такой, как описала соседка, небольшой и черной, и стояла ровно там, где ее и видела бабуля со второго этажа.

Настал черед вопросов о колье. Но и здесь оперативников ждало разочарование: ни о каком колье Вероника Валерьевна Нитецкая не слышала. Ни о колье, ни о рент-бутике. Антон не видел в ее позах и жестах ни малейших попыток закрыться: женщина продолжала стоять, слегка покачиваясь, переступая с ноги на ногу, руки на груди не скрещивала, ладони ее спокойно лежали на краю стола.

— Ну, что скажешь? — нетерпеливо спросил Роман, когда они со Сташисом вышли на улицу и сели к Антону в машину. — Она правду говорит?

— Ты же ее видел, — улыбнулся Антон. — При таком сходстве с дочерью сомнений никаких быть не может. И по срокам все совпадает, с Евгенией Панкрашиной Нитецкая вступила в контакт примерно два с половиной года назад, и с этого же времени начались поездки Панкрашиной от подружки куда-то, потом снова к подружке, а потом домой. И по последней встрече, в среду, во дворе, никаких разногласий между показаниями Нитецкой и показаниями свидетельницы.

Роман некоторое время собирался с мыслями, потом осторожно заметил:

— У нее руки дрожали. Очень сильно.

— Я видел, — откликнулся Антон, выворачивая на широкий проспект.

— Значит, она в чем-то лгала, — с убежденностью проговорил Дзюба. — Почему у нее руки тряслись? Я в какой-то момент даже подумал, что она вот-вот шкатулку выронит на пол.

— Да нет, Рома, вряд ли она лгала. Просто ей было неприятно. И немного страшно.

— Страшно? — удивился Роман. — Не понял.

— Ну, смотри: пришли два чужих мужика, и она вынуждена рассказывать им о том, как оставила ребенка в роддоме. Ты что же думаешь, ей шоколадно было такое про себя рассказывать? А потом еще про то, как она взятку давала. Надо отдать ей должное: эта Нитецкая — сильная женщина, не побоялась честно рассказать об этом, хотя и рисковала. Ты наверняка не обратил внимания на то, как она качнулась вперед перед тем, как признаться, что она — мать Нины Панкрашиной. Вероника переместила вес тела на подушечки стоп, а это является сигналом «я решился и открываюсь». Запомни, пригодится. В общем, смелая она дамочка, уважаю. А вдруг мы с тобой начали бы носами крутить? Страшно было — а все равно рассказала. И вот ушли мы с тобой, а она там осталась, сидит и думает: привлекут ее теперь за дачу взятки или нет? Чего ж удивляться, что руки тряслись.

Роман помолчал, рассматривая попадавшиеся навстречу рекламные щиты. Потом резко повернулся к Антону:

— А не могла она убить Панкрашину?

— Могла, — рассмеялся Антон. — Теоретически. Но зачем?

— Из материнской ревности. Тоша, ты обратил внимание, как она говорила, что Панкрашина воспитала ее ребенка лучше, чем смогла бы сама Нитецкая? Да эта Вероника ненавидела нашу потерпевшую за то, что та стала настоящей матерью для девочки, а Нитецкая этой девочке — никто.

Антон некоторое время обдумывал слова Дзюбы, потом кивнул:

— Не очень-то верится. Никакой ненависти я у Нитецкой не заметил, только горечь и раскаяние. Но проверить ее алиби, конечно, надо. Вот завтра с утра и займись.

Дорога до гаражного самостроя действительно оказалась длинной, как и предупреждал новый знакомый Колосенцева по имени Михаил. То есть настолько длинной, что здесь даже погода была другой. Если в районе торгового центра шел дождь, то в этой части Москвы его, похоже, не было не только сегодня, но и вчера. Однако надо отдать должное Михаилу: все ориентиры были указаны последовательно и безошибочно — магазины, рекламные табло, светофоры, перекрестки, повороты... Единственным, чего не нашел Геннадий, оказалось придорожное кафе с бело-голубой вывеской.

«Оно с другой стороны, — сообразил Колосенцев. — Вот эти гаражи, здесь они начинаются, а кафе стоит там, где они кончаются».

Он приткнул машину между деревом и стеной первого же гаражного бокса и начал пробираться между стихийно возникшими рядами гаражей. С нумерацией полная беда, впрочем, Михаил и об этом предупредил.

— Ты не пугайся, — говорил он, когда Геннадий записывал маршрут. — Там первый же гараж имеет номер шесть, потом идет двадцать четвертый, потом первый. Тебе нужен бокс номер восемьдесят семь.

Колосенцев усмехнулся, пытаясь разглядеть в темноте кое-как написанные масляной краской номера. Ну, ясное дело, бокс номер один вырос здесь первым, к нему подъезд удобный. Потом поставили номер два, не рядом, а в таком месте, где тоже легко въезжать и выезжать с учетом оврагов и колдобин. А вот номер шесть не захотел удаляться вглубь от дороги и приткнулся к номеру первому. Двадцать четвертый же вообще втиснулся между двумя огромными деревьями: неудобно, заезжать трудно, но зато близко от дороги. Н-да, на общее освещение владельцы гаражей поскупились... Геннадий остановился, вытащил из кармана листок, заблаговременно вырванный из блокнота, щелкнул зажигалкой, чтобы подсветить, и стал читать наспех записанные объяснения, как найти восемьдесят седьмой бокс: «Направо между 18 и 19, потом прямо до номера 39...» Черт ногу сломит! Да еще темень эта...

Что это? Ему показалось? Или он и впрямь слышит какие-то звуки? Колосенцев остановился, прислушался. Из-за двери одного из боксов доносился слабый голос:

— Помогите... Помогите...

Голос был мужским. И не было в нем смертного ужаса. Только испуг и бессильная тоска.

Геннадий подошел ближе, приложил ухо к довольно-таки хлипкой металлической двери. Все верно, голос доносится именно отсюда. Оглядевшись в поисках подходящего предмета и еще раз помянув недобрым словом отсутствие электрического освещения, он вытащил из-под кучи подгнивших опавших листьев кусок арматуры и без труда взломал замок. Сделал шаг внутрь, нащупал рукой выключатель, зажег свет. В нос шибанул запах нечистот.

На полу, прикованный наручниками к стоящей вертикальной балке, сидел немолодой мужчина, седой, в ярко-красном джемпере и мокрых насквозь брюках.

«Не бомж, — мгновенно оценил Колосенцев. — Хотя и вонища здесь... Джемпер как новенький, а ведь мужик в нем на полу валялся. Так могут выглядеть только дорогие вещи. И шейный платок. Модничает старикан. Бедолага, весь обоссанный, давно, наверное, сидит. А вон и очки валяются».

— Помогите, — тихо и не очень внятно проговорил пленник. — Мне плохо.

Геннадий быстро обвел глазами помещение. В углу стоял инструментальный ящик, в котором нашлось все необходимое, и минут через десять один наручник с обрывком распиленной цепи скользнул вниз по балке, а второй остался на руке мужчины, который сделал неуверенную попытку подняться, но не смог и снова рухнул на пол. Геннадий подхватил его массивное обмякшее тело и выволок из бокса. Рядом валялся пустой деревянный ящик, на который оперативник и усадил освобожденного. Тот судорожно сделал несколько глубоких вдохов.

— Спасибо, — тихо выдавил он.

— Это кто ж тебя так, папаша? — участливо спросил Колосенцев.

— Понятия не имею, — едва слышно ответил мужчина.

— А за что? Тоже понятия не имеешь?

— Догадываюсь, — по голосу Колосенцеву показалось, что тот пытается усмехнуться.

— Уже хорошо, — одобрил он. — И давно ты тут паришься?

— Я... Какой сегодня день?

— Воскресенье с утра было. Вроде пока не кончилось.

— Я помню четверг... — прошелестел слабеющий на глазах мужчина. — Четверг... Больше ничего не помню...

— Э, э, папаша!.. — забеспокоился Колосенцев, когда мужчину качнуло так, что он едва не свалился на землю. — Держи себя в руках. Дыши ровно.

Вообще-то по уму надо было бы немедленно звонить и вызывать наряд, а заодно и «скорую». Но это ж мороки на несколько часов: пока приедут, пока вникнут, пока вызовут дежурную следственно-оперативную группу, следователь начнет вопросы задавать. Мол, что да как, чем взламывал дверь, чем пилил наручники, что сказал потерпевший, в каком месте он сидел, в какой позе? Головняк жуткий! А куда деваться? Похищение человека, незаконное лишение свободы, тут без возбуждения уголовного дела никак. Если же вызвать группу со своего телефона и свалить по-тихому, то еще хуже выйдет: начнут искать, найдут, начальство за мошонку подвесит... А там, совсем рядом, в восемьдесят седьмом гараже, его ждет человек, который готов продать ему античитерскую программу. Это ведь куда важнее! Потому что если умелец-программист по имени Колька не дождется Колосенцева, закончит возиться с машиной и уйдет домой, то где же его потом искать? Ни его телефона, ни телефона Михаила у Геннадия не было. Значит, ждать полтора месяца, пока Колька вернется из своего путешествия, а потом отлавливать его возле гаража. Та еще перспективка!

Нетерпение сжигало Колосенцева-геймера, и Колосенцев-опер послушно отступил. Ну, не так чтобы совсем уж отступил, просто сделал шаг в сторону. Маленький такой шажочек. Практически и незаметный вовсе.

— Папаша, ты пока посиди, воздухом подыши, только смотри, сознание не теряй, а я минут через десять-пятнадцать вернусь и вызову группу, ладно? —

Геннадий наклонился к мужчине, который тихонько постанывал. — Дотерпишь? Ты как вообще, ничего?

— Ничего, — проговорил освобожденный пленник сквозь стон. — Идите, молодой человек, я пока отдышусь.

«Ну и ладно, — подумал Геннадий Колосенцев. — Трое суток терпел папаша, наручником прикованный, и еще полчасика потерпит».

Глава 6

По понедельникам руководство оперативно-розыскной части проводило совещание, которое еще с давних советских времен так и не утратило своего сомнительного названия «летучка» или «пятиминутка». Посему Роман Дзюба с утра пораньше в понедельник мчался в отдел. Дорога в метро занимала минут 40, и, едва поднявшись по эскалатору, он привычно проверил мобильник: ретрансляторы стояли по всей ветке, но в вагонном грохоте все равно ничего не слышно, разговаривать невозможно. На дисплее высветились 12 непринятых вызовов. И все с одного и того же номера.

Номера дежурной части.

Что-то случилось? Зачем так исступленно дозваниваться до сотрудника, который вот-вот появится?

«Придурки», — беззлобно подумал Роман, ускоряя шаг.

Не будет он перезванивать, тут ходу — минут семь от силы, сейчас придет и все узнает. Едва толкнув входную дверь и оказавшись перед окошком дежурного, Дзюба почуял неладное. Еще через минуту он застыл в ступоре, не в силах пошевелиться.

Гену Колосенцева сегодня на рассвете нашли мертвым.

Но этого же не может быть! Как же так? Почему? Он в субботу заступил на сутки, в воскресенье утром освободился, у него соревнования... Соревнования у него!!! Это какая-то ошибка, и нашли вовсе не Генку, который вчера не работал, в задержаниях не участвовал, в засадах не сидел, а играл в свои стрелялки в совершенно безопасном месте...

— Рома. — Кто-то теребил его за плечо. — Ромчик, может, водички тебе?

Роман очнулся и медленно повел головой. Оказывается, он сидит на корточках, привалившись спиной к стене. Он послушно выпил воду из протянутого дежурным стакана, зубы клацали, вода тонкой струйкой лилась мимо рта на свитер, но он этого не замечал.

— Рома, ты иди к шефу, он велел, чтобы ты сразу к нему явился, как только придешь.

Дзюба поднялся, ноги были какими-то неуверенными, но пути до кабинета начальника хватило, чтобы он сумел взять себя в руки.

Начальник был бледен и зол. В кабинете уже сидели все сотрудники отдела, ждали только Романа. На лицах оперативников читались подавленность и растерянность.

— Труп Колосенцева обнаружен в шесть утра в Восточном округе, — начал начальник, — рядом с общежитием гастарбайтеров. Кто-нибудь из вас в курсе, что он там делал?

Все отрицательно покачали головами.

— А как... как Гену убили? — спросил Дзюба.

Начальник пожал плечами.

— Вот судебные медики вскроют, тогда и узнаем. А пока непонятно. Ни огнестрельных ран, ни колотых, ни резаных, ни травмы черепа — наружным осмотром ничего не выявлено. Единственное, что дежурный судмедэксперт смог сказать... — Он взял со стола листок бумаги, пробежал глазами, видимо, понял, что запомнить не сможет, и прочел с листа: — «При осмотре трупа наблюдается резкое сужение зрачков (мидриаз), что позволяет предположить отравление антихолинэстеразным веществом. Время наступления смерти ориентировочно за восемь часов до момента осмотра, то есть около двадцати двух часов воскресенья». Точнее скажут потом.

— Может, Гена сам умер? — рискнул предположить Роман. — От болезни какой-нибудь?

— А что, Колосенцев был болен? — вскинул брови начальник. — Чем?

— Да я не знаю, — уныло ответил Роман. — Вроде ничем... Я просто подумал... Знаете, такое часто бывает: какая-нибудь аневризма в голове разорвется — и все, в момент человека нет.

— Ё-моё, Дзюба! — заорал, сорвавшись, начальник. — Сколько ж мусора у тебя в голове! Ты бы лучше по делу книги читал, а не всякую там хрень про медицину из Интернета вылавливал! Докторов у нас в стране и без тебя хватает. Тебе ж ясно сказано!.. — Тут он снова схватил бумажку и впился в нее глазами. — «Отравление антихолинэстеразным веществом»!

Да, старший лейтенант Дзюба был молодым и не особо опытным, но уж робким он совершенно точно никогда не был. Конечно, если бы не смерть Гены, он бы, наверное, не посмел... Но теперь ему было все равно. Генку убили, а эти толстозадые расселись по кабинетам и руководят! Конечно, это было несправедливо, потому что начальник, до того как сесть в руководящее кресло, точно так же, как любой опер, «топтал землю», и не один год. Но Роман Дзюба думал в этот момент не о справедливости, а о погибшем коллеге.

— А что, есть какие-то книги по специальности, которые я еще не прочитал? — дерзко огрызнулся он. — Вы мне только название скажите, я сегодня же найду и прочитаю.

На лицах оперов засквозили слабые улыбки. Все знали, что в Университете МВД слушатель Дзюба учился отчаянно и оголтело, ему все было интересно, он хотел все знать, поэтому читал не только учебники, но и всю дополнительную литературу, рекомендованную в кафедральных методичках по каждому предмету. И еще занимался в нескольких научных кружках одновременно, готовил рефераты и доклады, выступал на слушательских научных конференциях. И уж по своей прямой специальности «оперативно-розыскная деятельность» прочел вообще все, что было написано, начиная с середины пятидесятых годов двадцатого века.

Начальник бросил на него взгляд мрачный и убийственный. Все понимали, что ответить ему нечего: какая существует литература по специальности «ОРД», он давно уже не интересовался, с тех самых времен, как закончил Омскую школу милиции, а было это лет двадцать пять тому назад.

— Документы на месте. — Начальник решил не углубляться в опасную тему и продолжил излагать информацию об обнаружении трупа Геннадия Колосенцева: — Служебное удостоверение не похищено. Деньги тоже на месте. Рядом с трупом лежала сумка, в ней клавиатура и «мышь» от компьютера, какая-то медаль и диплом, а также блокнот со служебными записями. В кармане куртки ключи от машины, от квартиры, от кабинета, а также листок с записями, сделанными, судя по всему, рукой самого Колосенце-ва. В записке описание маршрута от торгового цен-тра в Северном округе до какого-то места на Юго-Западе, сразу за Кольцевой, там гаражный коопера-тив. Кто знает, что Колосенцев делал на Севере?

— У него были соревнования, — тут же откликнулся Дзюба.

— Какие еще соревнования? По какому виду спорта?

— Это... — Роман запнулся. — Ну, по компьютерным онлайновым играм. Наверное, его команда победила, поэтому и медаль с дипломом...

— Черт-те что, — злобно прошипел начальник. — Мальчишки! На серьезной работе работаете, серьезным делом занимаетесь, так нет, все не наигрались в игрушки, все из детства выйти не можете. Ладно, а на Юго-Западе что? Какой у Колосенцева там мог быть интерес?

Все молчали. И Роман Дзюба тоже молчал. Про гаражи на Юго-Западе он слышал впервые.

— Ну да бог с ним, — внезапно махнул рукой начальник. — Убили-то его все равно в Восточном округе. Зачем-то он шел в общагу. Кто знает, что он там делал? Чего его туда понесло?

Он обвел глазами сотрудников, которые ничего ответить не могли.

— Так, — резюмировал начальник. — Дзюба, сейчас быстрым шагом идешь к следователю, он уже ждет, сюда приехал, чтобы время не терять.

— Почему я-то? — возмутился Роман. — Что, с других нельзя начать? Мне надо ехать...

— Успеешь. Ты в последние дни плотно работал с Колосенцевым, целыми днями с ним вместе был, так что к тебе первому вопросы. Потом и до остальных дело дойдет. Все свободны.

Дзюба не был бы Дзюбой, если бы покорно кинулся немедленно исполнять указание начальника. То есть он его выполнил, конечно, и к следователю явился, но только сделал небольшую остановку посреди коридора, чтобы достать айфон, выйти в Интернет и посмотреть, что это за антихолинэстеразное вещество. Оказалось, что это отравляющее вещество, действие которого основано на принципе блокирования одного из жизненно важных ферментов — холинэстеразы. Ясности это не прибавило.

Следователь обустроился в кабинете, где стояли столы Дзюбы, Колосенцева и еще двоих оперативников. Был он немолод, нетороплив и скучен. Вопросы формулировал так, словно перед ним был не такой же, как он сам, представитель правоохранительных органов, а завзятый мошенник или расхититель, который может пригласить самого лучшего адвоката, и потому следует быть предельно аккуратным в словах и точным в выражениях. Но Роман не обратил на это никакого внимания, все его мысли были направлены на то, чтобы осознать: Гены больше нет. Вот только вчера утром он был, днем был, вечером был, а сегодня утром его уже нет. И больше никогда не будет. Отвечал он рассеянно, вынуждая следователя терпеливо повторять раз за разом одни и те же вопросы: что это за место с гаражами? Когда Колосенцев записывал маршрут и местоположение гаражей? Проходили ли по каким-либо делам фигуранты, связанные с этим местом, или с гаражами, или с автомобилями? Что Колосенцев мог делать возле общежития гастарбайтеров? Мог ли у него быть оперативный интерес?

— Вы поймите, — наконец не выдержал Дзюба, — нормальный опер никогда не распространяется о том, к какому месту или человеку у него есть оперативный интерес. Может, Гена и нарыл что-то интересное в этой общаге, но никому не сказал. Это нормально, что мы ничего друг о друге в этом смысле не знаем. То есть мы знаем, конечно, — тут же поправился он. — Если по одному делу работаем. Но у Гены в производстве ведь не одна разработка была. По тем, которые мы вместе вели, я могу что-то сказать, а по другим — ничего.

— Учить меня собрался, — усмехнулся следователь. — Ну-ну. Вместе вы в последние дни работали по убийству Евгении Панкрашиной, так?

— Так.

— Может ли среди гастарбайтеров быть источник информации по этому делу?

— Да нет, — покачал головой Дзюба. — Вряд ли. У нас потерпевшая — жена бизнесмена, у него даже свой фонд есть. Приличная тетка, четверо детей, трое внуков. Никаких контактов с гастарбайтерами.

— Может, ваша потерпевшая недавно ремонт делала? Ты же знаешь, приезжие работники в основном строительно-ремонтными работами занимаются.

— Нет, — снова покачал головой Роман. — Если Панкрашины и делали ремонт, то сто пудов нанимали профессиональных строителей и дизайнеров. Это не та публика, чтобы с гастарбайтерами связываться. Если только...

— Что? — вскинулся следователь.

— Если только по каналам сбыта... У нас убийство с целью ограбления, похищено ювелирное украшение, вот мы каналы сбыта и проверяем.

— Ясно. — Следователь сделал очередную запись в протоколе. — А версию о причастности гастарбайтеров к убийству Панкрашиной вы отрабатываете? Не к сбыту похищенного, а именно к убийству?

«Нет», — чуть не сорвалось с языка у Дзюбы. Но он сумел вовремя спохватиться и более или менее уверенно ответил, что да, конечно, они об этом подумали, но пока нет никаких оснований... и никаких доказательств... ибо убить Панкрашину при всех обстоятельствах мог только тот, кто знал, что у нее с собой будет в этот момент дорогое украшение. А круг тех, кто знал, весьма и весьма далек от круга рабочих, приезжающих со всех концов необъятной России и из стран ближнего зарубежья в Москву на заработки.

А в самом деле, почему бы и нет? Разве не могла у Гены появиться информация о причастности к убийству Панкрашиной кого-то из гастарбайтеров, проживающих именно в этой общаге? С другой стороны, откуда она могла появиться, информация эта? В субботу он дежурил, значит, по делу Панкрашиной не работал, в воскресенье сменился, в 15 часов у него начались соревнования... Да, но до их начала у Гены было полдня, и кто знает, где он был, что делал, с кем встречался? Вполне возможно, рассуждал про себя Роман, что он и встретился с кем-то, от кого получил наводку на общагу в Восточном округе. И после соревнований Генка поехал туда. И даже, вполне возможно, нащупал убийцу. Который не стал ждать, когда его разоблачат, и нанес упреждающий удар.

— Знаете, — Роман резко поднял голову, прервав на полуслове следователя, который нудно проговаривал свой очередной тщательно выверенный вопрос, — Гену вообще могли убить из-за игры.

Следователь долго молча смотрел на оперативника, потом осуждающе покачал головой.

— Ужас, просто ужас, во что превратился розыск, — удрученно проговорил он. — Кого набирают? Откуда набирают? Что у вас в головах? Нет, определенно, уголовный розыск умер одновременно с советской властью. Иди, Дзюба. И пригласи следующего.

Все утро, пока Дзюба давал показания следователю, Антон Сташис проверял алиби Вероники Нитецкой на утро среды. Это оказалось делом несложным: Вероника Валерьевна в своем офисе находилась с 10 утра до 21 часа, никуда не отлучалась, а в момент убийства Панкрашиной проводила переговоры с представителями транспортной компании. В общем-то, версия Дзюбы о ее причастности к убийству с самого начала казалась Антону малоубедительной, так что он даже особо и не расстроился, когда выяснилось, что в цвет они не попали.

Почему-то более перспективным в плане получения информации ему виделся певец Виктор Волько, добиться аудиенции у которого оказалось не так-то просто. Действовать пришлось через его продюсера, который долго шелестел перелистываемыми страницами ежедневника и всячески демонстрировал невероятную занятость звезды вокала: переговоры, репетиции, выступления, обязательный отдых («Это же голос! Это понимать надо. Голос требует определенного режима!»), посещение личного врача-фониатра... В какой-то момент Антону надоело изображать из себя интеллигента, и он коротко и ясно выразился в том смысле, что для полиции Виктор Волько не певец, а свидетель, которого необходимо опросить, и чем быстрее, тем лучше. Продюсер тяжело вздохнул и назначил время и место.

— Только я очень вас прошу — недолго, Виктор Семенович должен ехать проверять акустику в зале, где ему предстоит выступать через два дня. И постарайтесь его не волновать, это плохо влияет на голос.

— Это уж как получится, — усмехнулся Антон.

К Волько они приехали уже вместе с Дзюбой. Певец расслабленно сидел в кресле-качалке, вытянув ноги, а продюсер, худощавый нервный тип с густо замазанными гелем стоящими торчком волосами, носился по комнате, как сторожевой пес, всем своим видом давая понять, что готов в любой момент вцепиться в глотку любому, кто только посмеет посягнуть на нервную систему звезды.

— Вы знакомы с Евгенией Панкрашиной? — начал Роман.

Они заранее договорились с Антоном, что вопросы будет задавать Дзюба, а Антон останется сторонним наблюдателем и будет помогать молодому оперативнику взглядами и жестами, координируя и направляя ход беседы. Об этом попросил сам Роман: «Мне надо учиться, а то Гена всегда все брал на себя и потом ничего не объяснял».

Полное спокойствие. Мерное покачивание в кресле. Имя Панкрашиной не вызвало у певца никаких эмоций.

— Впервые слышу.

— Вы были двадцатого ноября на приеме по случаю юбилея господина Букарина?

— Да, меня пригласили выступить перед гостями. А в чем дело?

— Во втором перерыве вы беседовали с дамой. Вы с ней знакомы? Кто она?

— С дамой? — Волько наморщил лоб. — Да я со многими там беседовал, в том числе и с дамами. Там было много народу. Я не понимаю, чего вы от меня хотите.

— Постарайтесь, пожалуйста, вспомнить: Евгения Васильевна Панкрашина, супруга Игоря Панкрашина, известного бизнесмена и благотворителя.

Волько призадумался и снова покачал головой.

— Нет, я ее не знаю. Хотя вполне возможно, и перекинулся с ней парой фраз.

— А нам сказали, что вы с ней разговаривали, причем весьма оживленно. Это была далеко не пара фраз, вы что-то обсуждали. Вспомните, пожалуйста. Невысокая такая женщина, немолодая, в черном платье, у нее еще было такое яркое колье на шее.

Волько начал раздражаться, это было очень заметно, особенно Антону, который стоял чуть в стороне и явственно видел, как напряглись мышцы и набухли вены на шее певца.

— Да мало ли с кем я там разговаривал, — сердито заговорил Виктор Семенович, и тут же в разговор вклинился неугомонный продюсер.

— Виктору Семеновичу ведь далеко не каждый собеседник знаком, — затараторил он. — Опять же не каждый имеет достаточно хороших манер, чтобы представиться, а у Виктора Семеновича не безразмерная память, чтобы запоминать всех, кто к нему подходит. Вы представляете, какая обстановка на этих приемах? Музыканты играют, все разговаривают, шум стоит такой, что ничего не слышно, подходит человек, здрасьте, я такой-то, я ваш горячий поклонник, а где вы в следующий раз будете петь, где можно вас послушать и так далее. Само собой, что в таком гвалте имя разобрать невозможно. Вы что же думаете, Виктор Семенович будет переспрашивать? Вы думаете, ему так важно знать точно, как его зовут, этого человека, который скажет три дежурных комплимента и отойдет, и больше никогда в жизни Виктор Семенович его не увидит?

Волько снисходительно выслушал защитную речь своего преданного продюсера, покивал головой в знак того, что согласен с каждым его словом, и соизволил дальше вести беседу самостоятельно:

— Вполне возможно, что я и беседовал с вашей дамой, но я ее совершенно не помню.

Роман обменялся взглядом со Сташисом и получил команду продолжать.

— Ну, может быть, вы вспомните, на ней еще колье такое интересное было...

— Нет, я в женских украшениях не разбираюсь, только в мужских, — недовольно проговорил певец. — Не обратил внимания.

И снова взгляд Сташиса: сделай вид, что ты тупой, начинай все сначала.

— Вам не показалось, что она чем-то расстроена, напугана? Может, нервничала, озиралась по сторонам, кого-то искала глазами? — спросил Роман, словно ему не сказали только что русским языком, что никакой Панкрашиной Виктор Семенович не знает и никакую даму в черном платье и с колье на шее не помнит.

Как и следовало ожидать, в ответ оперативники получили вспышку ярости, сопровождаемую самыми нелицеприятными эпитетами в адрес российской полиции, куда берут на службу только самых тупых, не владеющих русским языком, да еще и глухих.

Выкричавшись в полное свое удовольствие, Волько вдруг замолчал и сменил гнев на неожиданную мягкость:

— Хотя знаете... Вот вы спросили, не нервничала ли она, не выглядела ли испуганной. Хороший вопрос. На таких мероприятиях люди обычно бывают оживленными, веселыми, подвыпившими в большей или меньшей степени. Я привык в подобных местах встречать именно таких людей. И если бы ваша дама чем-то выделялась из общей массы, я бы обратил на это внимание. Я бы ее запомнил. Так что либо она вообще со мной не разговаривала...

— Но она разговаривала с вами, — заметил Роман. — Это видели несколько человек, в том числе и муж Евгении Панкрашиной.

— Ну, значит, она была такой же, как все, и ничем мое внимание не привлекла. А что, собственно, случилось? Она что, пожаловалась, что я ее оскорбил, обидел чем-то?

«Спохватился, наконец, — подумал Антон, пряча улыбку. — Неужели все звезды такие? На первом месте их собственная персона, вокруг которой должен вращаться весь мир. А может быть, все дело в кресле-качалке? Неудачно этот певец сел для разговора с полицией. Кресло-качалка очень и очень мешает концентрации внимания и ясности мышления, это давно доказано специалистами. На качалке человек словно бы теряет связь с землей, а следовательно — устойчивость».

Антон во многих книгах читал про так называемое «состояние альфа», при котором разум раскрепощен и не создает оптимальных предположений и ясных мыслей. Именно «состояние альфа» и появляется у человека во время пребывания в таком соблазнительно удобном кресле.

— А ее, видите ли, убили на следующий день после приема, — язвительно проговорил он. — Такая вот неприятность.

Ну просто не смог удержаться, чтобы не поддеть самовлюбленного певца. Бегающий по комнате продюсер замер, будто в соляной столб превратился, а Виктор Семенович Волько сделался землисто-серым.

— Но вы же не думаете... — забормотал продюсер. — Как вы можете... Это что же...

— Нет-нет, — поспешил успокоить его Антон. — Мы ничего такого не думаем. Просто у нас есть основания полагать, что во время этого приема что-то произошло. Может быть, неприятный разговор или неприятная встреча с кем-то. И мы пытаемся вычислить, в какой момент это случилось. Если Евгения Васильевна была во время разговора с вами в хорошем, ровном настроении и ничем ваше внимание не привлекла, значит, то, что произошло, имело место позже. Вот и все.

Продюсер с видимым облегчением перевел дух, к лицу Волько постепенно возвращался нормальный цвет.

— Боже мой, какой ужас, — тихо проговорил он. — Вот так живешь-живешь и...

Он не договорил, тяжело поднялся с кресла, и теперь стало заметно, что при всей своей холености он излишне полноват для своих лет.

— Прошу прощения, мне пора. У вас есть еще вопросы?

Оперативники поблагодарили и покинули негостеприимного вокалиста. Настроение у обоих было — хуже некуда, даже Антон, совсем мало знавший Колосенцева, и тот был расстроен, а уж про Дзюбу и говорить нечего.

— В любом случае, если что-то и произошло, то точно после разговора с Волько и с приятельницами, потому что в тот момент Панкрашина была в хорошем настроении, — задумчиво резюмировал Антон.

Они стояли на улице, возле машины Антона, наслаждаясь неожиданно проглянувшим солнышком. От вчерашней злой непогоды не осталось и следа.

— Но муж Панкрашиной уверяет, что она и домой ехала в хорошем настроении, — возразил Дзюба. — Значит, на этом приеме вообще ничего особенного не случилось.

— Муж — лицо заинтересованное, он мог и наврать, а правды мы все равно не узнаем.

Роман с удивлением посмотрел на Сташиса.

— Ты что, все-таки мужа подозреваешь?

Антон неопределенно пожал плечами. Это было одно из тех дел, когда ничего не складывается, все какое-то аморфное, расползающееся по швам при малейшем прикосновении. Вроде и подозревать некого, а вроде и каждого можно заподозрить...

— Надо опросить водителя мужа, мы с ним еще не разговаривали, — предложил Роман. — Но вообще-то Евгению Васильевну никто никогда в плохом настроении не видел, она умела скрывать, всегда была ровная и спокойная, молчаливая, но не тяжелая. Так и ее водитель говорит, и подруги.

— И дети, — добавил Антон, поскольку успел уже пообщаться со всеми детьми Панкрашиных и членами их семей. — Ладно, Ромка, ты прав, поехали к водителю Панкрашина, поспрошаем его, что да как. Кто работал двадцатого ноября?

Дзюба посмотрел в своих записях: водители, обслуживавшие Игоря Николаевича Панкрашина, работали через день, и тот, кто сидел за рулем в минувший вторник, как раз должен быть на работе сегодня.

При помощи нескольких телефонных звонков они выяснили, что водителя в гараже нет, он повез Панкрашина на деловую встречу куда-то в район Рублевки: горе горем, а заниматься бизнесом и делами фонда все-таки надо. Телефон водителя они получили без проблем, и тот ответил, что переговоры только начались, ждать ему здесь еще часа два-три, вряд ли меньше, и объяснил, как его найти. Оставалось надеяться на то, что Рублевское шоссе не перекроют в связи с проездом какого-нибудь партийного или государственного бонзы и им не придется терять время в совершенно бессмысленной, вызывающей тупую бессильную злобу пробке.

Удача — дама капризная. Сегодня настроение у нее было отвратительным, и, конечно же, оперативники попали именно под это самое перекрытие, потеряв два с лишним часа. Антон нервничал и ворчал, что, вот пока они тут стоят, Панкрашин закончит свои переговоры и уедет куда-нибудь. Они разминутся, и снова придется терять время на то, чтобы добраться до водителя. Дзюба на его ворчание никак не реагировал, молча смотрел в окно. Антон понимал, что мысли Романа направлены сейчас вовсе не на работу. Оно и понятно, всегда тяжело терять товарища, с которым несколько лет проработал бок о бок.

Наконец, машины хоть и медленно, но задвигались.

Автомобиль Панкрашина стоял там, где указал водитель, перед входом в здание клубного типа, где и переговоры удобно проводить, и ресторан есть, дабы заполировать удачную сделку совместной трапезой. В тот момент, когда оперативники подъехали, из здания вышел Игорь Панкрашин в сопровождении двух мужчин. Один из них пожал Игорю Николаевичу руку, попрощался и вернулся в здание, второй последовал вместе с ним к машине.

Дзюба пулей вылетел из автомобиля ему наперерез. Панкрашин удивленно посмотрел на Романа, потом кивнул, что-то сказал и вернулся в здание. Его спутник потрусил за ним следом.

Сменный водитель Панкрашина не рассказал ничего нового, буквально слово в слово повторив все то, что уже и так было известно из показаний водителя, возившего Евгению Васильевну:

— Они всегда молчат, Игорь Николаевич никогда при мне ни о чем не разговаривает, и по телефону тоже «да», «нет», «перезвони позже». Не доверяет нам, видать. И Евгению Васильевну к этому приучил, ее водитель тоже говорит, что она молчит.

— Расскажите про вечер вторника, двадцатого ноября, когда вы везли Панкрашиных домой с приема. В каком они были настроении?

— Да кто ж их разберет, — развел руками водитель. — Как обычно. Игорь Николаевич заднюю правую дверь открыл, помог сесть Евгении Васильевне, потом обошел машину сзади и сам сел слева, рядом с ней.

— И что, оба молчали всю дорогу? — недоверчиво прищурился Дзюба. — Так-таки ни одним словечком не перемолвились?

Водитель напрягся, вспоминая.

— Ну, Игорь Николаевич сказал что-то вроде того, что Нина, наверное, пользуется отсутствием родителей и не легла вовремя спать. А Евгения Васильевна ему ответила, что Нина взрослый человек, и если ей нравится ходить по утрам в школу невыспавшейся, то это ее личное дело. Как-то так примерно.

— Каким тоном они разговаривали друг с другом? Не показалось вам, что кто-то из них нервничает или сердится? Или между ними черная кошка пробежала?

Водитель покачал головой.

— Ничего такого. Он ее назвал Женечкой, дочку Ниночкой, а Евгения Васильевна, когда отвечала, сказала ему: «Ну что ты, мой хороший». Негромко так разговаривали, мягко, ласково.

— И больше ничего не обсуждали?

— Больше ничего.

Получается, что оба водителя — и Шилов, и водитель Панкрашина — говорят одно и то же. Значит, пожалуй, этому можно поверить. Вряд ли они в сговоре.

Обратный путь в город удалось проделать куда быстрее. Теперь их маршрут был направлен к дому, где жили Панкрашины. Надо поговорить с Ниной.

Но и здесь ничего нового они не услышали: когда родители вернулись с приема, было очень поздно, далеко за полночь, девушка уже давно спала и в каком настроении была мама — сказать не может. А утром Евгения Васильевна улыбалась, кормила мужа и дочь завтраком, помогала собраться и проводила обоих, как обычно, теплым крепким поцелуем в щеку.

— Ну что, напарник, итоги у нас с тобой неутешительные, — констатировал Антон, когда они вышли от Панкрашиных. — И надо нам с тобой поискать среди участников того приема. Те свидетели, которые выявились в первый же момент, ничего дельного не сказали. Но народу там было много. И кто-нибудь мог что-то заметить или услышать. Стало быть, придется ехать к юбиляру и требовать у него списки приглашенных. С них и начнем. Кто из присутствовавших на приеме мог иметь личную неприязнь к Панкрашиной? И кстати, не исключено, что попадется какая-нибудь знакомая фамилия вроде Цаплина или ему подобных.

Дзюба усмехнулся. Имя вора и мошенника Цаплина было широко известно в кругах оперов. Этот деятель пробавлялся тем, что каким-то немыслимым образом пробирался на приемы, презентации и прочие великосветские тусовки, причем даже на самые закрытые, обзаводился знакомствами, очаровывал людей и вступал с ними в разнообразные финансовые отношения, которые почему-то заканчивались быстро и плачевно для одной из сторон. И стороной этой был, конечно же, не Феликс Цаплин, а его новый знакомый. Иногда его арестовывали, иногда даже пытались посадить, но почему-то всегда возникали какие-то странные и непредсказуемые проблемы с доказательственной базой. И Цаплина отпускали. Более того, у сыщиков были все основания полагать, что Цаплин решал не только собственные финансовые задачи, но еще и выступал в качестве наводчика для преступников, имеющих несколько иную специализацию. Может быть, и здесь произошло то же самое? Кто-то увидел колье на Евгении Панкрашиной, оценил его немалую стоимость и банально «навел»? Кстати, вопрос о том, откуда Панкрашина получила такое дорогое колье, если не взяла напрокат, не купила сама и не приняла в подарок от любовника, так и повис в воздухе. Нет, решительно, дело об убийстве расползлось по всем швам.

— Антон, не знаешь, кого из ваших подключат к Генкиному делу? — спросил Дзюба.

— Знаю. Зарубина Сергея Кузьмича. А что?

— Ты ему скажи, что Генку могли убить из-за игры, — горячо заговорил Роман. — Понимаешь, там...

— Э, нет, — протянул Сташис. — Это не ко мне, это к Кузьмичу. Вот ему и излагай все свои идеи. Мне передать нетрудно, но я с детства не любил играть в испорченный телефон. Хочешь — поехали прямо сейчас, мне все равно в контору нужно, кое-какие бумаги отписать и Кузьмичу доложиться по одному вопросу, он как раз на месте, ждет меня.

— Так мне тоже в отдел надо, — расстроился Дзюба. — Начальник велел появиться. Из-за Генки, наверное. А ты долго на Петровке пробудешь?

— Как повезет. Но раньше восьми — половины девятого вряд ли уйду. Так что можешь успеть, если постараешься. Давай я тебя до метро подброшу.

Дзюба вышел у ближайшей станции метро, а Антон поехал в сторону Петровки, размышляя о том,

как странно устроена жизнь. Для Евгении Панкрашиной певец Виктор Волько — божество, небожи-
тель, она перекинулась с ним несколькими словами
и потом весь вечер только о нем и говорила, глаза
горели, и, если бы ее не убили, она бы, наверное, до
гробовой доски этот момент не забыла и внукам рассказывала. А для Волько она — клоп на стене, он ее
даже не запомнил. Когда-то в юности, стоя на краю
страшной депрессии, похоронив в течение нескольких лет всю семью, Антон спасался чтением, к которому его приохотили обладавшие огромной библио-
текой соседи. Тогда он читал все подряд, не обращая
внимания на жанры, лишь бы отвлечься, лишь бы не
думать, не вспоминать. Из этого колоссального мас-
сива прочитанного то и дело выплывали на поверхность какие-то имена авторов, названия произведений, персонажи... Вот и сейчас он вспомнил «Письмо
незнакомки» Стефана Цвейга. Она любила его всю
жизнь, с детства до самой смерти, она родила от него
ребенка, а он ее не помнил и даже имени не знал.
И еще один вывод сделал Антон Сташис из всего, что
узнал о Евгении Панкрашиной: Евгения Васильевна
действительно крайне далека от светской тусовки
и не привыкла к короткому общению с известными
людьми, поэтому недолгий разговор с Волько произвел на нее такое неизгладимое впечатление.

К капризному изделию — портсигару — Алексей
Юрьевич Сотников не возвращался с пятницы, давая
впечатлениям и ощущениям вылежаться и остыть, по
его собственному выражению. Зато в понедельник,
вернувшись с «Кристалла» и взяв в руки мастер-модель, ювелир сразу увидел, что в ней не так, заперся
в своей домашней мастерской и увлеченно принялся
за работу. Просто удивительно, почему он не увидел

и не понял этого три дня назад? Ведь все же очевидно! Впрочем, это естественно, так всегда бывает. Сначала долго и мучительно пытаешься понять, а когда понимаешь — приходишь в изумление оттого, что ответ, оказывается, лежал на поверхности.

В дверь постучали осторожно, но в то же время требовательно. Так стучал только сын Юрий. В стуке, издаваемом Маруськой, осторожности отродясь не бывало, в то время как в стуке жены не было требовательности. Сама человек творческий, она как никто другой понимала цену уединению и сосредоточенности.

— Юра, ты? — крикнул Сотников, не поднимаясь с места. — Что ты хотел?

— Пап, ты скоро освободишься? Я хотел тебе отрывок почитать, что-то у меня сомнения... И со стилем затык, все-таки почти двести лет прошло, я разговорным языком того времени не владею. Литературным еще так-сяк, классики начитался, а с разговорным полная беда. Может, подскажешь, как вывернуться, чтобы и художественно было, и со стилем не накосячить, и в то же время соблюсти документальность.

Сотников улыбнулся, снял очки, которыми пользовался для работы — возрастная дальнозоркость вкупе с давнишней близорукостью заставляла постоянно менять стекла. Надев очки «для постоянного ношения», отпер дверь и вышел к сыну. Тот, как выяснилось, работал над ключевым моментом: 1845 год стал переломным в истории Ювелирного Дома Сотникова.

Юрий Алексеевич Сотников Первый родился в 1815 году, в 24 года женился, первыми появились с разницей в полтора года две дочери, и наконец в 1845 году супруга порадовала Юрия сыном, которого назвали, конечно же, Алексеем. Самому Юрию было в ту пору всего тридцать, его отец, Алексей Юрьевич Первый, недавно отпраздновал свой пятьдесят пятый день рождения, был полон сил и энергии и пока не собирался уступать своему первенцу бразды правления Домом Сотникова. Обезумевший от счастья Юрий Алексеевич Первый решил сделать для обожаемой супруги брошь в память о знаменательном событии, в которую намеревался вложить всю свою любовь и благодарность за долгожданного наследника. Сперва у него появилась идея сделать серьги, ибо рожденная им мысль лучше всего укладывалась именно в это ювелирное изделие, но увы! В ту пору дамы серег не носили: мода середины девятнадцатого века требовала, чтобы женские ушки были плотно прикрыты волосами. И он стал делать брошь. Супруга Юрия Алексеевича имела весьма разностороннее образование, посему замысел любящего мужа был ей понятен и довольно быстро угадан: «Любовь зарождается в одно мгновение, крепнет со временем и длится вечность».

Через несколько месяцев после рождения сына, когда закончилось молоко (никаких кормилиц в роду Сотниковых не признавали, пользовались их услугами только по необходимости, продиктованной состоянием здоровья роженицы) молодая мать начала выезжать в свет. Разумеется, новая брошь постоянно была приколота к корсажу ее платья. Не прошло и нескольких дней, как к владельцу Дома Сотникова Алексею Юрьевичу Первому обратились с просьбой сделать нечто подобное, только смысл должен быть другим: подарок предполагался ко дню рождения матушки заказчика. В тот раз Алексей Первый только плечами пожал и переадресовал клиента к своему сыну: он это придумал, к нему и обращайтесь.

А Юрий Алексеевич заказ принял с удовольствием и выполнил, не жалея творческой фантазии. За первым заказом последовал второй, третий... И Юрий Алексеевич отправился к отцу для серьезного разговора. Спрос на «сентиментальные» изделия зародился не вчера, традиции требовали, чтобы, например, в первый год после тяжелой утраты не носились никакие украшения, кроме так называемых траурных. Траурные кольца изготовлялись повсеместно и были явлением совершенно обычным. Точно так же большим спросом пользовались украшения, символизирующие признание в любви и заверения в вечных чувствах. Но ведь кроме траура и влюбленности есть и другие периоды в жизни человека, и самые разнообразные события, и самые разные чувства, которые хочется передать и увековечить в ювелирном изделии. Это было первой частью концепции, с которой молодой ювелир явился пред очи своего батюшки.

Второй же частью было предложение переориентироваться на другой слой потребителей. Если до сего дня основными покупателями изделий Дома Сотникова была аристократия, то Юрий Алексеевич считал целесообразным перенести акцент на купечество и промышленников, а также на средний класс: пусть изделие будет дешевле, но зато продать их можно будет намного больше. Говоря современным языком, Юрий Алексеевич Первый ратовал за то, чтобы заменить эксклюзивность массовкой. Но, конечно, дело обстояло не совсем так, ведь он имел в виду выполнять только индивидуальные заказы, с учетом пожеланий клиента и всех сопутствующих обстоятельств. Только клиентами этими будет не исключительно богатое дворянство, а любой, кто захочет иметь изделие «со смыслом» и будет в состоянии заплатить за него. Чтобы сделать изделия доступными самому широкому слою потребителей, следует заранее разработать пакет типовых дизайнов без камней (в целях удешевления товара) для самых разнообразных случаев, и тогда достаточно будет внести лишь небольшие дополнения сообразно индивидуальным требованиям клиента и состоянию его кошелька, что позволит заметно сократить время исполнения заказа. Таким образом возможно повысить объемы производства без увеличения численности работников и оборудования.

Алексей Юрьевич Первый воспринял новации сына в штыки. Дом Сотникова работал для лучших домов Москвы, в числе его клиентов — вся московская знать, и постоянные заказчики просто откажутся иметь дело с ювелиром, который не гнушается изготавливать изделия для грубого необразованного народа, к каковому Алексей Юрьевич почему-то причислял купцов, заводчиков и фабрикантов.

«Они никогда не поймут истинной красоты твоих изделий! — кричал глава Ювелирного Дома. — Это все равно что метать бисер перед свиньями!»

Одним словом, скандал вышел знатный, после чего Алексей Юрьевич не разговаривал с сыном несколько недель. Но все же экономическая хватка у Алексея Юрьевича была недюжинной, и, поостыв, он взялся за перо и бумагу и принялся считать. По всему выходило, что сын не так уж и не прав. Переориентирование на сентиментальные изделия и изделия «со смыслом» с максимальным их удешевлением сулило значительные прибыли. И никто ведь не отменял изготовления заказов для по-настоящему богатых клиентов! Конечно, риск для репутации огромен, но кто не рискует, тот не выигрывает, решил Алексей Юрьевич и отправил сыну сухую записку с предложением зайти для обсуждения «твоих сомнительных новаций».

Примирение состоялось. И с этого же момента начался новый этап в жизни Ювелирного Дома Сотникова...

Все это было подробно описано в дневниках Юрия Алексеевича Первого. Сам дневник, равно как и дневники всех прочих Сотниковых, их письма, уцелевшие записки, учетные книги, давно уже хранился в банковской ячейке в специальной упаковке, предохраняющей бумагу от разрушения. В целях сохранности информации еще в середине тридцатых годов двадцатого века все эти материалы были перепечатаны на пишущей машинке, в шестидесятые годы с машинописных страниц были сделаны фотокопии, потом, по мере развития технического прогресса, ксерокопии, теперь все материалы сканированы и имеются в электронном виде, и именно ими и пользуется молодой журналист Юрий Сотников. А драгоценные первоисточники лежат в ячейке.

Юрий протянул отцу несколько распечатанных на компьютере страниц.

— Вот это отрывок дневника, а я почитаю тебе, что у меня получилось. Ты последи за текстом, чтобы я ничего не упустил и не перепутал. Может, какие-то обороты подскажешь, ты же литературу девятнадцатого века знаешь хорошо.

Сотников рассмеялся. Его сын всегда умел найти самый экономичный способ решения собственных задач.

— А ты пьесы Островского читать не пробовал? Уж там-то язык только разговорный, вполне можешь кое-что позаимствовать, — посоветовал Алексей Юрьевич. — Стыдно эксплуатировать старого немощного отца.

Юрий кинул на него озорной взгляд, потом откашлялся и начал читать.

Сотников поглядывал в текст дневниковых записей своего далекого предка и, вполуха слушая невыразительный бубнеж сына, думал о том, как прочно и в то же время непредсказуемо бывают связаны разделенные во времени события. Если бы в 1845 году Юрий Первый не надумал сделать брошь для жены, если бы эта брошь не оказалась замеченной в свете, то не возникло бы в 1853 году традиции ювелирных посиделок с заключением пари, и не вознесся бы к вершинам своей славы Дом Сотникова, и не имели бы его изделия такую высокую цену, и — как результат — не случилось бы той истории с Лёней Курмышовым.

И ничто не омрачало бы дружбу Алексея Сотникова и Леонида Курмышова, зародившуюся больше сорока лет назад.

А кстати, и у Илюши Горбатовского не было бы возможности с таким изяществом высказать Лёньке в глаза все, что накипело на душе. Интересно, если бы не ювелирные посиделки, как бы повел себя Илья? Начал открыто выяснять отношения с Лёней? Или устроил ему мелкую каверзу? А то и крупную пакость...

Сергей Кузьмич Зарубин ввалился в кабинет усталый и сердитый. Весь день он вместе с сыщиками из Восточного округа занимался установлением обстоятельств смерти Геннадия Колосенцева. Первой и пока основной версией было предположение о том, что Геннадий в ходе работы по одному из дел вышел на проживающих в общежитии гастарбайтеров, и нужно было для начала хотя бы понять, по какому именно делу оперативная информация привела его в то место, где наступила смерть. Изучение номеров, по которым производились соединения с мобильного телефона Геннадия, ничего не дало. И вообще в течение последнего часа перед предполагаемым временем наступления смерти Гена никому не звонил со своего мобильника. Зарубин подробно и дотошно расспрашивал всех оперов, работавших в одном отделе с Колосенцевым, но пока даже намека на общагу и ее обитателей не обнаружил. Единственным, с кем он еще не поговорил, был Роман Дзюба.

— А он скоро сам сюда прибежит, — утешил его Антон. — Хочет поделиться с тобой кое-какими соображениями. Чаю хочешь?

— Водки хочу, — мрачно сообщил Зарубин. — И веревку с мылом, чтобы повеситься. Тоха, ты же работал с этим Колосенцевым пару лет назад. Что можешь о нем рассказать?

Антон задумался, потом неторопливо, взвешивая каждое слово, ответил:

— Гена Колосенцев — не фанат своей работы, ему было откровенно скучно в розыске, он просто откашивал от армии, собирался, как только исполнится двадцать семь лет, уходить из полиции.

— Так ему двадцать семь вроде давно исполнилось, — заметил Зарубин. — А он не ушел. Почему, не знаешь?

— Знаю, — усмехнулся Антон. — Вернее, догадываюсь. Не ушел он потому, что на фиг никому не нужен. Это миф, что молодого юриста с опытом оперативной работы оторвут с руками и дадут такую должность, при которой можно ночами играть на компьютере в онлайновые игрушки, потом до обеда спать и получать за это деньги, на которые можно жить. За приличные деньги надо очень много работать, просто так их никому не платят, а очень много работать — так он и так это имел, в розыске. Какой смысл менять шило на мыло? Чтобы вести такой образ жизни, какой Гене интересен, нужно заниматься исключительно творческой деятельностью, когда ты сам себе хозяин и на работу ходить не надо. Так что все его представления о том, как сладко он будет жить после увольнения, оказались иллюзиями.

Зарубин покивал головой, обдумывая услышанное, потом довольно бесцеремонно ухватил большую кружку Антона с только что заваренным чаем и перелил добрую половину в свою чашку.

— Делиться надо, — нравоучительно произнес он. — Так, может быть, Геннадий начал пробовать себя в каком-то бизнесе, готовил почву для увольнения? Нашел каких-то людей, связался с ними, что-то пошло не так... надо в этом направлении покопать. А то мы уперлись в фигурантов по его последним делам, а может, общага тут как раз совсем другим боком.

Они обсудили кое-какие общие дела и уже собрались было углубиться в составление письменных отчетов, когда распахнулась дверь и появился Дзюба, взъерошенный и возбужденный. Зарубин с облегчением отодвинул от себя клавиатуру компьютера и принялся задавать Роману вопросы. Антон прислушивался к их разговору и прикидывал, на сколько хватит выдержки у Ромки? Сколько он вытерпит, прежде чем обрушит на Сергея Кузьмича свою «геймерскую» версию? Пять минут? Десять?

«Максимум — пятнадцать, — решил Сташис. — С Ромкиным темпераментом дольше не выдержать».

Но он ошибся. Темперамент у Романа Дзюбы был, конечно, буйным, но и выдержки ему не занимать. Он не озвучил свою версию до тех пор, пока не ответил на все вопросы Зарубина.

— Сергей Кузьмич, вы не думаете, что Гену могли убить из-за конфликтов в игре?

Антон почему-то был уверен, что Зарубин начнет или хохотать, или страшно ругаться и издеваться над рыжим опером. Но Сергей, видно, здорово устал, потому что просто махнул рукой: у них и так две рабочие версии — гастарбайтеры-фигуранты и попытки заработать деньги сомнительным бизнесом, их бы отработать для начала. Какая там еще игра?

Но Дзюба не унимался:

— А как же записка? Она же явно не имеет никакого отношения к общаге, рядом с которой Гену нашли, значит, она может быть ключом к еще какой-нибудь версии!

Зарубин посмотрел на него так странно, что Антону даже не по себе стало. Жаль, что Ромка производит на Сергея впечатление умалишенного или дебила, он очень неглупый парень, и что самое главное — у него свободное мышление, не зашоренное вдолбленными со школьной скамьи алгоритмами. Антон Сташис много отдал бы за то, чтобы работать с таким опером, как Роман Дзюба.

— Ты что, самый умный? — устало проговорил Зарубин. — Думаешь, без тебя не додумались? При трупе Колосенцева действительно нашли бумажку с описанием маршрута к гаражам и с номером гаража. Прошли по маршруту и гараж нашли. Владельца этого гаража в первую очередь и прессанули, но он оказался ни при чем. Там и имя стояло, «Николай», но у владельца гаража имя другое, его зовут Владимиром Анатольевичем. Весь день опера из Восточного с этой запиской колотились, всех гаражников перетрясли — и ничего. При этом нет уверенности, что гаражи те самые, про которые речь шла в записке, потому что в записке указано, что за гаражным комплексом стоит небольшое кафе с бело-голубой вывеской, а там никакого кафе нет. Поэтому скорее всего речь в записке шла вообще о других гаражах, но о каких — мы уже теперь вряд ли узнаем. При этом труп нашли в одном месте, на Востоке, а гаражи в совершенно другом, на Юго-Западе, поэтому немножко с гаражами поковырялись и решили, что гаражи — это про другое, а искать надо все-таки в месте обнаружения трупа.

Дзюба запустил пятерню в густую рыжую гриву, словно стараясь собрать в кулак разбегавшиеся по черепной коробке мысли.

— А машина Генкина где стояла?

— А что, у него машина есть? То есть была, — тут же поправился Зарубин. — Красиво живут молодые опера. Что ж мне ребята твои не сказали про машину? Уж они-то наверняка знали, что она есть. Ну, наверное, там и нашли, где труп, раз не сказали.

— Давайте проверим, — взмолился Роман, жалобно глядя по очереди то на Зарубина, то на Антона. — А может, его из-за машины убили? Знаете, как это постоянно бывает: водителя убивают и выбрасывают из салона, а машину угоняют.

— Ага, — кивнул Зарубин, листая блокнот. — Угоняют. Без ключей. Ключи заботливо кладут в карман убитому и уезжают. Ключи-то у Колосенцева при себе были, вьюнош с горящим взором! В кармане куртки лежали.

Глаза Дзюбы недобро сузились, в них полыхнул злой огонь.

— Почему же вы, Сергей Кузьмич, удивились, когда я спросил про машину, если вы с самого начала знали, что у Гены в кармане были ключи от нее?

— Ох ты какой! — Зарубин внезапно развеселился, даже усталость, казалось, прошла. — Уж и пошутить нельзя. Характер у тебя, однако, старлей. Ну ладно, ладно, уел, признаю. Про ключи забыл, вернее, внимания не обратил, а когда ты спросил — я записи полистал и наткнулся на перечень того, что было в карманах. Расслабься, остынь, чего ты волком-то на меня смотришь?

— И все-таки не надо сбрасывать со счетов вариант убийства из-за конфликтов в игре, — твердо повторил Роман. — Мне Генка часто рассказывал, как там собачатся. Даже парня одного насмерть забили, устроили с ним свару в чате, забили стрелку, чтобы разобраться лицом к лицу, кто круче, а в итоге труп. Вы поймите, Гена был очень хорошим геймером, кроме того, он был администратором. Его могли убить либо из зависти, потому что он — лучший, либо он как админ кого-то забанил, и его убили из мести.

Зарубин потер лоб рукой и вздохнул.

— Слушай, старлей, ты вот сам себя слышишь со стороны? Несешь какую-то ахинею, слова говоришь непонятные, будто на птичьем языке разговариваешь. Ты что, всерьез полагаешь, что весь этот детский сад может иметь отношение к смерти капитана полиции, оперуполномоченного уголовного розыска?

— И все равно я считаю, что нужно поговорить с геймерами... — не сдавался Дзюба.

— Слушай, достал уже! — внезапно взорвался Сергей. — Ты мать поучи щи варить! С геймерами твоими все равно будем разговаривать, потому что они видели его и общались с ним за несколько часов до смерти. Все, Дзюба, вали отсюда, не морочь мне голову, а то я за себя не отвечаю.

Подполковник сцепил пальцы на затылке, развел локти в разные стороны, откинулся назад и потянулся всем своим некрупным жилистым телом. Антон прочитал этот жест совершенно однозначно: Зарубин больше не хочет говорить на эту тему, ему все понятно, и все решения приняты.

Роман молча повернулся и вышел, на ходу коротко кивнув Антону.

— Завтра с утра идешь к Букарину, — напомнил Антон и не понял, услышал его Дзюба или нет.

— Зря ты так с ним, — укоризненно проговорил он. — Ромка хороший парень. И по Колосенцеву убивается, Геннадий ведь был его наставником, они три года бок о бок проработали, Ромка его любил. Он переживает, он ведь молодой совсем, товарища в первый раз потерял. А ты с ним так... Нехорошо, Кузьмич.

— Да я сам знаю, что нехорошо, — в голосе Зарубина звучало раскаяние. — Сорвался. Устал. А ты тоже хорош: чего не остановил-то меня? Видишь, что старшего товарища заносит, и сидишь, как воды в рот набрал. Нет чтобы оказать дружескую помощь. Но вообще-то прими мои соболезнования: достался тебе напарничек по делу Панкрашиной! У него вместо мозгов детские бредни.

— Ты не прав, Кузьмич, — горячо возразил Сташис. — У Ромки высокая познавательная активность, и профессию нашу он любит искренне в отличие от многих, для которых работа в полиции — это либо средство откосить от армии, либо возможность бабло срубить. И между прочим, когда мы два года назад работали вместе, Ромкины идеи оказались в цвет, а сначала тоже казались завиральными. Слушай, Кузьмич, хорошо бы его к нам на Петровку забрать.

— Что-о-о? — взревел Зарубин, и казалось странным, что столь мощный рык может быть исторгнут из такого тщедушного маленького тельца: подполковник был ростом весьма невелик и в плечах не широк. — И думать не моги! Куда нам этот детский сад? Он же ничего не умеет, в голове один Интернет и прочая компьютерная хренотень!

— Кстати, о компьютерах, — невозмутимо отозвался Антон, никак не реагируя на бурное проявление чувств Зарубина. — Извини, что лезу не в свое дело. Компьютер Колосенцева изъяли? Отдали на проверку?

— Ну а то, сразу же. При мне ребята его из кабинета выносили.

— А домашний компьютер?

Зарубин долго смотрел на Антона, потом процедил:

— Ненавижу людей, которые всегда правы. Но тебя я ненавидеть не могу, питаю к тебе неоправданную слабость. Почему, ну почему ты всегда прав?! А?! Ты, салага, в розыске без году неделя, и берешься меня учить.

— Долгая у тебя неделя, Кузьмич, получается, — примирительно улыбнулся Антон. — Целых девять лет.

— Чего девять лет?

— Девять лет, как я в розыске работаю. Ладно, не злись, все нормально. Только ты про домашний компьютер Колосенцева все-таки не забудь. Конечно, он его, похоже, только для игры использовал, но мало ли что... Береженого бог бережет.

Зарубин собрался было что-то ответить, но зазвонил его мобильный.

— Здорово! — Лицо Сергея Кузьмича прояснилось, едва он услышал голос звонившего. — Объявился, пропащая твоя душа!.. Чего-чего? Ну ты даешь! Откуда? Я не по этой части. Погоди, я сейчас у молодого спрошу, да ты его помнишь, наверное, он с Настей Палной по театру работал. Ага... Ага, тот самый. Погоди. — Он отодвинул телефон от уха и спросил: — Тоша, у тебя нигде не завалялся учебник по криминологии издания семьдесят шестого года, синий такой, толстый?

— Да ты чего, Кузьмич, — искренне удивился Антон. — Я в том году еще не родился. Откуда у меня такой учебник возьмется? А что, его в Интернете нет?

— Да вот получается, что нет. Жалко, а то Стасов спрашивает, ему для дочки надо, она у него в аспирантуре учится, тоже юрист. А не знаешь, у кого еще можно поспрошать?

— Знаю, — улыбнулся Антон. — Завтра спрошу.

— Стасов, я тебе завтра отвечу, лады? — весело заговорил Зарубин. — У молодого нет, но он говорит, что знает, у кого может найтись твоя библиографическая рухлядь. — Положив телефон на стол, он недоверчиво спросил: — И у кого ж ты собрался взять этот учебник, которому сто лет в обед?

— У Дзюбы, — невозмутимо ответил Антон. — Уверен, что у него есть. Он нам с тобой еще немало сюрпризов преподнесет. А что, Стасов меня помнит?

— Еще как! — хмыкнул Зарубин. — Ты оставил о себе самые светлые воспоминания.

Сташис посмотрел на часы: половина десятого вечера. Номер телефона у него уже был. Правда, время... А, наплевать на приличия! У него висит нерешенная жизненно важная проблема, тут уж не до приличий. Антон без колебаний набрал номер бизнесмена Трущёва, будущего жениха своей няни.

— Александр Андреевич, добрый вечер, моя фамилия Сташис, — вежливо, но холодно представился он.

Казалось, Трущёв нисколько не удивился ни его звонку, будто ждал, ни просьбе встретиться и поговорить.

— Если хотите, вы можете сейчас подъехать ко мне в офис, — предложил он. — Я еще у себя, надо с бумагами разобраться.

— Я приеду, — тут же согласился Антон.

— Запишите адрес...

— Спасибо, не нужно, — усмехнулся Сташис.

— Ну да, — усмехнулся в ответ Трущёв. — Я мог бы догадаться.

Охранник окинул Антона цепким взглядом с головы до ног.

— Господин Сташис?

Хм, значит, его действительно ждут, даже охрану предупредили. Ладно, господин Трущёв, поставим вам маленький плюсик. Пока.

— Вас проводят. — Охранник отступил на два шага, давая Антону возможность войти внутрь, где его уже ждал второй парнишка в такой же униформе с логотипом охранного агентства.

Идти пришлось далеко, офис фирмы «Вектор-Сервис» располагался на трех этажах здания с довольно запутанной планировкой. Сам хозяин фирмы сидел в кабинете с распахнутой настежь дверью, узел галстука распущен, верхняя пуговица сорочки расстегнута, пиджак небрежно валялся на одном из стульев. Был Александр Андреевич похож на бандита образца девяностых, брит налысо, из-за чего в глаза сразу бросались оттопыренные уши, широкоплеч и массивен. Сильный загар выдавал в нем любителя экстремального отдыха: так загореть можно только либо в горах, либо в открытом море.

— Антон? — Он поднял голову и кивком указал на кресло перед своим заваленным бумагами столом. — Присаживайтесь, мне нужно еще пару минут.

Антон молча сел и принялся осматриваться. Он ожидал увидеть на стенах множество дипломов и сертификатов, которые имеют целью проинформировать всех входящих о том, сколько и каких обучающих курсов закончил владелец кабинета, сколько раз и в каких конкурсах он занимал призовые места, одним словом, какой он удалый и продвинутый. Еще большой популярностью пользовались фотографии, изображающие хозяина кабинета в компании с известными политиками и прочими узнаваемыми людьми. Но здесь были только диаграммы, графики и таблицы. Никакой показухи, никакого хвастовства, только работа.

— Вы пришли поговорить об Эле, — сказал Трущёв, закрыв последнюю папку. — Я вас слушаю. Или вы хотите от меня что-то услышать?

«Лет сорок пять, — прикинул Антон. — На гоблина похож. И что Эля в нем нашла? Она же такая красивая женщина! И никакой корысти у нее быть не может, при разводе все имущество мужа, осужденного за убийство, досталось ей. Неужели все женщины такие? От одного бандита отделалась — и тут же на другого нарвалась. Синдром битой жены».

Антон провел кое-какую предварительную работу, поговорил с ребятами из ОБЭПа, которые заверили его, что на фирму «Вектор-Сервис» и ее владельца Трущёва никакого компромата нет, работают чисто, налоги платят исправно. Минут через десять Антону, приготовившемуся давить на собеседника всеми доступными способами вплоть до открытых угроз, пришлось с сожалением признать, что избранник Эльвиры — человек приятный, неглупый и вменяемый. И что самое ужасное — он, кажется, действительно любит Элю.

— Я вас понимаю, Антон, — говорил Александр Андреевич. — Мне Эля рассказала вашу печальную историю, и я в курсе, из каких побуждений она помогает вам. Но вы и меня поймите, я не могу допустить, чтобы моя жена была в прислугах, да еще в бесплатных. У нас должна быть своя жизнь, я принимаю гостей, я бываю на мероприятиях, я должен быть с женой, а она у вас все время занята, да еще ночевать остается, если вы дежурите или поздно возвращаетесь. Для нормальной семейной жизни это совершенно неприемлемо. Я знаю вашу историю, я знаю, что у вас погибла вся семья, а ваша жена была воспитанницей детского дома, сиротой, у нее тоже никого не было, поэтому у вас нет родни, которая могла бы вам помочь. Я все это знаю, но это не означает, что ваше личное несчастье, ваша личная трагедия должна мешать совершенно посторонним для вас людям строить свою жизнь и быть счастливыми. Вы согласны?

Возразить Антону было нечего. Действительно, его трагедия — это только его трагедия, и почему Эля и Трущёв должны платить по чужим счетам?

— И как, по вашему мнению, мне следует поступить? — зло спросил Антон. — Вы видите какой-то приемлемый выход для меня?

— Вижу, — кивнул Александр Андреевич.

Он вышел из-за своего огромного письменного стола, сделал несколько шагов и с хрустом потянулся, потом помассировал руками затекшую от долгого сидения поясницу.

— Вы находите и нанимаете другую няню. А я ее оплачиваю. Я знаю, что Эля вам это предлагала, но от нее вы деньги не хотите брать, так возьмите от меня.

— Нет, — твердо ответил Сташис.

— Почему? Почему вы такой упертый? Что за дурацкая гордость?

— Да, это гордость, — признал Антон. — Да, это самолюбие. Но есть еще и чисто служебный вопрос: я офицер полиции, я служу в уголовном розыске, и где гарантия, что завтра или послезавтра мне не придется заниматься конкретно вами? И как это будет выглядеть, если вы ежемесячно даете мне деньги? Я рискую и честью, и совестью, и карьерой. Меня просто уволят, если узнают, что меня прикармливает фигурант по делу.

Такое Трущёву в голову, по-видимому, не приходило.

Он снова занял место за рабочим столом, о чем-то задумался, глядя прямо перед собой, потом заговорил негромко и как будто даже просительно:

— Послушайте, Антон, но ведь сотни тысяч женщин, одиноких женщин, в нашей стране растят детей без всяких нянь, и ничего, дети у них вырастают, и не хуже других.

Антон усмехнулся и покачал головой:

— Нет, Александр Андреевич, вы не понимаете разницы. Во-первых, откуда вы знаете, хуже других или не хуже? Мне, например, отлично известно, что дети из неполных семей — это фактор риска в смысле развития криминальной карьеры. И во-вторых, не забывайте о моей работе. Как правило, мать работает с девяти до шести, она может оставить школьника на продленке, а малыша забрать из садика после работы, и у нее все-таки, опять же как правило, есть своя мама, бабушка ребенка, которая так или иначе, но помогает. Или сестра, или тетка. А у меня рабочий день ненормированный, я никогда не знаю заранее, когда вернусь домой, я даже не знаю, будет ли у меня выходной, и если будет, то когда именно. Я никогда не знаю, буду ли ночевать дома. И потом, у меня, как и у всех, есть суточные дежурства. Вы поймите, мне нетрудно и продукты купить, и еду приготовить, и постирать, и погладить, и уборку сделать, я все это умею, и умею очень неплохо. Но я не могу согласиться с тем, что мои дети останутся без надзора. Я могу очень хорошо и очень правильно их воспитывать, внушать им всяческие прописные истины о правильном поведении, но они все равно остаются детьми, а значит, они подвержены соблазну и не умеют ему противостоять. Сегодня оставленный без жесткого контроля ребенок — это намного более опасно, чем во времена вашего детства и даже моего. И тогда было опасно и неправильно, а сейчас — просто преступно.

Трущёв снова задумался, потом решительно поднялся.

— Нам с вами трудно договориться, Антон. У вас есть своя позиция, с которой я не согласен, но отношусь к ней с уважением. Мое предложение остается в силе: я готов оплачивать няню для ваших детей. Но если для вас это абсолютно неприемлемо, то вам придется решать свою проблему иначе.

— Как же?

— Мой вам совет — найдите себе жену. Дело это не быстрое, но время у вас есть: я пока нахожусь в стадии развода, моя нынешняя жена заявила определенные претензии, которые мне приходится обсуждать с моими юристами, так что процедура расторжения брака займет некоторое время. Потом мы с Элей начнем готовиться к свадьбе. Пока она не станет моей женой официально, я не буду настаивать, чтобы она бросила работу у вас. Так что вы можете успеть найти подходящую спутницу жизни. И не думайте о своих чувствах, думайте о том, как она будет относиться к вашим детям, а они — к ней. Вы оказались в такой жизненной ситуации, из которой нет выхода без жертв, вы должны это понимать. Частично в этом виноват муж Эли, если бы не то, что он сделал, ваша жена была бы жива, но в том, что вы потеряли всех остальных членов семьи, не виноват никто. Так сложилось. Эля испытывает чувство вины перед вами и пытается своей бесплатной работой у вас как-то это чувство приглушить, компенсировать, что ли... Из-за чувства вины она гробит собственную жизнь, хотя, строго говоря, ни в чем не виновата вообще. А чувство это — опасная штука, оно очень коварно, оно не любит исчезать и растворяться, оно всегда ищет прибежище. И как только от него избавляется один человек — оно моментально переселяется к другому, причем к тому, кто поближе. Даже если я соглашусь с тем, что Эля останется у вас работать, вы постоянно будете чувствовать себя виноватым в том, что мешаете и ей, и мне вести полноценную семейную и супружескую жизнь. Если вы примете от нас деньги, вы пожертвуете самолюбием и гордостью, рискнете карьерой. Если женитесь на нелюбимой... ну, сами все понимаете. Но жертвы неизбежны, вы должны отдавать себе в этом отчет и никого не винить в том, что вам приходится их приносить.

Домой Антон возвращался в полном отчаянии. Он понимал, почему Эля влюбилась в этого человека. И понимал, что ничего не рассосется. Там все всерьез и надолго.

Глава 7

—Ну и что тебе рассказал юбиляр Букарин? — спросил Антон, встретившись на следующий день после обеда с Дзюбой, который с утра должен был раздобыть списки приглашенных на прием 20 ноября. — Списки принес?

Роман молча вынул из сумки файл с распечатанным списком, состоящим из нескольких сотен имен.

— Круто! — присвистнул Антон. — Мало нам не покажется. А рассказал что-нибудь?

Николай Букарин очень переживал по поводу убийства жены Игоря Панкрашина, поскольку относился к последнему весьма тепло и всячески демонстрировал готовность оказать любую посильную помощь. В ответ на просьбу предоставить список приглашенных немедленно вызвал помощника и велел подготовить требуемую бумагу. Даже предложил кофе, от которого Дзюба, естественно, не отказался: кофе он не особо любил, предпочитал чай, но ведь у хороших хозяев вместе с кофе подают что-нибудь съедобное...

— А зачем вам списки моих гостей? — полюбопытствовал Букарин.

— Хотим установить, с кем могла контактировать Евгения Васильевна, — охотно пояснил Дзюба, размякший при виде принесенных хорошенькой секретаршей вазочек с пышными творожными треугольничками. — Мы опросили мужа погибшей и еще кое-кого, и получается, что она за весь вечер разговаривала только с Аллой Анищенко, еще с двумя дамами, которые стояли вместе с Анищенко, и с Виктором Волько, а больше ни с кем. Как-то странно получается. Неужели действительно среди такого количества гостей у Евгении Васильевны не нашлось других собеседников?

При упоминании имени певца лицо Букарина исказила гримаса презрения.

— С Волько? — переспросил он недоверчиво. — Интересно, о чем это жена Игоря могла с ним разговаривать? Вы у самого Волько спрашивали?

— Спрашивали, — подтвердил Роман. — Он ее не помнит. Совсем не помнит. А она, между прочим, от Волько была в полном восторге, говорила приятельницам, какой он чудесный, милый, обаятельный и дружелюбный.

На этот раз презрительное выражение лица бизнесмена сменилось неподдельным изумлением.

— Да что вы? Прямо так и сказала? Ну надо же! Знала бы она, какой он милый и обаятельный на самом деле! Полный урод! Обещал спеть пятнадцать номеров, деньги взял за пятнадцать, договорились на три выхода по пять номеров с перерывами на полчаса, чтобы певец мог отдохнуть. Так он первые пять спел, поел, попил, вторые пять отпел, вышел в зал, протусовался минут десять или чуть больше — и только его и видели. А деньги? Мои помощники с его продюсера три шкуры спустили, неустойку потребовали.

— И что, заплатили?

— А куда они денутся? — усмехнулся Букарин. — Нарушили договор — платите.

— Не знаете, почему Волько уехал? — спросил Роман. — Он что, всегда такой необязательный?

Букарин пожал плечами.

— Да фиг его знает. Продюсер ничего не объяснил, краснел, потел и извинялся.

— Может, он перепил во время перерыва и понял, что не может петь? — высказал предположение оперативник.

— Может быть, — согласился Букарин.

— А может, ему кто-то позвонил и сообщил что-то тревожное или неприятное? — продолжал на ходу фантазировать Дзюба.

— Тоже может быть. Знаете, в этой жизни все может быть. Но приличные люди так не поступают. Надо было подойти, поставить в известность, извиниться, сказать, что финансовая сторона будет улажена. Вот так поступают приличные люди. А не убегают, поджав хвост и не попрощавшись. И вот надо же, такие уроды могут на кого-то произвести хорошее впечатление! Я эту публику знаю, для них любовь поклонников — это эликсир жизни, ради их любви они готовы притворяться хоть ангелами, хоть дьяволами, лишь бы их любили. И улыбаться будут, и приятные слова говорить, и слушать внимательно, и сочувствовать, чтобы про них потом с нежностью другим рассказывали. А на самом деле гниды гнидами...

Антон выслушал рассказ Дзюбы внимательно. Пожалуй, здесь есть о чем подумать. И Алла Анищенко, и Николай Букарин отзывались о Викторе Волько в самых нелицеприятных выражениях, да и сам Антон видел его. Действительно, ничего особенно приятного в этом человеке не было. А вот Евгении Васильевне он понравился. Почему? То ли потому, что Виктор Семенович специально старался произвести как можно более хорошее впечатление, то ли потому, что Евгения Панкрашина действительно не умела разбираться в людях, как и утверждал ее супруг. Она во всех видела только хорошее и ни в ком не подозревала второго дна, ко всем была добра... С другой стороны, эта ее патологическая недоверчивость, скрытность, готовность к тому, что «продадут и сдадут или сдуру проболтаются». Нет, наверное, здесь все-таки нет противоречия. В представлении Евгении Васильевны все люди изначально хорошие, и если не доверять им свои тайны, то ничего плохого от них и ждать не следует. Могла ли она с таким подходом завести какое-нибудь сомнительное знакомство?

Дзюба, похоже, думал примерно в том же направлении, потому что спросил:

— Может быть, кто-то втерся к Панкрашиной в доверие и убил?

— Может быть, — кивнул Антон. — Но зачем? Кому она мешала, тихая, спокойная, всегда в хорошем настроении, мягкая, добрая? К тому же не болтливая. И небогатая. Никакого имущества муж на нее не переписывал. Жизнь ее не застрахована. У нее ничего нет. Вообще ничего. Она бедна, как церковная крыса, с юридической точки зрения. Материальную выгоду от ее смерти получают только дети, они наследуют в равных с отцом долях «супружескую долю». Но тут вроде бы все проверили.

Роман выглядел сегодня хуже, чем накануне, и Антон понимал, что вчера парень испытал шок, поэтому еще как-то держался, а после ночи, наверняка бессонной и проведенной в переживаниях из-за гибели Колосенцева, ему, судя по всему, совсем хреново.

— Что по Генкиному делу? — спросил он участливо. — Есть какие-то подвижки?

Дзюба начал рассказывать, и Антону показалось, что тот в полном отчаянии: все делается не так, никто не хочет взять мозги в руки.

— Ты представляешь!.. — с волнением и одновременно с горечью говорил Роман. — Они — я с ребятами поговорил, спросил, оказалось, что они, как и Сергей Кузьмич, даже не подумали о том, что Гена был на машине, даже искать ее не начинали. Я спросил, мне сказали, что рядом с местом обнаружения трупа машины не было. Значит, его кто-то привез туда, он с кем-то приехал. Кто привез? Почему им этот вопрос в голову не приходит?

— Ну, а они что ответили?

— Послали сам знаешь куда. Меня за человека не считают, говорят, что я совсем зеленый, и у меня в голове один Интернет.

— Но искать-то машину начали?

Роман безнадежно махнул рукой.

— Да говорят, что начали, только я им не верю. У них одна версия — гастарбайтеры, они на нее все силы бросили. И знаешь почему? Потому что убийство Гены ведет следак, у которого гастарбайтеры в прошлом году ремонт делали. И этот ремонт ему боком вышел, так он теперь всех рабочих-иностранцев ненавидит и считает источником всех бед в нашем городе. Вот и вся песня.

Антон удрученно покачал головой: от личных мотивов никуда не денешься даже в таком деле, как правосудие.

Внезапно он вспомнил про учебник по криминологии, который искал Стасов для своей дочери.

Интуиция его не подвела: конечно же, этот учебник у Дзюбы был, стоял дома на полке, среди огромного количества других учебников и монографий по юриспруденции. Роман обещал учебник принести, но непременно с возвратом.

Ваган Араратян, начальник производства ювелирной фирмы «Софико», чувствовал, как пульсирует кровь в затылке — снова поднимается давление. Ну почему, почему эти полицейские такие злые? Почему они не понимают, что взрослый разумный человек не может вот так взять и пропасть ни с того ни с сего? Битый час он стоит здесь, у окошка дежурной части, и пытается доказать, что Леонида Константиновича нужно начинать искать. А слушать Вагана никто не хочет.

Он набрал в грудь побольше воздуха и начал все сначала:

— Вы поймите, он еще в пятницу на фирме не появился, а у него переговоры были назначены, очень важные переговоры. Леонид Константинович за производство болеет, это же его доход, не мог он просто так взять и загулять.

— По пятницам кто угодно может загулять, — флегматично ответствовал сонный дежурный.

— Но сегодня уже вторник! По вторникам Леонид Константинович всегда возит изделия в инспекцию пробирного надзора, всегда, понимаете? Сколько существует наша фирма «Софико», столько он по вторникам сдает новые изделия и забирает те, которые получили пробу. Это незыблемо, понимаете?

— Да у бабы он, ваш шеф, это ж коню понятно, — недовольно отмахнулся дежурный, которому Ваган помешал разгадывать сканворд.

— Звонили, — вздохнул Ваган. — И подруге его звонили, и всем друзьям. Никто не знает, где он. И никто с ним начиная с вечера четверга не разговаривал. И телефон не работает.

— Что ж у него, семьи совсем нет? — полюбопытствовал дежурный. — Почему они-то не забеспокоились? Наверняка ведь знают, что с ним все в порядке, раз не ищут.

— Ну совсем нет семьи, дорогой, ну вот совсем нет, — начал горячиться Араратян, понимая, что еще немного — и гипертонического криза не избежать. — Один он как перст. Родители старенькие совсем, им под девяносто уже, они привыкли, что сын подолгу не появляется. Да и куда они пойдут заявлять? Они из дому давно не выходят. Жены нет, дети в другом городе, один он живет. И ключей от его квартиры ни у кого нет. Вы же полиция, что ж вы такие бессердечные-то! — в отчаянии выкрикнул Ваган и неожиданно для самого себя расплакался.

И тут произошло чудо. Дежурный молча придвинул к себе журнал и начал что-то записывать, потом протянул через прорезь в окошке из пуленепробиваемого стекла листок бумаги и объяснил, что и как нужно написать.

Спустя некоторое время информационные базы пополнились сведениями о розыске Леонида Константиновича Курмышова, владельца ювелирной фирмы «Софико».

Роману нужно было заехать к себе в отдел, и они расстались с Антоном до вечера, договорившись встретиться часов в восемь: у каждого из них помимо убийства Панкрашиной были и другие преступления, работы по которым никто не отменял.

В отделе первым же, кого встретил Дзюба, оказался подполковник Зарубин, приехавший поговорить по душам с начальником Колосенцева. Сергей Кузьмич вел себя так, словно и не орал накануне на Романа, напротив, выказывал полную доброжелательность и готовность пообщаться.

— Ну что, салага, — подмигнул он, — учебничком-то поделишься? Мне Тоха сказал, что у тебя есть.

— Конечно, — кивнул Роман. — Завтра принесу и Антону передам. Только вы там предупредите, чтобы не потеряли, все-таки издание старое, его найти трудно.

— Да уж как-нибудь, — хмыкнул Зарубин.

— А что там насчет Гены? — поинтересовался Дзюба.

Зарубин огляделся по сторонам и сморщил нос.

— Ну и коридоры у вас, тут стометровку бегать хорошо, а к разговорам как-то не располагают. Пойдем-ка приткнем куда-нибудь бренные тела.

— Можно к нам в кабинет, — обрадованно предложил Роман. — Там сейчас никого нет, наверное.

Кабинет действительно оказался пустым. Зарубин быстро огляделся и перевел на Романа вопросительный взгляд, который можно было истолковать только в одном смысле: где стол Колосенцева? Дзюба, не говоря ни слова, указал глазами на стол у самого окна. Подполковник слегка кивнул и занял место за другим столом.

Дзюба гостеприимно предложил чаю, но Зарубин отказался:

— Меня уж твой шеф так напоил — сейчас из ушей польется.

По убийству Колосенцева работа шла в рамках версии о гастарбайтерах. Первым делом выяснили, кто из проживающих в общаге уехал из Москвы в ночь гибели Колосенцева или утром, то есть сразу после убийства, вот они и являются первоочередными подозреваемыми. Восемь человек, как выяснилось. Но беда вся в том, что это ребята из других государств: уехали в Молдову, Украину, Таджикистан и Узбекистан, так что найти их — дело небыстрое.

— Это тебе не советская власть, когда все мы были одной страной, — сокрушенно говорил Сергей Кузьмич. — При советской-то власти сел в самолет, прилетел, явился в местную управу, доложился — и работай спокойно, а иногда и докладываться не надо было. Теперь не то, теперь приходится официальные запросы слать и терпеливо ждать, пока на них ответ придет, а работать на своей земле полицейскому-иностранцу ни одна уважающая себя суверенная держава в жизни не позволит. Удавится, а не позволит. — И шепотом добавил, сделав страшные глаза: — Знаешь, почему СССР развалился? Потому что кому-то стало выгодно, чтобы преступления не раскрывались быстро. Наркотрафик — это, конечно, часть затеи, но и другие преступления тоже имеют место быть, и вот их совершать — теперь одно удовольствие, если ты не гражданин России.

Дзюба оторопело смотрел на Зарубина и не мог понять, шутит подполковник или нет.

— А геймеров опросили? — задал он вопрос, интересовавший его больше всего.

— Опять ты про свое! — крякнул Сергей Кузьмич. — Ну, опросили, опросили, успокойся.

— И что они сказали?

— Слушай, ты как персонаж из старого анекдота: «Вы выходите на следующей остановке? А впереди вас тоже выходят? А вы у них спрашивали? И что они вам сказали?»

— Так что они сказали? — стиснув зубы, чтобы не дать себе волю, повторил Роман.

Один из опрошенных свидетелей, присутствовавших на соревнованиях, молодой человек по фамилии Фролов, дал довольно подробные показания, а другие геймеры их полностью подтвердили. После окончания соревнований Геннадий Колосенцев и какой-то незнакомый парень стояли в стороне, за углом торгового центра, в переулке, о чем они разговаривали — никто не слышал, но то, что они стояли, — точно. Геймеры шли в кафе «Орбита» праздновать победу, Геннадия окликнули, он сказал, что через пять-десять минут присоединится к остальным. Парня описали приблизительно, сейчас все молодые мужики в свободное от работы время выглядят примерно одинаково: куртка с капюшоном, какие-то штаны, может, джинсы, какая-то обувь, не босиком же он стоял. Да и стемнело уже. Кроме того, был сильный ветер с дождем, и все, кто мог, натянули на головы капюшоны, в том числе и Колосенцев, и его собеседник.

— Сергей Кузьмич, можно мне самому поговорить с этим Фроловым?

— Зачем? — не понял Зарубин. — Ты же не работаешь по делу. Все, что нужно, ребята у него спросили, можешь не сомневаться. Или ты опять решил, что ты самый умный, а мы все пальцем деланные?

— Я бы насчет конфликтов в игре у него спросил.

— Опять ты за свое!

— Ну Сергей Кузьмич!.. — взмолился Дзюба. — Ну пожалуйста, вам же это не помешает, а мне полезно будет. Мало ли как жизнь сложится. Вы же сами знаете, были случаи, когда из-за этого убивали.

— Так то подростки! А у нас взрослый мужик.

— Ну и что? — не сдавался молодой опер. — А в будущем? Вдруг еще такое убийство случится, и как раз на нашей территории, а я уже буду знать, что к чему. Как говорится, буду в теме. Вы же сами говорите, что этот Фролов самый толковый из всех, кого опрашивали.

Роман потратил на уговоры еще несколько минут и в конце концов уломал-таки подполковника Зарубина, который дал ему телефон свидетеля по имени Денис Фролов.

Окрыленный удачей, Роман помчался на встречу со Сташисом. Он так и не оставил идеи овладеть некоторыми приемами, которыми пользовался Антон. Правда, говорили они об этом два года назад, но почему бы не попробовать? Антон энтузиазма Дзюбы отчего-то не разделял.

— Брось ты, Ромка, ну какой из меня учитель и тем более наставник? Я сам еще мало что умею, — отговаривался он.

— Нет, ты мне в тот раз говорил, объяснял, я хотел научиться, но ты не стал меня учить и сказал, чтобы я собственные методы развивал. А я их пока не нашел. Ну пожалуйста, научи меня.

— Ладно, — сдался Антон. — Я тебе приблизительно покажу, как это срабатывает. А там посмотрим. Может, этот метод только для меня годится, а тебе не подойдет совсем.

— А давай, например, с Фроловым попробуем, — обрадовался Дзюба.

— Это кто — Фролов? — нахмурился Антон.

Среди фигурантов по делу Панкрашиной такой фамилии не мелькало.

— Это свидетель по Генкиному делу... Ты не думай, — заторопился Роман. — Это не самодеятельность, мне Сергей Кузьмич разрешил с ним побеседовать. Если не веришь — спроси у него. Он и телефончик мне дал сам.

— Да верю я, верю, — рассмеялся Антон. — Ты мертвого уговоришь, Ромка, тебе не оперативной работой надо заниматься, а политикой. И когда ты планируешь провести первый открытый урок?

— Да хоть сегодня! Давай я сейчас позвоню Фролову, и, если он может, прямо сегодня и встретимся.

Антон уже жалел о том, что согласился тратить время на какого-то геймера. Конечно, убийство оперативника — это серьезно, но кто сказал, что собственные дети значат меньше? Он мог бы, например, поехать домой и провести время со Степкой и Васей, поиграть с ними или хотя бы вместе мультики посмотреть. Отец называется! А он вместо этого будет сидеть и слушать, как Ромчик Дзюба в тренировочных целях ведет оперативный опрос. Глупость какая-то! Одна надежда: Антону повезет, и свидетель по фамилии Фролов не сможет сегодня с ними поговорить.

Но Антону не повезло.

Договорились встретиться в тихом малолюдном баре неподалеку от метро: с тех пор, как именно в этом заведении почему-то запретили курение, посетителей совсем не стало, и всегда можно было рассчитывать на свободный столик и спокойный разговор. А отсутствие шума особенно важно в тех случаях, когда запись разговора ведется на диктофон. Антон давно заприметил это уютное местечко, переориентированное в последнее время преимущественно на семьи с детьми: молочные коктейли, фруктовые разноцветные соки, десерты в виде персонажей мультфильмов и сказок, сладкие блинчики и все прочее, что с таким удовольствием потребляет малышня. Днем, особенно в выходные дни, здесь бывал занят каждый столик, а вот по вечерам — благодать.

Дзюба, едва войдя внутрь, смущенно покосился на Антона.

— Давай, — улыбнулся Сташис. — Не стесняйся, пока твой свидетель доедет, ты успеешь попробовать все, что понравится.

Понравилось Дзюбе многое, особенно шоколадный торт, который он предварил двумя порциями горячего яблочного штруделя с ванильным мороженым. Когда появился свидетель, стол был убран, и никто не сказал бы, что еще несколько минут назад здесь безумствовал вечно голодный молодой сыщик.

Денис Фролов, неброский, но симпатичный мужчина примерно одного с Антоном возраста, улыбчивый и энергичный, против применения диктофона ничего не имел. Дзюба начал задавать вопросы, а Антон молча сидел рядом и делал пометки в блокноте, то и дело поглядывая на часы: он с точностью до минуты описывал поведение Фролова, его позы, изменения выражения лица, вообще любые реакции.

— Я вроде все уже рассказал вашим сотрудникам, — заметил Фролов. — Или вы их перепроверяете?

— Ни в коем случае, — помотал головой Дзюба. — Я буду спрашивать о другом. Меня интересуют конфликты, которые могут случаться между игроками.

— Конфликты? — Брови Фролова полезли на лоб. — Неужели вам это интересно?

— Интересно. Я сам не геймер, — пояснил Роман. — Поэтому мои вопросы могут показаться тебе глупыми, но ты уж потерпи, Денис. Я разобраться хочу. Какого рода конфликты бывают? Из-за чего? Насколько серьезные? Как они разрешаются?

— Понял. — Фролов уже вполне серьезно кивнул и с сожалением объяснил, что сам он играет не очень давно, поэтому вряд ли может быть полноценным экспертом в этих вопросах, и лучше бы Роману поговорить с кем-нибудь знающим, например, с администратором или с опытным геймером. Но из того, что он сам наблюдал, можно назвать беспрестанную ругань из-за подозрений в читерстве и из-за нарушений правил, установленных на сайтах. Еще бывают скандалы из-за борьбы за спонсоров, ведь поддержание сайтов требует определенных финансовых вливаний. Могут рассобачиться вдрызг из-за несогласия с решением админа. Ругаются, оскорбляют друг друга и вслух, во время игры, и в чатах.

— Вы почитайте чаты — сразу все поймете, — посоветовал Фролов.

Судя по тому, что Роман промолчал, Антон понял, что про чаты оперативник не подумал, иначе давно уже нашел бы возможность почитать переписку игроков.

— А могут быть конфликты, которые проходят мимо внимания общественности? — задал Дзюба следующий вопрос. — То есть конфликт есть, и серьезный, но о нем никто не знает?

— Конечно, — пожал плечами Денис. — Начало свары обычно все слышат, а потом геймеры переходят в «личку» и уже там выясняют отношения. К личной переписке никто из посторонних доступа не имеет.

— Насколько серьезны эти конфликты? Убить из-за них могут?

— Да запросто! — тут же отозвался Фролов, потом смущенно улыбнулся и уточнил: — Во всяком случае, мне так кажется, исходя из уровня агрессивности и интеллекта некоторых игроков.

Антон увидел, как напряглось лицо Дзюбы: он подошел к самому важному для себя моменту.

— Некоторых игроков, говоришь? А кого имен-но? Можешь назвать самых злобных, тупых и агрес-сивных?

Фролов призадумался, потом начал неуверенно перечислять:

— Ну, например, Лопатой-не-убьешь, или Шка-тулка, или вот еще Рикки.

— Как ты сказал? — изумленно переспросил Ро-ман. — Лопатой-не-убьешь? Это что?

— Это ник такой, — улыбнулся Фролов. — У нас народ знаешь как изощряется? Например, есть игрок с ником Дети хоронят коня.

«Да, — подумал Антон, наблюдая одновременно за Фроловым и за Дзюбой. — Геймеры — это совсем особенные люди, и мозги у них устроены не так, как у остальных людей. Отдельное сообщество со сво-ей субкультурой, своим языком и своим моральным кодексом. Может, Ромка не так уж и не прав в своем стремлении их узнать и хоть немного понять. Сего-дня они просто свидетели, а завтра, глядишь, и фи-гуранты по делу, к ним придется подходы искать и просчитывать их поведение, а как просчитаешь, если не понимаешь их менталитета?»

— А как этих, ну, Рикки и Лопату, на самом деле зовут? — спросил Дзюба.

— Понятия не имею.

— А вообще вы знаете друг друга в лицо или хотя бы по именам?

— Далеко не всегда, — покачал головой Денис. — Если кто-то в разговоре скажет свое имя — тогда знаем. Бывает, люди находят общую тему, общий интерес, обмениваются телефонами и общаются лично уже вне игры. Или в личке переписываются, или встречаются в реале. Ну и, конечно, каждый клан один-два раза в год собирается, снимают зал в хорошей пивнухе и приходят лично познакомиться, кому интересно. Но поскольку я недавно играю, то на такой сходняк еще не попадал. Так что почти ничего ни о ком не знаю.

— Не знаешь, значит? А как же ты Пуму в сумерках за углом разглядел, да еще в капюшоне? Или ты был с ним знаком?

— Нет, — рассмеялся Фролов. — Но я его заприметил, он же лучший игрок не только на нашем серваке, но и на всем сайте. И на других сайтах у него рейтинг очень высокий, он всегда в пятерке сильнейших. И когда я пришел на лан, то сразу стал искать глазами Пуму, хотел посмотреть на живую легенду. По майке его и нашел. Я вообще ничего о нем не знал, только ник, а пока за игрой смотрел, мужики говорили, что он в розыске работает и зовут его Геной. Наверное, они его давно знали.

— Как же ты его узнал на улице? — не унимался Роман.

«Как, как... Да по куртке», — подумал Антон, бросив недовольный взгляд на Дзюбу».

У Колосенцева куртка приметная, на первый взгляд такая же, как у других, темная, с капюшоном, но на обоих рукавах фосфоресцирующие наклейки с каким-то непонятным лейблом. При дневном свете в глаза не бросаются, а в темноте Геннадия было за версту видно.

Так и оказалось. Денис Фролов тоже обратил внимание на куртку, в которой капитан команды-победителя выходил из интернет-кафе.

— Я видел, как Гена спустился по эскалатору, потом на улице к нему парень подошел, Гена капюшон накинул, и они с тем парнем за угол свернули. Я еще постоял с мужиками немного, парой слов перекинулся, потом мы в кафе пошли, и я увидел за углом Гену с этим чуваком.

В бар вошли двое: девочка лет пятнадцати вела за руку парнишку лет примерно десяти. В другой руке парнишка нес футляр со скрипкой.

«Сестра ведет братика из музыкальной школы, — решил Антон и улыбнулся. — В виде поощрения она решила угостить его чем-нибудь вкусненьким».

Парочка уселась за столик поближе к витрине с десертами, девочка стала снимать пальто, а ее брат, не раздеваясь, прилип к витрине и начал что-то возбужденно говорить, тыча пальцем в стекло. Официантка по ту сторону витрины улыбнулась и кивнула. Антон дождался, когда официантка повернет голову в его сторону, и кивнул ей, приглашая подойти. Не будет ничего плохого, если он принесет домой десерты для детей. Хреновый он отец, мало времени проводит со Степкой и Васькой, но хоть так...

— И упакуйте навынос, пожалуйста, — шепотом попросил он девушку, чтобы не мешать разговору Дзюбы со свидетелем.

Наконец Роман закончил удовлетворять свое любопытство в части жизни геймеров.

— Ребята, а вы со мной какими-нибудь интересными историями не поделитесь? — неожиданно спросил Фролов, когда Антон уже расплатился за десерты и все трое начали одеваться.

— Какими историями? — нахмурился Дзюба.

— Да понимаете, я вот собрался детективчики начать кропать, надо же как-то на жизнь зарабатывать, а платят за них хорошо, я узнавал. Спрос высокий, тиражи большие. А работа — не бей лежачего, практически каждый может навалять. Только я в этой сфере ни бум-бум, — признался Фролов.

Дзюба покосился на Сташиса и помотал рыжей головой.

— Да я еще мало работаю, в моей практике никаких особо интересных дел не было. И потом, я же на земле, у нас если что громкое или заковыристое — сразу на Петровку забирают, мы, опера с земли, ребята незатейливые. Вот если только Антон согласится тебе материальчик подкинуть, он все-таки в МУРе... А я так, на подхвате.

Фролов перевел вопросительный взгляд на Сташиса. Вот только этого еще не хватало! Да если у Антона найдется лишняя свободная минутка, он лучше детям ее посвятит. Или делом займется. Некогда ему лясы точить с любителями срубить бабла влегкую на кое-как сляпанном криминальном чтиве. Но Денис смотрит на него, ждет ответа, надо что-то сказать, а то невежливо получится.

— Да нам рассказывать-то не положено, сроки еще не вышли, — неопределенно ответил он в надежде на то, что никто не станет уточнять, какие такие сроки и куда не вышли. — Но если хотите, я могу вас познакомить с очень опытным сыщиком, который много лет проработал в уголовном розыске, сейчас он в отставке. Вот он-то точно знает множество интересных историй, которые за давностью лет уже можно рассказывать.

Вот! Антон страшно гордился своей находчивостью. Он подсунет этому горе-беллетристу Стасова. Завтра Ромка принесет учебник, и Антон сам его отвезет Владиславу Николаевичу, заодно и спросит разрешения дать Фролову координаты бывшего опера, а ныне — частного детектива.

Из «сладкого» бара вышли вместе. Фролов машину поставил прямо у входа, и сразу уехал, а оперативникам пришлось прогуляться до соседней улицы, где стояла машина Антона.

— Ну? — нетерпеливо спросил Роман. — Когда ты будешь меня учить?

Антон мысленно прикинул: уже поздно, одиннадцатый час, надо отпустить Элю.

— Если хочешь сегодня, то придется поехать ко мне домой, — твердо сказал он. — У меня дети, надо няню отпустить.

— Поехали! — тут же с готовностью откликнулся Дзюба.

Антон завел двигатель и позвонил домой.

— Степа спит, — вполголоса доложила Эльвира, — Васю никак не могу уложить, она какую-то идею для нового проекта вынашивает, в Интернете копается. Говорит, что обещала учительнице завтра точно сказать, какой проект будет делать, поэтому не ляжет спать, пока не определится.

— Опять про лошадей? — вздохнул Антон.

Десятилетняя Василиса была помешана на лошадях и уже третий год подряд готовила свои школьные презентации только об этих замечательных животных.

— Опять, — подтвердила Эля.

— Хорошо, пусть занимается. Вы пока начинайте собираться, я скоро приеду и вас отпущу.

Трудно быть отцом-одиночкой. Непонятно, как себя вести с детьми, как их воспитывать. Кто знает, что лучше для ребенка: строго соблюдать режим и ложиться спать в десять вечера или самозабвенно и увлеченно заниматься тем, что, вполне возможно, станет его профессией, делом всей его жизни?

Дорога к дому Антона не заняла много времени. Перед самым подъездом был припаркован дорогой внедорожник, возле него, привалившись к капоту, стоял Александр Андреевич Трущёв. Значит, ждет свою ненаглядную. Интересно, давно ли?

Заметив Антона, бизнесмен кивнул ему. Антон в ответ протянул руку, мужчины обменялись рукопожатием.

— Эля сейчас выйдет, — сказал Антон.

Они с Романом вошли в подъезд.

— Это кто был? — спросил Дзюба почему-то шепотом.

— Это моя погибель, — горько усмехнулся Антон. — Няня моих детей собирается за него замуж. И у меня работать больше не сможет. Вот как-то так...

Эля вышла им навстречу, уже сменив домашний «рабочий» костюм на вполне цивильную одежду, и тут же приложила палец к губам.

— Я сказала Васе, что папа скоро придет, и она на всякий случай улеглась. Знает, что вы будете сердиться, — тихонько проговорила она, улыбаясь. — И по-моему, мгновенно уснула. Здравствуйте, Роман. Давно вы у нас не были.

— Два года, — развел руками Дзюба. — Не приглашали.

— Вас покормить? Я приготовила, все стоит горячее...

— Спасибо, Эля, мы сами. Вы идите, вас там Александр Андреевич уже ждет.

Няня смутилась и отвела глаза. Быстро оделась, схватила сумку, открыла дверь.

— Завтра, как обычно, в семь? — спросила она на прощание.

— Да, — усмехнулся Антон. — Если опять не опоздаете.

Они на цыпочках прошли в кухню и притворили дверь, чтобы голосами не разбудить детей. Роман повел носом и жалобно всхлипнул.

— Я сейчас умру, — простонал он. — Этот запах я не перепутаю ни с чем. Такое жаркое с черносливом готовит только моя мама.

Он не ошибся, в чугунной утятнице в духовке томилось именно это блюдо, которое было уничтожено двумя зверски голодными сыщиками в считаные минуты и заполировано миской квашеной капусты.

Роман достал диктофон, Антон — блокнот. Наглядный урок начался.

Однако вопреки ожиданиям Дзюбы никаких невероятных откровений из беседы с Фроловым не получилось. Оно и понятно, Денис не был ни подозреваемым, ни обвиняемым, он не пытался ничего скрыть или о чем-то солгать, он просто рассказывал то, что видел или знал.

— Но вот на что обрати внимание, — говорил Антон. — Существуют внешние проявления сосредоточенности или, наоборот, рассеянности внимания. В любом разговоре, если у человека нет цели солгать или не подставиться, наступают моменты, когда ему делается откровенно скучно, внимание рассеивается, человек отвлекается и начинает думать о своем. Это нормально. Так и должно быть. А у Фролова за все время беседы ни одного такого момента не было, он с первой до последней секунды был сосредоточен и внимателен.

— И как ты это объясняешь? Почему ему были интересны все мои вопросы? — с любопытством спросил Дзюба.

— Ты не понял, Рома, — рассмеялся Антон и сунул в рот несколько маленьких фигурных соленых крекеров. — Ему не вопросы твои были интересны, а их логика, их последовательность, их связанность друг с другом или, наоборот, резкие переходы от одного аспекта к другому.

— Почему?

— Ну, он же сам сказал, что хочет писать детективы, вот и учится, наблюдает, как опера опрос проводят, ему для будущей нетленки пригодится.

Дзюба озадаченно почесал затылок.

— То есть получается, что мы его опрашивали, а он изучал методы нашей работы?

— Вот именно. Поэтому и был внимателен и сосредоточен, не отвлекался. Мы работали — и он работал.

— То есть он нас с тобой использовал, да? — Глаза Романа недобро сузились.

— Да, — весело подтвердил Сташис. — И ничего плохого в этом нет. Мы ведь тоже его использовали, и даже дважды: и для получения информации о конфликтах, и для тренировки.

Дзюба набычился, на скулах шевельнулись желваки.

— Ненавижу, когда меня используют.

— И зря, — пожал плечами Антон. — Все люди так или иначе используют друг друга. Просто потому, что люди нужны друг другу. Нужны по самым разным причинам и соображениям. Если бы не были нужны, они бы не общались. Если бы не общались — не родился бы язык как средство общения. Раз мы все разговариваем, раз существуют с незапамятных времен самые разные языки, значит, потребность друг в друге — это норма человеческой цивилизации. Там, где потребность, — там ее удовлетворение, а где удовлетворение потребности — там уж рядом и использование. Не надо так комплексовать по этому поводу, Ромка. Нет ничего плохого или унизительного в том, чтобы быть кому-то полезным.

Дзюба смотрел на него с недоверием.

— А почему тогда считается неприличным кого-то использовать? Без конца слышу: он негодяй, он меня использовал, или она сука, она меня использовала... Само слово какое-то неприятное.

— Ромка, это все иллюзия, — вздохнул Антон. — Нормальное слово. Не парься.

Когда он закрыл дверь за Дзюбой, оказалось, что уже час ночи. Сна не было. Антон ворочался с боку на бок и перебирал в голове возможные варианты развития событий после того, как Трущёв, наконец, оформит развод и начнет готовиться к свадьбе с Элей. Все иллюзии, все обман. Он почему-то был уверен, что такое устройство его семейной жизни может длиться годами, пока дети не вырастут. Эля всегда будет чувствовать себя ответственной за Степку и Василису, оставшихся без матери по вине ее мужа, и будет счастлива хоть чем-то помочь. С чего он взял, что так будет всегда? Почему ему не приходило в голову, что Эле такая жизнь может надоесть? Что она просто устанет, в конце концов? Что она захочет иметь собственную семью и собственных детей? Что она полюбит мужчину, который не согласится с таким распорядком жизни? Ему казалось, что он хорошо знает няню, и от нее ничего подобного ожидать не придется. А выяснилось, что он совсем ее не знает. Он видел ее такой, какой ему было удобно: умной, красивой, доброй, ответственной и очень-очень виноватой. И ничего другого видеть в этой женщине не хотел.

Все оказалось иллюзией...

Глава 8

Алексей Юрьевич Сотников в свой офис на заводе «Кристалл» раньше полудня обычно не являлся. И не потому, что любил поспать подольше. Вставал он рано, но утренние часы, когда глаз был еще свежим, предпочитал посвящать работе: смотрел подготовленные женой эскизы или ловил то, что упустил раньше, в собственных изделиях.

И очень не любил, когда его отвлекали, отрывая это самое чудесное утреннее время, эти уникальные неповторимые два-три часа, в течение которых глаз видит то, что не смог увидеть и оценить накануне.

Поэтому, когда около десяти утра раздался звонок на мобильный, Сотников скривился от разом нахлынувшего раздражения. Номер, высветившийся на дисплее, был незнакомым.

— Сотников Алексей Юрьевич?

И голос, звучавший официально и почему-то сердито, тоже был незнакомым.

— Я вас слушаю.

— Следователь следственного комитета Разумов. Вы знакомы с Леонидом Константиновичем Курмышовым?

— Да, конечно, — забеспокоился Сотников. — А что случилось? Лёня попал в аварию?

— В аварию? Почему именно в аварию?

Ювелиру показалось, что в голосе следователя Разумова проскользнула насмешка.

— Лёня очень неаккуратно водит машину... Что с ним? Он в больнице? Или...

— Или, — равнодушно подтвердил следователь. — Но это не точно. Нам нужно, чтобы вы приехали и опознали тело.

— Тело? Какое тело... — в ужасе забормотал Сотников. — Что вы говорите такое... Я не понимаю.

— Алексей Юрьевич, — голос Разумова стал мягче, теперь в нем слышалось уже участие, — вы хотя бы в курсе, что Леонид Константинович Курмышов пропал несколько дней назад?

Ювелир тяжело опустился на стул и обмяк, мышцы отказывались держать спину.

— Я знаю, что его искали. Мне в пятницу звонили с его фирмы... нет, не так, мне звонили с моей фирмы и говорили, что приходил Араратян, начальник производства из «Софико», искал Лёню... У нас с Курмышовым офисы рядом, в одном здании. И все знают, что мы давние друзья. У него были назначены какие-то переговоры, а он не явился. Но я не беспокоился, потому что для Лёни это нормально — пропадать, не отвечать на звонки.

— Да, — подтвердил следователь, — именно Араратян и подал вчера заявление о розыске Курмышова. Мы пригласили его на опознание как заявителя, но он так бурно отреагировал... Через некоторое время позвонила его супруга и сказала, что у Вагана Амаяковича сильнейший гипертонический криз, пришлось вызывать «скорую», приехать на опознание он не может. И дала ваш телефон как самого близкого друга разыскиваемого Курмышова. Видите ли, как обстоит дело: у нас есть неопознанный труп, без документов, но приметы внешности совпадают с теми, которые указаны в заявлении Араратяна. Так что мы и сами не знаем, Курмышов это или нет.

— Да, — глухо проговорил Сотников. — Конечно, я все понимаю. Я приеду. Говорите, куда.

Хорошо, что жена дома, он сейчас не сможет сесть за руль. Конечно, Людмила тоже не железная, и поездка в морг для опознания выбьет ее из колеи, но все-таки она не так близко и давно знала Лёньку... И потом, опознавать-то не ей придется, ей даже не нужно будет входить внутрь, достаточно будет подъехать к зданию и посидеть в машине.

Возле здания бюро судмедэкспертизы курили на крылечке два крепких паренька, которые каким-то немыслимым чутьем угадали машину Сотникова и сразу подошли.

— Алексей Юрьевич? Пойдемте, мы вас проводим, следователь вас ждет.

— Мне пойти с тобой? — робко спросила Людмила, бледная до зеленоватости.

— Не нужно, Люленька, ты подожди здесь.

Сотников стиснул зубы, сказал себе: «Это нужно перетерпеть. Это всего несколько минут. Нужно просто перетерпеть. И может быть, это все-таки не Лёня...» — и вошел следом за молодыми людьми в железную дверь с табличкой: «Отделение экспертизы трупов».

Но это оказался Лёня. Достаточно было всего одного короткого взгляда, чтобы не сомневаться: на столе под простыней лежит именно Леонид Константинович Курмышов.

Сотников пошатнулся, стоящие по обе стороны от него крепкие ребята ловко подхватили его под руки и вывели в коридор. Следом за ними вышел следователь Разумов, оказавшийся достаточно молодым, не старше тридцати пяти лет, но уже с заметной плешью в светлых редких волосах.

— Алексей Юрьевич, мне нужно теперь вас допросить, — заявил он. — Прошу за мной, завотделением уступил нам свой кабинет.

Почему-то Сотников был уверен, что в кабинете заведующего отделением экспертизы трупов окажется множество всяческих предметов, наводящих ужас на неподготовленных посетителей, вроде макетов вскрытых полостей или препаратов в банках, в углу непременно будет стоять скелет, а на столе — череп. Вопреки ожиданиям, ничего такого он не увидел. Обычный рабочий кабинет, стол, заваленный бумагами, два высоких книжных шкафа, на подоконнике цветы в горшках. Алексей Юрьевич с облегчением перевел дух и уселся в кресло перед столом. Следователь, разумеется, занял место хозяина кабинета, локтем отодвинул стопки документов и достал бланк протокола.

Труп Леонида Курмышова со следами удушения был обнаружен в лесопарковой полосе, расположенной вдоль оживленного шоссе. Документов при покойном не оказалось, а вот деньги в портмоне нашлись, часы тоже на месте.

— Значит, это не ограбление? — удивленно спросил Сотников, которому уже удалось кое-как взять себя в руки.

Разумов посмотрел на него как-то непонятно. То ли загадочно, то ли насмешливо.

— Скажу вам больше: на груди трупа лежал листок бумаги с непонятными знаками. И листок этот проткнут крестом насквозь.

— Каким крестом? — не понял Сотников. — Крест-накрест, что ли?

— Да нет, Алексей Юрьевич, именно крестом, нательным крестом на цепочке. Вот, извольте взглянуть.

Он достал из папки и протянул Сотникову две фотографии: на одной листок бумаги размером примерно в половину стандартного листа формата А4, проткнутый посередине одной из перекладин массивного, но в то же время изящного креста, на второй — тот самый крест крупным планом. Чтобы лучше видеть, ювелир сдвинул очки к кончику носа.

— Это Лёнин крест, — пересохшими губами проговорил Сотников. — Он сам его сделал лет пятнадцать назад.

— Вы уверены?

— Абсолютно. Он его сделал и постоянно носил. Эскиз делала моя жена. Наверное, в ее альбомах все сохранилось, можно уточнить, если вы не верите...

— Верю, верю, — покивал Разумов. — А теперь взгляните, пожалуйста, вот на эту фотографию. Хотелось бы услышать ваши комментарии.

На третьем снимке был тот самый листок, проколотый нательным крестом и найденный на груди трупа. Сотников достал из кармана очешник, сменил очки для постоянного ношения на очки для чтения: если Лёнин крест он узнал бы даже с закрытыми глазами, то эту фотографию следовало изучить как следует.

В «плюсовых» стеклах стало видно: листок имеет сгибы и потертости, свидетельствующие о том, что его складывали до размеров прямоугольника с длиной сторон... Сотников мысленно прикинул масштаб и посчитал, получилось 7 сантиметров на 4,5.

ПР

S — 3,5 мм 0,35

3/4	0,17	0,20	3/4
3/2	0,17	0,15	3/2

Симметр. расп. 0,17/0,17
Несимметр. расп. 0,20/0,15

ВГ 70%

В правой верхней части листка сделанный от руки рисунок: ромб, внутри которого стоит красная точка. Через эту точку проведена пересекающая боковые стороны красная линия. И еще одна такая же красная линия, параллельно первой, только чуть выше.

— Это рабочий пакет, — вздохнув, сказал Сотников. — Обычный рабочий пакет.

— Это для вас он, может быть, и обычный, — рассердился следователь. — А мне для протокола нужны внятные объяснения.

— Это рабочий пакет огранки алмаза. Так называется этот листок. В нем определены параметры алмазного сырья и процедура его дальнейшей обработки, — терпеливо принялся объяснять ювелир. — В пакете лежал алмаз, и технолог предлагает два варианта распиловки камня: симметричный и несимметричный. Если сделать симметричную распиловку, то при огранке «принцесса» — видите сверху буквы ПР? — можно будет добиться выхода годного около семидесяти процентов. — Сотников наклонился к следователю и показал на соответствующие буквы и цифры «ВГ 70%».

— Что такое выход годного?

— Это означает, что при распиловке и огранке камень потеряет около тридцати процентов своего первоначального веса. Разве у вас только одна фотография рабочего пакета? Вы сфотографировали этот листок только с одной стороны?

Следователь посмотрел на ювелира с уважением и протянул еще один снимок. На нем листок был сфотографирован с обратной стороны. В верхнем левом углу образованного сгибами прямоугольника стояли цифры «4—17», в нижнем правом углу — «0,50».

— Вот видите, здесь помечено, что в пакете лежит четвертый камень из семнадцатой партии, все алмазы всегда лежат в рабочих пакетах строго по одному. И вес этого камня в момент покупки составлял пол-карата. При выходе годного семьдесят процентов от этих пяти десятых карата останется только тридцать пять сотых. — Сотников показал на нужную цифру на листке. — И здесь описаны два варианта распила и соответственно описано, какие камни, какого размера и качества можно получить.

— То есть ничего необычного в этом листке вы не видите? — прищурился Разумов. — А если вдуматься?

Сотников повертел в руках фотографию, подумал. Нет, ничего необычного, кроме разве что разрыва бумаги в середине. При одном варианте распила получатся два бриллианта, одинаковые по весу, но разные по качеству, ибо алмаз неоднороден, в одной своей части он более чистый, в другой — менее. При другом варианте один бриллиант получится больше по весу, другой — меньше. И все равно у одного из них качество будет выше, у другого ниже. Это вопрос будущей стоимости изделия, ибо хорошо известно: цена алмаза или уже ограненного бриллианта увеличивается совсем не пропорционально их размеру и весу. И если известна цена каратного бриллианта, было бы глубочайшим заблуждением думать, что двухкаратник будет стоить в два раза дороже. Нет, не в два. Далеко не в два.

— Нет, — твердо повторил он. — Это самый обычный рабочий пакет, любой ювелир постоянно имеет с ними дело.

— А что такое «S — 3,5»?

— Диаметр сырья по оси.

Он снова и снова подробно объяснял следователю значение каждого символа на рабочем пакете, а сам думал о Леониде. Как же так? Кто мог его убить? Да кто угодно! Лёнечка мог даже ангела довести своим поведением до белого каления. И мог по глупости такого натворить... Да, он, Алексей Сотников, Лёню простил, но другие могли и не простить, а Лёнька с его мелким неуправляемым тщеславием и безудержной погоней за молодостью и красивой жизнью вполне мог наступить кому-нибудь на ногу, и пребольно...

— А вот эта красная точка в ромбе что означает?

Сотников понимал, что следователь пытается найти хоть что-нибудь, дающее подсказку, указывающее на мотив убийства.

— Эта точка обозначает наличие и расположение дефекта в алмазном сырье.

— А линии?

— Это предполагаемые линии распила...

Кому же Лёня дорогу перешел? А если это Илюша? Ведь подвеска, которую он принес на последнее собрание, несла в себе угрозу совершенно недвусмысленную, и только такой веселый, самоуверенный и легкомысленный человек, как Лёнька, мог ее не заметить и не отнести на свой счет. А у Сотникова не было ни малейших сомнений в том, что угроза адресовалась ему, и только ему. И весь вид Илюши Горбатовского, и взгляды, которые он бросал то на

Лёню, тщетно пытавшегося отгадать суть послания, то на Сотникова, говорили об этом ясно. Илюша относится к Лёне плохо, это понятно, просто бывают периоды, когда он начинает жалеть Каринку и тогда радуется, что у нее есть тот, кого она искренне любит, и все-таки она не одна, не одинока. В эти периоды он мягчеет. Но бывают и другие периоды, когда ненависть к Лёне буквально выплескивается из него, в основном в эти периоды он жалеет уже не дочь, а самого себя, потому что хочет быть, как и большинство мужчин в его возрасте, тестем и дедом, хочет видеть своего единственного ребенка в счастливом браке. Вот сейчас у Илюши совершенно точно именно такой период. Лёню он мог бы и убить, даже не из ненависти, а просто чтобы освободить Каришу, развязать ей руки...

— Скажите, Алексей Юрьевич, а это нормально, когда владелец фирмы по изготовлению ювелирных изделий носит в кармане пустой рабочий пакет огранки алмаза?

«Хороший вопрос, — подумал Сотников. — Действительно, зачем Лёня носил с собой пакет? Глупость какая-то».

— А почерк вы узнаете? Записи на пакете выполнены рукой Курмышова?

— Нет, — уверенно ответил ювелир. — Это не Лёнин почерк, совершенно точно. Вы думаете, пакет оформил и оставил убийца, потому что имел что-то в виду?

Следователь кинул на Сотникова быстрый острый взгляд, но не ответил, а вместо этого задал следующий вопрос:

— А вот это что такое? Посмотрите еще одну фотографию, Алексей Юрьевич. Это было в портмоне убитого. Лежало в пластиковом файле, свернутом в несколько раз.

На этом снимке Сотников увидел белый прямоугольник из плотной бумаги размером 85 на 109 миллиметров с выдавленными линиями: три параллельные, четыре поперечные, четыре по диагонали.

— Это «лодочка» для просмотра цвета алмазного сырья и бриллианта, — вздохнул он. — Ювелиры постоянно пользуются ими.

— А почему Курмышов хранил ее в файле?

— Чтобы не пачкалась. Так все делают. «Лодочка» должна оставаться абсолютно белой, тогда на ее фоне легче определяется цвет камня.

— А почему это называется «лодочкой»?

— Если сложить по выдавленным линиям, получается нечто, напоминающее по форме лодку. В нее и кладется камень. Линии выдавливаются специальной машиной, вообще заготовки для лодочек мы покупаем пачками, они на любой фирме есть.

— Значит, ничего необычного? — угрюмо спросил Разумов. — А то, что рабочий пакет проткнут крестом, что-нибудь означает?

— Вот этого я не знаю, — развел руками Сотников. — В ювелирном деле такой символики нет. Может быть, убийца хотел этим что-то сказать?

— Да это понятно! — с досадой воскликнул следователь. — Понятно, что убийца что-то имел в виду. Но вот что? Может быть, у Курмышова были какие-нибудь конфликты из-за бриллиантов?

— Нет, — твердо ответил Алексей Юрьевич. — Леонид работал абсолютно чисто, с черным рынком никогда не связывался, никакого левого товара через его фирму не проходило. А больше конфликтам взяться неоткуда.

— Ну, этого вы, положим, гарантировать не можете, — недобро усмехнулся Разумов. — Чужая душа, знаете ли, потемки, равно как и чужой бизнес. А враги у Курмышова были?

— Как у всех, — рассеянно ответил ювелир. — Мы все идем по этой жизни, преследуя собственные цели и совершая разные поступки во имя этих целей, не замечая, что они кого-то обижают или задевают... Простите, — спохватился он и потер пальцами виски. — Наверное, у Лёни были враги, хотя в основном люди его любили. Видите ли, Леонид Константинович был, во-первых, весьма успешным ювелиром, особенно пока сам выполнял эксклюзивные заказы, он вращался в артистической среде, был знаком со многими звездами, которые его боготворили и дышать на него боялись, на руках носили. Он очень много зарабатывал и сейчас человек крайне небедный. Это могло вызвать у кого-то раздражение и зависть. А во-вторых, он холост, то есть разведен, и очень любит женский пол. При этом постоянством не отличается. Среди его избранниц не только юные свободные девушки, но и дамы самого разного возраста, у которых есть мужья. Так что сами понимаете...

— Имена любовниц Курмышова можете назвать?

— Я знаю только женщину, с которой Леонид уже много лет. С его случайными пассиями я не знаком, — сухо ответил Сотников.

Нет смысла молчать про Карину, о ней знает каждый работник Лёнькиной фирмы, все равно кто-нибудь скажет.

— Ее имя?

— Карина Ильинична Горбатовская. Ее отец, Илья Ефимович Горбатовский, тоже ювелир, наш с Курмышовым друг.

Кому же Лёнечка дорогу перешел?

А может, все-таки Олег Цырков? Он ведь тоже на Лёньку зуб имеет, хоть и молчит.

— Когда вы видели Курмышова в последний раз?.. При каких обстоятельствах?.. В каком он был настроении?.. О чем говорил?.. Что рассказывал о планах на ближайшие дни?.. Не говорил ли, куда собирался в четверг или пятницу?.. А в субботу?.. А в воскресенье?..

Вопросы, вопросы, вопросы...

Сотников добросовестно отвечал, не переставая мучительно размышлять: «Кто? Кто из двоих? Илья или Олег?»

— Здравствуйте, мы из уголовного розыска.

Старший технолог фирмы «Софико» Глинкин, немолодой нервный человек, геммолог с огромным опытом, был на грани истерики. Утром им сообщили, что Леонида Константиновича убили, начальник производства Араратян свалился с гипертоническим кризом, так что старший технолог в буквальном смысле слова превратился в старшего на фирме. И изделия на пробу вчера не отвезли, и те, которые уже прошли «пробирку», не получили, а по графику сегодня мастера должны были начать вставлять в них камни, ведь в инспекцию Пробирного надзора изделия сдают без камней, только металл. Теперь задержка выйдет, партия не будет готова в плановые сроки, придется объяснять покупателям-оптовикам, приезжающим из разных концов страны, что нужно подождать еще денек-другой... А у них ведь тоже планы, тоже графики...

И вот теперь еще люди из уголовного розыска. Ну просто хоть вешайся!

Глинкин бросил беглый взгляд на предъявленную оперативниками фотографию: рабочий пакет огранки.

— И что? — не особо заморачиваясь вежливостью, спросил старший технолог.

— Это почерк вашего шефа?

— Нет, это мой почерк, это я писал.

— Почему он лежал в кармане Курмышова?

Почему-почему... Потому что! Пришлось объяснять этим пацанам, что в четверг между ним, старшим технологом Глинкиным, и разметчиком вышло небольшое несогласие: разметчик предлагал свой вариант распила камня, против которого сам технолог возражал. Они попросили Курмышова вынести свое суждение. Леонид Константинович сказал, что подумает. Внимательно посмотрел камень, попросил на отдельном листке записать для него оба варианта распила, но обычного листа не оказалось под рукой, поэтому просто взяли чистый рабочий пакет, которые заранее заготовлены и лежат стопкой в коробке на общем столе, и на нем все записали.

— А в чем смысл несогласия?

Ой, да какая им разница, в чем смысл?! Как будто они что-то понимают в алмазах! Но ведь полиция, придется отвечать, просто так не отбрешешься.

— Видите ли, в камне есть дефект. Можно распилить его по линии дефекта, симметрично, и тогда получатся два маленьких бриллиантика, по ноль семнадцать карат, достаточно чистеньких, по экономике получается, что выход годного будет примерно семьдесят процентов. Они будут подешевле, но зато хорошо продадутся. А разметчик предложил распилить камень несимметрично, сделать один совсем маленьким, ноль пятнадцать карат, и чистеньким, а второй побольше, ноль двадцать карат, но его чистота уже будет не той, потому что в него попадет то включение, от которого мы избавлялись при моем варианте распила, но зато размер будет побольше, а это очень сильно влияет на цену. И сделать этот большой камень фантазийной огранки, он получится дороже, но будет плохо продаваться. Вот в этом мы и не сошлись. Я, знаете ли, человек старой школы и всегда был сторонником чистых камней, а разметчик у нас из молодых, для него деньги важнее, он быстро посчитал в уме и счел, что если один камень будет маленьким и чистым, а второй с включением, но большим, то стоимость будет в сумме больше, чем за два маленьких чистых.

Оперативники стали расспрашивать Глинкина о Курмышове, и старший технолог поведал, что владелец «Софико» по состоянию здоровья больше сам работать не может, только руководит и организовывает, но иногда придумывает изделие, заказывает рисунок, и по этому рисунку ему делают вещь. Вот последнее, что сделали лично для него, — очень красивое ожерелье: сапфиры, бриллианты, голубые топазы, раухтопазы, рубины и один центральный камень, тридцатикаратный рубин.

— Очень красивое изделие, очень, — говорил Глинкин, для убедительности потрясая крепко сжатыми кулаками. — Правильно называется ожерелье-нагрудник, работа невероятно сложная, кропотливая. Леонид Константинович его сам придумал и эскизы сделал, а все остальное делали здесь.

— Не знаете, для кого Курмышов делал это ожерелье? Чей это был заказ?

— Он не говорил, — покачал головой Глинкин. — А что, вы думаете, его из-за ожерелья... ну, того?..

— Да нет, — усмехнулся один из оперативников, тот, что постарше. — Вряд ли из-за него. Мы же обыск в квартире Курмышова провели, сейф вскрыли, и это колье там лежало, точь-в-точь такое, как вы описывали. Только какое-то оно уж очень большое и блескучее. Неужели сейчас такие носят?

— Так я же вам объясняю: это модель такая, она потому и называется ожерелье-нагрудник! Изделие должно закрывать грудь до линии декольте, — начал кипятиться Глинкин.

Вот ходят тут всякие, которые в ювелирном деле ничего не понимают!

— Были ли у вашего шефа враги? Может быть, конкуренты?

Господи, ну почему нельзя было прислать кого-нибудь поумнее, какого-нибудь другого полицейского, который хотя бы понимал, о чем спрашивает! Нервы Глинкина вибрировали на том пределе, за которым в опасной близости находился истерический припадок. С огромным трудом ему удалось совладать с собой и не завизжать. Нельзя ссориться с полицией, с полицией надо дружить, так, во всяком случае, учили его дед и отец, которые сами всю жизнь занимались огранкой камней и ювелирным делом. Надо улыбаться и быть приятным.

— Да ну что вы, какие враги могут быть у ювелиров? Это при советской власти профессия ювелира была стрёмной, потому что либо ты работаешь за гроши только в доме быта на ремонтных копеечных работах, либо выполняешь еще и частные заказы, и тогда уж постоянно ходишь по лезвию. Для работы в домах быта все материалы и реактивы покупали официально в специализированных магазинах-базах, централизованно через госструктуры. Ну и в ломбардах брали, такое право у ювелиров было. А вот для частных заказов золото и камни брали либо у заказчика, либо покупали у приехавших с приисков, у воров, в общем, на черном рынке. Ювелир имел право покупать лом в ломбарде как работник службы быта якобы для работы в доме быта, на самом деле он немножко использовал на работе, а основную массу гнал для частных заказов. Все всё знали, но у всех была легенда: драгметаллы и камни заказчик принес, наследство получил. Опасное было время, — Глинкин вздохнул. — Ювелиры с криминалом бок о бок ходили, и крови тогда много вокруг золота и камней проливалось. А сейчас-то что? Сейчас все легально. Наши главные враги — это те, кто заваливает рынок левым некачественным товаром из разных стран, особенно есть такие страны, в которых не гнушаются подделывать известные бренды и продавать как настоящие по ценам ниже настоящих, но выше истинных. Вот они для нас враги. А мы для них — так, мелочь пузатая, они с их размахом нас даже не замечают. Ювелирное дело — одно из самых безопасных в этом смысле: ни врагов, ни конкурентов. Если делать все по закону, как положено, то будешь в полном шоколаде. С сырьем проблем нет, покупай себе в Гохране или в «Алросе», сколько хочешь, только лицензию имей — и все, и с металлом нет проблем, можно покупать в ломбардах, можно на заводах спецсплавов, все это официально разрешено. Это при советской власти ювелирам было невозможно дышать, а сейчас-то законы все разрешают, только работай. Другое дело, что работа кропотливая, долгая, мучительная. Ну, как говорится, за все надо платить. Зато, еще раз повторяю, спокойная и безопасная, если с леваком не связываться.

Старший технолог был доволен собой: и лекцию прочитал этим недоумкам, вроде как бесплатный ликбез провел, и — самое главное! — не сорвался. Лицо сохранил.

Весь день Сташис и Дзюба потратили на отработку списка приглашенных на юбилей Николая Букарина. С восьми утра они, как заведенные, проверяли информационные базы, звонили, наводили справки, терли пальцами слезящиеся глаза и к вечеру оба вынуждены были признать, что пока никого подозрительного в этом списке не обнаружили.

— Все, Ромка, я иссяк, — заявил Антон, поставив галочку на последней фамилии в своей половине списка. — Мне надо еще Стасову учебник отвезти, Кузьмич попросил, ему самому не с руки.

Дзюба против прекращения работы не возражал. Все равно с чем-то новым затеваться поздно, да и мозги какие-то чугунные. Распрощавшись со Сташисом, он помчался покупать установочные диски, чтобы начать осуществлять задуманное. Коль никто не верит ему, Роману Дзюбе, никто не хочет к нему прислушаться, то он сам сделает все, что считает нужным, и проверит свои догадки. Если они окажутся неправильными, то об этом, по крайней мере, никто не узнает. А уж если выяснится, что он все-таки прав...

«Ладно, не будем загадывать и радоваться преждевременно, — твердил себе Роман, загружая игровые диски в свой компьютер. — Надо бы еще наушники... Черт, да где же они? Наверняка мама опять взяла, вечно она какие-нибудь фильмы смотрит или с подружками по скайпу общается. — Так и оказалось, наушники лежали в комнате родителей рядом с компьютером. — Завтра куплю новые, — решил Роман. — А то с мамой подеремся. А если еще и отец подключится... Он тоже любит вечерком после работы новости почитать и всякие горячие ролики посмотреть».

В эти игры Роман никогда не играл, поэтому освоение шло медленно. Начал он с настроек, прикидывая, насколько удобно ему пользоваться той или иной клавишей или мышью для выполнения определенных движений. Прыжок, лечь, присесть, выстрел, бросить гранату, бежать... Если оказывалось неудобно, можно было перепрограммировать на другую клавишу. С грехом пополам справившись с первой частью задачи, Роман зарегистрировался под ником «Монах» и зашел на сервер, администратором которого до своей смерти был Колосенцев. Для начала стал наблюдателем, следя за игрой и с ужасом понимая, что ничего этого он не умеет и наверняка никогда не научится. Темп игры был таким высоким, что Дзюба даже не успевал следить за развитием событий. Но играть он, собственно говоря, и не собирался. Ему хотелось послушать переговоры игроков, которые, как он надеялся, будут обсуждать смерть Геннадия.

— Мужики, а кто такой Монах? — послышался голос в наушниках. — Чего он в наблюдателях притаился?

— Да фиг его знает, — отозвался другой голос. — Вроде он у нас никогда раньше не играл.

Роману стало не по себе.

— Я совсем плохо играю, — признался он. — Хочу посмотреть, как мастера рубятся.

— Валяй, — насмешливо проговорил еще один голос. — Только смотри, место слишком долго не занимай, или вступай в игру, или вали отсюда.

Почему-то эта мысль в голову Дзюбе не приходила. Он-то думал, что можно засесть в наблюдателях и проводить в этой позиции столько времени, сколько захочешь. Оказалось — нет. Наблюдатель считается игроком, он учитывается в статистике, и если на данной карте, к примеру, предусмотрено 20 игроков, то есть по 10 человек в каждой команде, то двадцать первый войти в игру уже не может, даже если кто-то из двадцатки отсиживается в наблюдателях. И уже минут через пятнадцать Роману пришлось принимать решение: вступать в игру или уходить с сервера. Он решил рискнуть.

За всю свою жизнь Роман Дзюба не слышал столько насмешек и оскорблений в свой адрес, сколько обрушилось на него в первые же несколько минут игры. Он старался изо всех сил, но катастрофически не успевал ни подпрыгнуть, ни лечь, ни выстрелить. Более того, оказалось, что оружие стреляет с отдачей и, если ты хочешь попасть в цель, нужно сделать на это поправку и перед выстрелом присесть... Одним словом, игра предполагала знание множества тонкостей.

Он снова вышел в наблюдатели, чувствуя, как пересохло во рту: дал себя знать выброс адреналина.

— Слышь, Монах, ты найди пустой сервак и на нем учись, а здесь серьезные люди играют, — посоветовал ему кто-то из игроков.

Роман решил последовать совету, но все равно еще посидел в наблюдателях, пока его не выкинуло автоматически. Смерть Колосенцева, конечно же, обсуждали, но ничего настораживающего ни в чьих репликах пока не мелькнуло.

Он вышел на список серверов и стал искать «0» в нужной колонке. Время было горячее, вечернее, на всех серверах этого сайта шли бои. Пришлось уйти на другой сайт, потом на третий, где, наконец, нашлось поле, на котором никто в данный момент не играл. Правда, выглядело это поле совсем не так, как то, на котором он потерпел позорное фиаско: на нем не было зданий, улиц, комнат, лестниц, деревьев и всего прочего. Только какие-то кубы и кучи песка.

«Но и это сойдет, — решил Роман. — Какая разница, на чем учиться».

Он начал терпеливо, сперва медленно и вдумчиво, потом все быстрее и быстрее прыгать, бегать, приседать, падать, ползти, стрелять из разных видов оружия, бросать гранаты... Почему-то вспомнилось, как переживала мама, когда он, отучившись пять лет, бросил музыкальную школу: заниматься игрой на рояле рыжеволосый подросток не желал ни за что на свете, а педагоги говорили, что у него феноменальные технические способности: прекрасная координация пальцев и мгновенное формирование автоматизма движений. Рома был абсолютно, предельно немузыкален, он не понимал музыку и не чувствовал ее, но был недосягаем в исполнении сложных произведений: никто из учеников не мог так быстро запомнить ноты и играть так чисто и в таком высоком темпе.

Вот и пригодилось...

К половине третьего ночи Дзюба почувствовал себя готовым к новой попытке. Он вернулся на «Генкин» сервер, где в данный момент бились уже совсем другие игроки. Вступил в игру и даже сумел продержаться несколько минут, не вызвав ни одного нарекания. Потом, конечно, на него снова посыпались насмешки, на сей раз еще более язвительные.

«Видимо, те, кто играет глубокой ночью, это люди с принципиально иными характерами», — решил он и не ошибся.

Колосенцев играл преимущественно по ночам, поэтому сейчас, в это позднее время, среди игроков оказалось намного больше тех, кто хорошо знал Геннадия по игре и не остался равнодушным к его смерти. Роман просидел за компьютером часов до пяти утра, пока игроки не разошлись, слушал их переговоры, то отсиживаясь в наблюдателях, сколько возможно, то играя и выслушивая нелицеприятные реплики в свой адрес.

Но так ничего важного и не услышал. Все считали, что гибель Гены связана с его работой в полиции. И ни одного упоминания о каком бы то ни было конфликте на почве игры.

«Ладно, это только первая попытка», — утешал себя Дзюба.

Сейчас он поспит пару часов, а вечером снова наденет наушники и начнет слушать. Кто сказал, что повезти должно с первого же раза? Зато хорошо известно: тому, кто умеет ждать, достается всё.

— Поедешь к себе? — спросил Илья Ефимович. — Или к нам зайдешь?

Карина подвезла его до дома. Отец и дочь Горбатовские возвращались от следователя, который допрашивал их по очереди: сначала Карину, которую Сотников еще утром назвал в качестве женщины, связанной с убитым Леонидом Курмышовым давними отношениями, потом ее отца. Илья Ефимович чувствовал себя разбитым, и ему не хотелось появляться дома одному: жена, конечно же, начнет спрашивать, что случилось, зачем его вызывал следователь, и придется рассказывать о Лёне... Если Карина зайдет посидеть с матерью, то, возможно, вся тяжесть расспросов падет на дочь, а Илье Ефимовичу удастся отмолчаться. Ну ей же богу, сил нет разговаривать! Да и есть о чем подумать.

— Конечно, я зайду. — Карина заглушила двигатель и вышла из машины вслед за отцом.

Она разделась в прихожей и сразу прошла к матери, а Илья Ефимович ушел в спальню, прилег, не раздеваясь, поверх покрывала и закрыл глаза.

Сотникова допрашивали первым, еще с утра. Что он сказал? А чего не сказал? Как повел себя? Интересно, этот следователь Разумов ничего не заподозрил? Вообще-то он цепкий, как показалось Горбатовскому, так-то сидит — тюфяк тюфяком, а глаза злые, холодные, ничего на веру не принимает. Небось, знаменитое сотниковское обаяние на него не подействовало. Но самого главного Алешка, конечно же, не рассказал. И он, Горбатовский, промолчал. Пока.

И почему его любимая дочурка, его Карина, все время влюбляется не в тех? Просто рок какой-то над девочкой висит. Когда ей было 15 лет, до смерти влюбилась в Алешу Сотникова, который казался ей небожителем с его огромными знаниями, прекрасными изысканными манерами, приятным голосом, внимательными глазами за стеклами очков в тонкой оправе. Да, Алешка красивый мужик, этого не отнять, но характер! Был бы у него другой характер, Каринка, наверное, до сих пор тайно вздыхала бы по нему. Слава богу, девочка выросла и хоть немножко начала разбираться в людях, в итоге — влюбленность в какой-то момент растаяла почти мгновенно. Потому что никакое Алешка Сотников не божество, он сноб и эстет, который в глубине души считает всех, кто меньше знает и хуже образован, людьми низшей касты. И точно такое же отношение у него к тем людям, которые пренебрегают творческим началом. Для Алексея Четвертого творчество — религия, источник красоты, начало всех начал, и те, кто этого не понимает, для него просто не существуют. А ведь творцами рождаются далеко не все! Есть гениальные творцы, но есть и гениальные исполнители, без которых невозможны ни жизнь вообще, ни прогресс в частности. Даже из тех, кто имеет к творчеству природный талант, далеко не каждый творцом становится. И вот почему-то именно эта сторона его характера оттолкнула Каришу. Кумир как-то сразу поблек, но уважение к Алешкиному художественному вкусу и мастерству, конечно, у нее осталось.

Можно ли утверждать, что Алексей Юрьевич Сотников человек неприятный? Спросите кого угодно, и вам ответят: ой, ну что вы, он чудесный! А все потому, что он человек разумный и хорошо воспитанный, свой снобизм и авторитарное эстетство держит при себе, никому особо не демонстрирует, ведет себя со всеми доброжелательно и культурно, хотя про себя посмеивается, издевается и отпускает ехидные замечания. Но никогда не вслух в присутствии этого человека, только потом, с другими, за глаза. Вот когда Карина повзрослела и, слыша такие речи, стала здраво их оценивать, она и поняла, что не может считать своим кумиром такого двуличного человека. Моя девочка попроще, ей изысканность претит. Но окружающим Алешка кажется приятным во всех отношениях, его любят и привечают. И никто, кроме Ильи Ефимовича Горбатовского и его дочери, не видит и не понимает, каков этот человек на самом деле. С виду — ангел, а внутри — бездна зла. Все обман, все иллюзии...

Даже стиль одежды Сотникова отражает эту особенность менталитета, он ведь одевается обманчиво-просто, джинсы, пуловер, под ним сорочка с галстуком, а иногда, если не холодно, то и прямо на голое тело. И только знатоки могут понять, что эти джинсы стоят 2000 евро, ну и сорочка с галстуком и пуловер им под стать. А с виду ни за что не скажешь! Сотников, как и все люди, впрочем, соткан из противоречий, вот насколько он ценит образованность и эрудицию и презирает тех, кто их не ценит, настолько же он не кичится богатством, хотя он человек далеко не бедный, во всяком случае, был таким до Лёниного предательства. Лёнька своего старого друга фактически разорил... Сотников с детства приучен к работе, причем к работе ручной, знает, как деньги достаются, и поэтому к любому труду вообще относится с огромным уважением. Не переносит бездельников и халявщиков.

Интересно, как он себя повел и еще поведет со следователем? Какое впечатление произведет? Покажется ли он Разумову человеком, способным на отставленную месть, осуществленную через четыре года? Или будет изображать мягкого интеллигента, которым Алешка Сотников на самом деле не является ни на одну минуту?

Илья Ефимович, погруженный в раздумья, не заметил, как прошло время, и, когда в комнату заглянула Карина, искренне удивился.

— Ты уже уходишь?

— Да, папа, уже поздно, а мне завтра на работу.

Он тяжело поднял грузное тело с кровати и вышел в прихожую проводить дочь. Карина молча застегнула короткое пальто, сверху намотала на плечи красивый кашемировый платок, шагнула к двери. И обернулась, глядя прямо в глаза Горбатовскому.

— Теперь ты доволен, папа? — едва слышно спросила она и ушла, не дожидаясь ответа.

Илья Ефимович застыл посреди квадратной прихожей. А ведь после допроса не единого слова не сказала. Ни о чем не спросила. Всю дорогу молчала.

Неужели она подозревает, что это он Лёню?..

Антон был уже на полпути к дому, когда позвонил Зарубин.

— Книжку отвез? — первым делом спросил он.

— Отвез.

— Ну и как там наш друг Стасов?

— Нормально, — устало ответил Антон.

— Ты где сейчас?

— Домой еду.

— Разворачивайся, — скомандовал Сергей Кузьмич. — Помощь нужна. Надо в одном месте появиться, но обязательно вдвоем, иначе спалюсь. Выручай, Тоха.

— Кузьмич, у меня дети, — недовольно проговорил Антон. — Если няня не сможет остаться на ночь, то...

— Так ты позвони и узнай, а не рассуждай, — рассердился Зарубин. — Она у тебя всегда могла остаться, чего сегодня-то не сможет? Давай не отлынивай. И перезвони мне сразу же, скажу, где пересечемся.

Антон позвонил Эле, которая без особой радости, но согласилась остаться с детьми. Зарубин велел подобрать его на Трубной площади. Поездка, как выяснилось, действительно была ненапряжной, но появляться в одиночестве в том месте не полагалось: могло возникнуть много вопросов.

— Чего у тебя с нянькой-то? — довольно бесцеремонно спросил Зарубин после того, как объяснил Антону цель поездки. — Никогда вроде вопросов не было.

— Да она замуж собралась, — признался Антон. — Уходить от меня собирается. Вот не знаю теперь, как быть.

Зарубин развернулся на сиденье всем своим щуплым телом и ткнул Антона пальцем в плечо.

— Ну вот! Ты допрыгался! А я тебя всегда преду-преждал, не надо было с ней связываться, хлебнешь ты еще горя с этой нянькой.

— Но почему? — не понял Антон. — У тебя не было никаких оснований сомневаться. Она же хорошая, добрая, помогала искренне, и дети ее любят.

— Да потому что она молодая красивая баба с деньгами! С чего ты решил, что она всю жизнь будет с удовольствием вытирать попы твоим детям? Ей хочется свою семью, своих детей, своей жизни, это нормально. Это было очевидно даже мне, и просто удивительно, почему ты ни разу об этом не подумал.

— Но Эля никогда не говорила об этом... Я был уверен... Она ни разу не дала мне повода этим озаботиться, она всегда вела себя так, словно никакой другой жизни ей не нужно. И вдруг такое...

— Да не вдруг, Антоха, не вдруг, — укоризненно сказал Зарубин. — Все было очевидно с самого начала, просто ты этого видеть не хотел. Ты видел только то, что лично тебе удобно, вписывается в твою собственную жизненную концепцию.

Это Антон уже и без него понял. И слушать лишний раз лекцию о своей неправоте было неприятно.

— А я тебе сто раз говорил: человеческий глаз лукав, — продолжал Сергей Кузьмич. — Он видит не то, что есть на самом деле, а исключительно то, что хочет видеть сам человек. Этому меня еще много лет назад научили. Я тоже сперва не верил, когда помоложе был, потом убедился — это правда. Тебе сколько лет?

— Тридцать, — буркнул Антон. — А то ты не знаешь.

— Ну вот, тридцать, здоровый лоб уже, пора перестать жить в мире иллюзий. Ты видишь человека таким, каким хочешь видеть, и строишь отношения с ним исходя из этого своего лукавого, неправильного видения, а потом удивляешься, почему он ведет себя совсем не так, как ты ожидаешь.

Антон рассвирепел: ну сколько же можно! Почему все так любят читать мораль и объяснять, что ты не прав, вместо того чтобы помочь делом или хотя бы советом.

— Ладно, хватит мне мозг выносить, я уже и так понял, что ошибся. Лучше посоветуй, где мне жену найти, а то все говорят, что мне не няньку надо искать, а спутницу жизни и хорошую мать для детей.

Тут Зарубин пустился в пространные рассуждения о том, что задача эта трудная, потому что вообще-то быть женой опера — это отдельная профессия, которой овладеть может далеко не каждая женщина. Обычно те, кто умеет быть женой опера, не годятся в няньки к малолетним детям, потому что только тот, кто сам увлечен своей работой и работает много, не считаясь со временем суток и с выходными, сможет понять и уважать такую же работу другого. Такую женщину найти легко, их тысячи, но в этом случае она не сможет быть нянькой и домохозяйкой. А та, которая полюбит детей и будет преданно и верно вести дом, крайне редко бывает такой, кто будет терпеть оперативную работу со всеми ее прелестями, в том числе с отлучками по ночам, с непрогнозируемыми выходными, с выпивкой, которая зачастую неизбежна, если нужно вступить в контакт с кем-то, не говоря уж об общении с разной сомнительной публикой, например, с проститутками, которые являются постоянным источником информации, но с которыми зачастую можно безопасно общаться только в ночных клубах низкого качества...

— В общем, Антон, задача у тебя практически нерешаемая, — заключил подполковник. — Единственное, что я могу тебе посоветовать: присмотрись к учителям и врачам-педиатрам, особенно к тем, которых знают твои дети. У них и рабочий день не такой длинный, как у нас, и на дежурство суточное их не ставят, и в командировки не посылают, и в выходные дни не вызывают, а детей они любят или, по крайней мере, умеют с ними общаться.

Посещение нужного Зарубину места прошло быстро и без осечек, после чего Антон отвез сначала подполковника, потом поехал домой. Когда он вошел в квартиру, часы показывали половину второго ночи.

Ну и как можно при таком режиме работы обойтись без няни? Никак.

Глава 9

Поиски человека, который мог убить Евгению Панкрашину по личным мотивам, затормозились. Куда бы сыщики ни шли, кого бы ни спрашивали, где бы ни искали — всюду было «пусто-пусто». Эту версию можно было считать полностью отработанной. Настала пора переключаться на колье, которое по чисто криминальным каналам сбыта похищенного пока не проходило. Но ведь кроме чисто криминальных существуют еще каналы сбыта специальные, так сказать, для узкого круга. И в первую очередь — для коллекционеров.

— Есть у меня один человечек, — говорил Антон Роману Дзюбе, ведя его по запутанным кривым переулкам центра Москвы.

Припарковаться здесь было негде, поэтому машину они оставили довольно далеко от нужного адреса и дальше шли пешком.

— От ювелирного дела как практики давно отошел, а вот ювелирку как сферу жизни и круг людей знает очень даже неплохо. Правда, он старый и больной, из дома почти не выходит, но по телефону общается активно. И Интернетом овладел, так что полностью в курсе современной жизни.

Судя по бронированной двери и множеству замков и засовов, бывший ювелир сохранил старые привычки. А вполне возможно, и старые накопления и ценности.

Он долго выспрашивал, не отпирая замков, кто пришел, требовал от Антона доказательств, что это именно он, Сташис, и никто другой, и впустил оперативников только после того, как получил ответ на вопрос:

— Если ты Сташис, то скажи, что мы с тобой пили, когда ты ко мне насчет наследства Розенцвейга приходил.

— Вы, Борис Соломонович, пили сначала коньячок, а потом заявили, что хотите попробовать виски с колой. Колы у вас дома не нашлось, пришлось мне в магазин бежать. А я пил беленькую, — отрапортовал Антон.

— Он чего, помнит, что с кем пил много лет назад? — шепотом спросил Дзюба. — Во дает дед!

— И сколько бутылок колы ты тогда принес? — продолжал допытываться старик.

— Четыре, Борис Соломонович. Три вам оставил и одну с собой унес. Сходится?

И тогда, наконец, послышался лязг отодвигаемых засовов и мягкие щелчки отпираемых замков. На пороге стоял огромного роста старик, опирающийся на ходунки. На крупном носатом морщинистом лице сверкали смешливые глаза под нависающими кустистыми бровями.

— А я знаю, зачем вы пришли! — уверенно заявил он, едва сыщики успели раздеться и пройти в комнату.

— Не сомневаюсь, Борис Соломонович, — улыбнулся Антон. — Поэтому никаких вопросов не задаю, сразу готов вас слушать.

И, поймав недоуменный взгляд Дзюбы, незаметно ткнул его локтем в бок: мол, ничему не удивляйся, ничего не спрашивай, молчи и слушай.

— Вы, молодые люди, не присаживайтесь, долгого разговора у нас не получится, потому что про Лёньку я ничего не знаю.

— Про Лёньку? — переспросил оторопевший Антон. — Про какого Лёньку?

— Про Лёню Курмышова. Вы же из-за него ко мне пришли, правда? Из-за него, из-за него. — Борис Соломонович укоризненно покачал головой и с трудом занял место на диване, пристроив ходунки рядом. — А теперь делаете мне невинные глазки.

— Борис Соломонович, дорогой, вот чем хотите поклянусь: впервые слышу! — воскликнул Антон. — Так что с этим Курмышовым не так?

— А все не так! — задорно выкрикнул бывший ювелир. — Потому как убили его. Его Алёшка Сотников опознавать ездил в морг. И опознал! Эх вы, сыскари! Тьфу! Одно название. Лёньку Курмышова убили, а вы и не знаете. Чего ж удивляться, что вы преступления не раскрываете. Куда вам!

Антон молча стоял, привалившись спиной к стене, и ждал. Рядом с ним в точно такой же позе стоял Роман Дзюба. Пауза явно затягивалась. Первым не выдержал хозяин дома:

— Так вы что же, не из-за Лёньки пришли? А из-за чего тогда? А с Лёнькой что? Уже все раскрыли, всех поймали, и вопросов больше нет?

— Мы, Борис Соломонович, пришли из-за колье. Довольно крупное изделие, сапфиры, топазы, бриллианты, рубины. И еще один очень крупный рубин.

По дизайну похоже, как будто из-за гор встаёт солнце и освещает море. Ничего о таком не слышали?

Кустистые брови ювелира поползли вверх.

— Картина маслом, — протянул он. — Как было сказано в моем любимом фильме «Ликвидация». Это вы мне что сейчас описали, ювелирное изделие или вышивку бисером?

— Колье, Борис Соломонович, самое настоящее колье. В нем одна дама на приеме появилась на прошлой неделе. А на следующий день оно пропало.

— Девятнадцатый век?

— Вот не знаем, — развел руками Антон. — Может, девятнадцатый, может, даже и восемнадцатый, а может, и вовсе новодел.

— Размер знаете?

— Ну... — Антон показал пальцами длину и ширину изделия, опираясь на показания Татьяны и Светланы Дорожкиных и Аллы Анищенко.

— Нагрудник, — констатировал ювелир. — Таких сейчас не делают, немодно. Значит, антиквариат. А что ж вы у самой дамы-то не спросите? А, понял: спрашивать не у кого. И от меня чего хотите?

— Ну, сами понимаете, — неопределенно сказал Антон, пряча улыбку. — Кто из коллекционеров мог бы заинтересоваться такой вещью?

Борис Соломонович завел глаза к потолку и принялся шевелить губами. Лицо его сделалось отрешенным, казалось, старый ювелир ничего не видит и не слышит вокруг себя.

Дзюба наклонился к самому уху Антона.

— Чего это он? — спросил Роман едва слышно.

— Он считает.

— Что считает?

— Примерное количество камней и примерную стоимость изделия.

— В уме?!

— Тише ты... Да. В уме. Он профессионал высочайшего класса.

— Но как же, — взволнованно зашептал Дзюба, — как же это? Мне девушка в ломбарде сказала, что невозможно оценить вещь, не видя ее...

— Ну ты сравнил! — едва слышно фыркнул Антон. — У Соломоныча опыт-то какой! Он в ювелирном деле столько лет, сколько многие вообще не живут, а твоя девушка совсем молоденькая.

Наконец Борис Соломонович перевел глаза на оперативников и покачал головой.

— По сегодняшним ценам эта вещь должна стоить от трех до пяти миллионов рублей.

— Сколько?! — вырвалось у сыщиков одновременно.

— От трех до пяти лимонов, — подтвердил ювелир. — Это только стоимость камней, металла и работы. Без учета эксклюзивности. Если это девятнадцатый век, то цена, сами понимаете, многократно выше. Но я у старых мастеров такой вещи не знаю. А Борис Соломонович знает всё, уж можете мне поверить. Стало быть, это все-таки новодел. Вот вам и ответ на ваш вопрос. Коллекционерам новодел не нужен. Во всяком случае, тем коллекционерам, которые мне известны.

— Ну, спасибо, Борис Соломонович. — Антон сделал несколько шагов вперед, выдвинул из-за стоящего посреди комнаты стола стул и уселся на него верхом, сложив руки на спинке. — А теперь поведайте нам, недотепам, кто такой Леонид Курмышов и что за беда с ним стряслась. И кто такой Алешка Сотников, который ездил в морг его опознавать.

— Надежда Игоревна, я уверен, что между убийством Панкрашиной и убийством ювелира Курмышова есть связь! — горячился Дзюба. — Смотрите: двадцать первого ноября убивают Панкрашину и крадут дорогое колье, а спустя несколько дней убивают известного ювелира. Два трупа, так или иначе связанных с ювелиркой, меньше чем за неделю! Это не может быть случайным совпадением!

— А ты что скажешь, Антон? — следователь Рыженко перевела взгляд на Сташиса. — Ты тоже так считаешь?

— Не знаю, — признался Антон. — У меня нет такой уверенности. Все-таки Москва — очень большой город, что бы там ни говорили. Наша столица — это проходной двор в буквальном смысле слова. Ну, представьте: убивают человека, который недавно лечил зубы, так теперь любой стоматолог, которого убьют в течение ближайшего времени, должен оказаться с ним связан? Точно так же можно искать связи между трупами автовладельцев и работниками автосервисов.

— Одним словом, ты с Романом не согласен, — сделала вывод Надежда Игоревна. — Ты работал с ним один раз, и то неофициально, а я работаю с Дзюбой постоянно, поскольку мы обслуживаем одну территорию. Его идеи кажутся завиральными, это правда. И в девяноста процентах случаев так и оказывается. Но в десяти процентах случаев он попадает в точку. Давайте-ка, мальчики, дуйте на территорию, где возбудились по Курмышову, и понюхайте там как следует. Потратьте время. Один день ничего не решает, все равно по горячим следам мы убийство Панкрашиной уже не раскрыли, теперь торопиться некуда.

На то, чтобы встретиться с оперативниками, ведущими дело об убийстве Леонида Курмышова, пришлось потратить уйму времени: ребята по кабинетам не сидят, у них работы полно. Когда они появились, наконец, у себя в отделе, то сразу заявили, что без согласования с руководством никакой информации не дадут и никаких документов не покажут. Пока Антон организовывал переговоры следователя Рыженко с начальством оперативников, прошел еще час. Дзюба нервничал и злился, ему не терпелось проверить собственную версию, Антон ждал спокойно, пользуясь возможностью отключиться от работы и поразмышлять о собственных перспективах, таких неясных и тревожных. Искать жену... Или все-таки няню? И если няню, то где взять денег на ее оплату?

Наконец, все оргвопросы решились, но к этому времени одного из оперов, занимающихся убийством Курмышова, вызвал следователь за какой-то надобностью, и Антону с Дзюбой пришлось общаться со вторым — симпатичным темноглазым пареньком по имени Надир.

— Вы мне сперва скажите сами, какой у вас интерес, — заявил Надир. — А там посмотрим.

Что именно он собирался «там смотреть», сыщики понимали очень хорошо. Оперативная информация, равно как и материалы следствия, штука особо ценная, направо и налево ею не разбрасываются. Так что первым заговорил Антон, рассказавший об убийстве Евгении Панкрашиной и о пропавшем колье.

Надир внимательно слушал описание колье, потом открыл сейф и достал папку, из которой извлек цветную фотографию.

— Вот это, что ли?

Антон и Роман замерли в оцепенении: на снимке красовалось яркое крупное колье с бриллиантами, сапфирами, топазами и рубинами. И большой рубин, изображающий солнце, встающее из-за гор. Действительно, нагрудник, по-другому и не назовешь.

— Это, — пересохшими губами выдавил Дзюба.

— Так оно и не пропало вовсе, оно в сейфе у убитого как лежало, так и лежит, — спокойно заявил Надир.

Значит, Панкрашину убили не из-за колье? Тогда, получается, это было убийство по личным мотивам. А они-то были на сто процентов уверены, что эту версию отработали вдоль и поперек.

Надир, в свою очередь, рассказал, что труп Леонида Константиновича Курмышова был обнаружен в понедельник утром в лесополосе рядом с оживленным шоссе. Дорога грязная, машин тысячи, следов никаких.

— На груди трупа бумажка, проткнутая нательным крестом, документов никаких нет, поэтому мы и затруднились с установлением личности. Смотрели заявы на розыск, но судебный медик сразу сказал, что смерть наступила точно меньше чем за сутки до обнаружения трупа, скорее всего, в пределах двенадцати часов, так что искать среди пропавших рано: если родственники и ищут его, то у них заявление все равно еще не приняли. Бумажка была странная, ни хрена не понять, что за малява, мы ее показывали всем подряд, пока не нашелся один умник, который сказал, что это имеет отношение к ювелирке. На это больше суток потратили! Ну а во вторник вечером снова посмотрели, кого в розыск объявили, и нашли заяву на ювелира Курмышова, которого с прошлого четверга никто не видел. Умер-то он точно в ночь с воскресенья на понедельник, а вот где он был с четверга до самой смерти — хрен знает. Может, у бабы время проводил, может, за городом отдыхал у кого-нибудь, но только к телефону он не подходил, ни к стационарному, ни к мобильному. И вот еще хрень одна: на одной руке болтается наручник распиленный. То есть где-то, похоже, его держали перед смертью, а потом только уделали. Правда, непонятно, почему цепь от наручника пилили, вместо того чтобы ключом открыть. Я так думаю — потеряли, наверное, ключ. В общем, это не суть важно. Сразу же связались с заявителем, организовали опознание, в среду утром нашего покойничка опознали как Курмышова Леонида Константиновича, пятьдесят шестого года рождения. Ну, естественно, адресок пробили, в хату ломанулись, осмотрели, но там все чисто: ни следов взлома, ни нарушенного порядка, в сейфе документы, деньги наличные и вот это колье. Мы к нему на фирму вчера же успели сгонять, поспрошали сотрудников, они это колье знают, сами делали по эскизу Курмышова.

— Дорогое? — спросил Антон.

Надир пожал плечами.

— Ну, я не специалист, но на фирме говорят, что дорогое, там камней немерено, хоть и мелочь, но много, и работа сложная.

— Ну а с бумажкой-то что? — не утерпел Дзюба. — Может, на ней что-то интересное? Все-таки похоже на ритуальное убийство, из мести или еще по каким-то личным мотивам.

— Нет, у нас свидетель, который труп опознавал...

— Сотников? — снова вылез инициативный Дзюба, чем заслужил неодобрительный взгляд Антона.

Надир немедленно напрягся и настороженно взглянул на него.

— А вы откуда знаете?

— Ну, извини, — примирительно проговорил Антон. — Мы же не могли ехать к вам совсем уж не подготовленными, это значило бы коллег не уважать.

Надир немного смягчился.

— Ну да, Сотников. Он дал объяснения следаку по этой бумажке, там никаких вопросов. И откуда она взялась — мы тоже выяснили вчера. Так что ее не убийца оставил, это точно. Хотя фиг его знает...

— Деньги и ценности при трупе обнаружили?

— Да, — кивнул Надир. — И часы, и купюры в бумажнике, и перстень на пальце, и крест. Все, что полагается иметь человеку с собой. Кроме документов.

— Может, крест преступник оставил? — снова влез неугомонный Роман.

— Да непохоже, — вздохнул Надир. — Сотников крест опознал как принадлежащий Курмышову, а с бумажкой тоже разобрались, это он с работы принес. Экспертам отдали, конечно, но пока ответа нет.

— А что еще в сейфе у потерпевшего нашлось?

— Да ничего особенного... Документы. Деньги. Я ж сказал.

— Какие именно документы?

— Да всякая ювелирная хрень, — поморщился Надир. — Уставные документы фирмы, карточка учета в Пробирном надзоре, всякие бумажки, подтверждающие право на работу с камнями и драгметаллами. Договор с банком об аренде ячейки.

— А это зачем? — вырвалось у любознательного Дзюбы.

— Ювелир, чтоб ты знал, должен иметь в банке ячейку для хранения материалов и готовых изделий, — назидательно произнес Надир. — Без подтверждения того, что у него есть банковская ячейка, он карту Пробирной палаты не получит. Но это, конечно, только для тех ювелиров, которые работают частным образом. Если у ювелира фирма в здании, оборудованном бункером, то ему ячейку иметь не нужно. На самом деле, как я выяснил, эти хитрецы ячейки заводят, чтобы карту получить, но ими не пользуются, предпочитают иметь хороший сейф дома, ну и дверь входную, само собой, укрепляют. Я их понимаю, за каждой мелочью в банк не набегаешься.

— А еще что было в сейфе? — продолжал допытываться Дзюба.

Ему все казалось, что Надир упускает какую-то деталь, которая ему самому кажется незначительной, но именно эта деталь накрепко свяжет убийства Евгении Панкрашиной и ювелира Леонида Курмышова.

— Еще клейма, три штуки, совершенно одинаковые.

— А зачем три? — не понял Антон.

— Мы тоже сразу не поняли, — усмехнулся в ответ Надир. — У Курмышова на фирме спросили, и нам объяснили, что клеймо выдается на год в Пробирном надзоре. Можно заказать сколько хочешь клейм, зависит от объемов производства, потому что клейма стираются, и надо, чтобы хватило на год. Год кончился, и если клейма остались, приносишь их в Пробирный надзор, там и стертые, и неиспользованные клейма ломают и уничтожают и дают справку. Или ты сам уничтожаешь и приносишь в виде лома. Если в дальнейшем появятся изделия с этими клеймами, то они будут считаться неучтенкой этого года. А если год еще не закончился, а клейма уже вышли из строя, то заказываешь еще, сколько там тебе надо. В течение недели — десяти дней получаешь новые.

— Ёлки-палки, как у них все сложно-то, — вырвалось у Дзюбы.

— А у кого легко? — философски заметил Надир.

По просьбе Антона он распечатал фотографию колье. Теперь следовало предъявить этот снимок Игорю Панкрашину и обеим Дорожкиным. Собственно, главным был именно ответ Дорожкиных, поскольку они колье не только рассматривали, но и примеряли, в то время как Игорь Николаевич бросил короткий незаинтересованный взгляд на украшение в тот день, когда Евгения Васильевна принесла его домой, и на следующий день просто отметил: жена надела колье, вроде все прилично. Не более того. Хорошо бы, конечно, еще Аллу Анищенко найти, но это уже не столь обязательно.

В воздухе парили первые снежинки, еще такие неуверенные, словно боящиеся, что в любой момент может снова наступить лето. Но даже этой неуверенности оказалось достаточно, чтобы снизить видимость на дорогах и моментально создать пробки.

— Ну что это за город, в котором мы живем, — горестно вздохнул Дзюба. — Вот раньше, я из учебников помню, во всей Москве совершалось три-четыре убийства в неделю, а теперь? И Генку убили в воскресенье, и этого ювелира, а если сводку посмотреть, так окажется, что не только их двоих, но и еще человек пять, а то и семь, и все за один день. Антон, а ты помнишь те времена, когда было три-четыре убийства в неделю? Интересно, как тогда работалось?

— Нет, что ты, — засмеялся Антон. — Я тогда еще под стол пешком ходил, в эти сладостные времена, а когда работать начал, уже все было так, как сейчас.

— А еще я слышал, что раньше из-за каждого убийства всех на уши ставили и дело под особый контроль брали, а теперь вообще никому ни до чего дела нет, убийства годами не раскрываются — и никто даже пальцем не пошевельнет, убили и убили, подумаешь, большое дело.

Антон собрался было вступить в дискуссию, дескать, не так все плохо, и кое-какие преступления все-таки раскрываются... Но тут их подрезал какой-то оборзевший пацан на «Лендровере», и пришлось весь интеллектуальный потенциал направить на то, чтобы избежать аварии, а потом сбросить напряжение при помощи хорошо известного русского словесного метода.

Игоря Панкрашина они застали в офисе. Бизнесмен заметно побледнел, когда увидел фотографию.

— Вы поймали убийцу? И колье нашлось у него?

— К сожалению, нет, — ответил Антон. — И вообще, мы пока не уверены в том, что это то самое колье. Посмотрите внимательно.

Панкрашин смотрел долго, морщил лоб, видимо, пытаясь припомнить, потом кивнул.

— Кажется, это оно. Во всяком случае, очень похоже.

Но «кажется очень похоже» оперативников никак устроить не могло.

Татьяна и Светлана Дорожкины дали ответ вполне категоричный.

— Точно! Это оно! Значит, вы его нашли? — радостно спросила Светлана. — Значит, его не украли, когда тетю Женю... ну, когда ее убили?

И здесь тоже пришлось ограничиться некими туманными словами о том, что неизвестно, то колье или не то, может, просто похожее, но вот нашли фотографию и пытаемся уточнить внешний вид разыскиваемого изделия.

Почему-то Светлану их объяснения расстроили... Наверное, она действительно любила подругу матери и искренне хотела торжества правосудия.

По всему выходило, что обнаруженное в сейфе убитого ювелира колье было тем самым, которое Евгения Панкрашина взяла напрокат и которое собиралась вернуть. Значит, вернула. Но только не в рент-бутик, а ювелиру. И совершенно непонятно, зачем она соврала. Скрывала связь с ювелиром? От мужа и подруг? И эти отлучки во время визитов к подругам были связаны не только с поддержанием контактов с Вероникой Нитецкой, матерью Нины Панкрашиной, но и со свиданиями с ювелиром Курмышовым? Очень похоже. Надо разрабатывать эту линию.

В любом случае теперь стало окончательно понятно, что оба убийства как-то связаны друг с другом. Два дела слились в одно.

Какая злая насмешка судьбы: Лёню Курмышова убили, не дав ему дожить до дня рождения всего несколько дней. Если бы он был жив, то сегодня, 29 ноября, отмечал бы свой пятьдесят шестой день рождения. Ровно год назад он праздновал пятидесятипятилетие, праздновал пышно, шумно, собрал всех своих именитых заказчиков, а также коллег-ювелиров.

А сегодня... Предложение поступило от Олега Цыркова, что было для Сотникова весьма неожиданным. Олег позвонил утром и сказал, что хотел бы видеть вечером у себя в московской квартире Алексея Юрьевича и Илью Ефимовича, поскольку у Леонида Константиновича день рождения. И не то чтобы Сотников забыл, нет, просто отметил сам факт: сегодня 29 ноября, но ведь Лёни больше нет... Впрочем, какая разница? Да, первое поминовение погибшего друга придется не на день похорон, как бывает обычно, а на день рождения. Что ж, случается.

Олег встретил Сотникова весь в черном: черные джинсы, черный свитер. Илюша Горбатовский, как обычно, приехал первым и уже сидел за накрытым столом, тоже в трауре: черный костюм с черной сорочкой. Разговаривать не хотелось. Хотелось выпить.

И выпить крепко. Стол был поминальным: кутья, блины, кисель. И водка.

«В самый раз», — мрачно подумал Алексей Юрьевич.

Первые две рюмки выпили молча. Когда официант (даже здесь Олег не счел нужным обойтись без понтов!) налил по третьей, Илья Ефимович тяжело поднялся со стула. Он говорил неторопливо и долго, Олег слушал внимательно, а Сотников не слушал вовсе: ему неинтересно было, что скажет Илья в эту минуту о Курмышове. Куда важнее, что он думает на самом деле. А этого в поминальном тосте не услышишь. Неужели у него лопнуло терпение? Или Лёнька повел себя как-то особенно вызывающе по отношению к Карине, и Илюша заступился за дочь?

А может, все-таки Олег?

Олег, такой целеустремленный и энергичный, так любящий получать новые знания, вовсе не похожий на убийцу... И он всегда нравился Сотникову, еще с того времени, когда пришел заказывать прощальный подарок для женщины, с которой собирался расстаться. Да-да, это был именно он, Олег Цырков. И идею распадающегося браслета с противопоставлением рубина и алмаза он понял мгновенно, подхватил, даже не дослушав объяснения ювелира до конца, чем расположил Алексея Юрьевича к себе сразу и навсегда. Впоследствии выяснилось, что Олег обладает природным, никем не воспитанным качеством: чутьем на красоту и элегантность.

У него было два высших образования, ни одно из которых не было искусствоведческим, он бизнесмен до мозга костей, интересующийся в первую очередь тем, сколько «это» стоит и почему именно столько, а не меньше или больше, он вырос в семье крупного партийного функционера, который при первой же возможности в начале девяностых удачно и много украл, сколотил изрядный капитал и передал сыну, а сын, в свою очередь, этот капитал взрастил и приумножил. Одним словом, Олег Цырков олицетворял собой все то, что так не любил и не принимал потомственный ювелир Алексей Юрьевич Сотников Четвертый. Но Олег был одним из немногих, кто без всяких объяснений понимал, почему бокал Фаберже — это шедевр. И одним этим Цырков прочно завоевал расположение Сотникова. Спустя некоторое время Олег Цырков был удостоен приглашения на ювелирные посиделки, где Сотников познакомил его с Горбатовским и Курмышовым. Игра Олегу понравилась, ему было очень интересно, он активно и азартно включился, изо всех сил пытался угадать скрытый смысл, заложенный в изделия, но, поскольку ни гуманитарными, ни историческими знаниями в должном объеме не обладал, угадать ему не удалось ни разу. Он постоянно проигрывал, но никогда не расстраивался из-за этого, жадно слушал объяснения, впитывал новую информацию и радовался, как ребенок, тому, что удалось еще что-то узнать, еще что-то понять... Он не хотел быть, по его собственному выражению, тупым попкой, он стремился разбираться в том, что радовало его глаз и грело душу — в ювелирном антиквариате. Олег Цырков был коллекционером. И еще он был человеком, который совершенно, до дрожи во всем теле, до зубовного скрежета, даже, наверное, до припадка не мог терпеть чувства, что его обманули. Не переносил осознания того, что его «сделали как лоха педального». Он готов был скорее застрелиться, чем жить с этим чувством. Такое вот странное, искореженное самолюбие.

Наверное, именно поэтому он так и не женился к своим сорока двум годам. Высоченный красавец, невероятно богатый человек, он был вожделенным лакомым куском для великого множества девушек и дам, но предпочитал свободные отношения и никому из своих подруг не позволял приезжать к себе в загородный дом. Там хранилась коллекция. И посторонним, не понимающим и не ценящим красоту ювелирных изделий, путь туда был заказан. Для встреч с нужными людьми существует офис Цыркова, а также рестораны и клубы, а для встреч с женщинами отлично подходят президентские номера дорогих отелей.

Вот таким был Олег Цырков. Богатым. Независимым. Странноватым. И немного сумасшедшим, как почти все коллекционеры.

Мог он убить Лёню?

А бог его знает...

Но убивать было за что.

Сейчас конец ноября, а девять месяцев назад, в феврале, Олегу Цыркову предложили приобрести ювелирное изделие восемнадцатого века. Разумеется, Олег первым делом бросился к Сотникову, но Алексей Юрьевич в этот момент был в отъезде, на ювелирном салоне, который проводится каждый год в феврале в Мюнхене. Подлинность вещи необходимо было установить срочно, продавец торопил, и Олег обратился к Курмышову, который внимательно осмотрел изделие — это была миниатюрная табакерка — и уверенно подтвердил: вещица подлинная. Олег выложил за нее большие деньги и радовался новому приобретению, такому изящному и выразительному.

Вскоре после того как Сотников вернулся из Мюнхена, Олег пригласил его к себе в загородный дом, чтобы похвастаться новинкой коллекции. Алексею Юрьевичу хватило десяти минут, чтобы вынести свой вердикт: он знал руку этого мастера и знал, куда смотреть и что искать. Вещь была поддельной, никаких сомнений.

— Кто тебе это продал? — спросил он, убирая в футляр старинную ювелирную лупу.

— Куземцев, — растерянно ответил Цырков. — А что? Что-то не так?

— Ну, Олег! — огорченно воскликнул тогда Сотников. — Ну как так можно? Почему ты приобретаешь вещи у людей с сомнительной репутацией? Почему ты не проконсультировался?

— Но вас же не было...

— Хорошо, меня не было — сходил бы к Курмышову, он не хуже меня разбирается. С Куземцевым вообще нельзя иметь дело, у него очень плохая репутация, за ним известна пара-тройка случаев недобросовестной продажи. Даже если он сам не знал, что это подделка, а выступал только в качестве посредника, то круг его общения... В общем, далек от идеала. В этом круге крайне нечистоплотные люди. Ну как же так, Олег?

— Но... — Цырков потерял дар речи. — Но я ходил к Леониду Константиновичу, показывал табакерку.

— И?..

— Он сказал, что это подлинник.

Сотников ушам своим не поверил. Лёня не мог этого сказать! Не мог! Или у него действительно настолько упало зрение после инсульта, что он не увидел... А лупа? И даже с лупой не увидел... Все молодится, все хочет казаться здоровым и полным сил, от всех скрывает свой недуг и его последствия.

— А ты говорил ему, кто продавец?

— Да, Леонид Константинович спросил, и я сказал.

— И он не предупредил тебя, что с Куземцевым связываться опасно? Или предупредил, но ты не послушал его? И потом, ты же бизнесмен, Олег, ты должен прекрасно знать, что это значит, когда продавец торопит.

Олег молчал, бледный и злой, в глазах пылала ненависть.

— Я все понял, — процедил он сквозь зубы. — Они меня вдвоем сделали, как лоха. Леонид Константинович сговорился с Куземцевым, потребовал с него откат за то, что подтвердит подлинность изделия. Вот как все было. Ну, негодяй! Я его убью!

Сотникову стоило большого труда успокоить Олега.

— Да погоди ты, не горячись, Лёня честный человек, я его с детства знаю, он абсолютно порядочен, я за него ручаюсь, — уговаривал Алексей Юрьевич, сам не понимая, верит он собственным словам или нет. — И потом, ни один уважающий себя эксперт на такое не пойдет, потому что, если правда вылезет наружу, это будет означать полный крах его репутации как эксперта. Лёня же не враг себе, он все это прекрасно знает. Это просто недоразумение. Лёня живой человек и мог ошибиться, как и любой из нас. Он мог не увидеть, ты же знаешь, что у него проблемы со зрением, он именно поэтому перестал работать сам и открыл фирму, которой руководит и контролирует работу других мастеров.

Но Олег упорствовал в своих подозрениях.

— Нет, — твердил он. — Я не верю вам, вы его выгораживаете, потому что он ваш друг, а может, он и с вами поделился?

Ну, это было уже чересчур. Голос Сотникова стал ледяным.

— Если ты подозреваешь Лёню, — медленно проговорил он, — значит, ты подозреваешь и меня, ты мне не доверяешь, и в этом случае я буду считать наши отношения законченными. Видеть тебя больше не желаю. Я ухожу, и больше мы никогда с тобой не встретимся.

Олег испугался, обществом Сотникова и его друзей он дорожил, ценил их знания и те уроки, которые они ему преподносили. И он сдал назад и заявил, что ни в чем никого больше не обвиняет. Во всяком случае, Цырков из этой ситуации вынес убеждение, что Сотников-то, конечно, ни при чем, а Курмышов тем или иным путем поучаствовал в обмане. Он пытался выяснить отношения с Курмышовым, но тот ни в чем не признался и от всего отпирался, а доказательств не было.

И Олег затаил обиду и подозрительность. Он не стал больше ничего выяснять и вообще вспоминать эту историю, внешне вел себя прилично, потому что дорожил обществом ювелиров. Цырков понимал, что если будет задевать Леонида, то его просто-напросто исключат из компании, и ювелирные посиделки снова, как и много лет, будут проходить где угодно, только не в квартире медиамагната.

Но от Алексея Юрьевича не укрылись взгляды, злые и выразительные, которые Олег то и дело бросал на Лёнечку. Не забыл. Не простил. Не поверил.

Так все-таки кто же, Илья или Олег? Кто из них двоих вынес приговор Курмышову?

Глава 10

Н а этот раз руководство проявило удивительную оперативность, и уже на следующий день дела об убийствах Евгении Панкрашиной и Леонида Курмышова оказались объединены в производстве у следователя Рыженко. Первым вопросом, который Надежда Игоревна поставила перед оперативниками, стал вопрос о знакомстве обоих потерпевших. Антон и Дзюба еще накануне этим озаботились, и к середине дня пятницы, 30 ноября, разочарованно доложили: никаких свидетельств того, что Панкрашина и Курмышов были знакомы или вообще хоть как-то связаны, не нашлось. Проверкой телефонных контактов занимались оперативники с той территории, где был обнаружен труп Курмышова, а Дзюба со Сташисом опрашивали людей.

И ничего. Полная пустота. Но если Панкрашина никак не была связана с ювелиром Курмышовым, то колье из его сейфа ни при каких условиях не могло к ней попасть. А если и попало, то не могло быть возвращено: все время, начиная с окончания приема поздним вечером 20 ноября и до момента убийства утром 21 ноября, было восстановлено буквально по минутам, и места для встречи с ювелиром в этом расписании просто не было.

И тут Роман выдал очередную фантазию:

— Значит, на Панкрашиной вообще было не это колье.

— Не это? — удивился Антон. — А какое? Описание же совпадает, и Дорожкины его уверенно опознали по фотографии.

— Не это, — упрямо повторил Роман. — Точно такое же! Помнишь, нам вчера Борис Соломонович рассказывал, что воруют восковки оригинальных моделей, и эскизы воруют у признанных художников-ювелиров, и идеи. Может, кто-то украл восковки у Курмышова и сделал точно такое же колье?

Антон озадаченно покачал головой. И что только в голову не придет этому парнишке!

— Ну и кто мог украсть? — скептически осведомился он.

— Да кто угодно! — Ярко-голубые глаза Дзюбы горели воодушевлением. — Курмышов же сам только эскиз делал, помнишь, Надир нам вчера сказал, что он после инсульта не мог работать руками, тонкие работы не мог выполнять, поэтому он сделал только эскиз, а все остальное делали на фирме. А фирма у него — двадцать человек! И каждый имел доступ к изделию, и любой из них мог украсть идею, сделать копию эскиза, сделать вторую восковку, да что угодно... А может, Курмышов вообще сделал два колье. Одно у него в сейфе так и лежит, а второе каким-то образом попало к Панкрашиной и было похищено при убийстве. Ведь может же такое быть? Почему нет?

— Ладно, — вздохнул Антон. — Поехали на фирму.

Может, и правда, не такая уж бредовая эта новая Ромкина идея...

На фирме «Софико» их встретили неласково.

— Да что ж это такое! — возмущался невысокий подвижный человечек с морщинистым лицом, представившийся Глинкиным, старшим технологом. — Ваши сотрудники уже приходили позавчера, всю душу из меня вынули, времени столько отняли, а зачем? Ведь ясно же, что Леонида Константиновича никто из нас не убивал.

— А вас никто и не подозревает ни в чем, — заметил Антон.

— Да? — недоверчиво прищурился Глинкин. — А почему тогда приехали вы, а не те мальчики, которые позавчера были?

— А потому, что у нас другие вопросы, — объяснил Антон. — Мы бы хотели поговорить насчет колье, которое Леонид Константинович делал здесь.

— Вот и видно, что ничего вы не понимаете! — возмущенно фыркнул старший технолог. — Вам же ясно объяснили еще в тот раз: Леонид Константинович сделал только эскиз, он придумал изделие и отрисовал его. А не делал. Делали мы, то есть наши мастера.

— Ну, хорошо, — примирительно улыбнулся Антон, — делали ваши мастера. Так с кем нам лучше поговорить об этой работе?

— Лучше всего с начальником производства, пойдемте, я вас к нему провожу, он сейчас в цеху, у огранщиков. Два дня с давлением провалялся, когда узнал про Леонида Константиновича, а сегодня, слава богу, вышел.

Начальник производства Ваган Амаякович Араратян выглядел не вполне здоровым, но выказал полную готовность ответить на любые вопросы.

— Господи, лишь бы делу помогло, — вздохнул он. — Вот беда-то с Курмышовым...

Антон уступил поле битвы Дзюбе: в конце концов, это его идея, пусть парень задает те вопросы, какие считает нужным. Если что — он, Антон, рядом, подстрахует, поможет.

Араратян идею об изготовлении двух одинаковых колье отверг сразу.

— Да, это именно оно, — кивнул он, взглянув на фотографию. — Это называется не колье, а ожерелье-нагрудник. Но любой человек, который хоть что-то понимает в ювелирном деле, скажет вам сразу: сделать два таких изделия одновременно невозможно. Во всяком случае, не может быть, чтобы его сделали здесь, у нас.

— Давайте начнем с отчетности, — предложил Дзюба. — Если там все сойдется, то вы мне объясните, почему невозможно сделать по одному эскизу два одинаковых изделия.

— Давайте, — согласился Ваган Амаякович. — Пойдемте к нашей Нонне, она в компьютере ведет полный учет всех материалов и работ. У нас ведь отчетность такая же ювелирная, как и производство: все до мелочей учитывается, до микрона, до миллиграмма.

Нонна, молодая и очень симпатичная темноволосая женщина, оказавшаяся внучкой того самого старшего технолога Глинкина, быстро нашла в компьютере все сведения о колье, сделанном по эскизу шефа.

— Вот, я могу вам зачитать все параметры изделия, хотите? — предложила она.

Дзюба, естественно, захотел. Нонна начала зачитывать данные, глядя на экран, и уже через полминуты у оперативников голова пошла кругом.

— Нет, простите, — остановил ее Антон. — Мы не профессионалы, нам трудно так воспринимать.

А можно кого-нибудь попросить сделать описание изделия с точным указанием всех параметров, но... человеческим языком, что ли? Нам ведь и самим понять надо, и следователю пересказать.

— Да я сделаю, — улыбнулась Нонна. — Вы пока занимайтесь чем вам надо, а я напишу и распечатаю.

— Когда? — нетерпеливо спросил Роман.

— Минут двадцать дадите?

Оперативники отошли от девушки и вновь принялись за Араратяна, который рассказал, что работы по изготовлению колье, которое на самом деле оказалось ожерельем-нагрудником, велись из давальческого сырья по так называемому давальческому договору, потому что камни Леонид Константинович подбирал сам и дизайн тоже делал сам, принес камни и эскизы на фирму и сдал по договору на изготовление изделия из сырья заказчика.

— Вы поймите, — говорил начальник производства, — сделать точно такое же ожерелье практически невозможно, потому что подбор камней уникален. Леонид Константинович подбирал камни для этого изделия почти полтора года, на все выставки ездил, даже за границу.

— Почему? — требовательно спросил Дзюба. — Что здесь уникального?

— Вот Нонна сделает вам описание, вы почитаете и все поймете. По замыслу Леонида Константиновича, ожерелье должно было изображать восход солнца над морем. То есть нужно было подобрать камни, которые могли бы передавать игру цвета морской воды, когда на нее падают лучи восходящего солнца. В общем, поверьте мне, это невероятно трудная и долгая работа — подобрать нужное количество камней по качеству, цвету и размеру. А после того как камни подобрали, начинается сама работа: восковки, мастер-модель, литье, сборка. Все это тоже требует времени, и немалого. Так что если вы, молодые люди, намекаете на то, что кто-то из наших мастеров украл дизайн, то есть либо сделал копию эскизов, либо скопировал восковки, то тут вы сильно ошибаетесь.

— Что, вы так уверены в честности ваших сотрудников? — бестактно спросил Дзюба, чем заслужил неодобрительный взгляд Антона и немедленно залился краской.

— Да нет, юноша, — вздохнул Араратян. — Я уже слишком давно живу на свете, чтобы головой поручиться за чью-то честность, кроме своей собственной. Но я знаю точно, что сделать второе такое ожерелье быстро невозможно. Леонид Константинович принес камни и эскизы в мае этого года. Даже если кто-то что-то скопировал или украл, невозможно за такое короткое время подобрать нужные камни в потребном количестве, а потом еще и изделие изготовить. Нет, нет и нет. Чудес не бывает, молодые люди. И потом, сам процесс работы над этим ожерельем полностью исключал возможность что бы то ни было украсть.

И Ваган Амаякович пояснил, что ожерелье собиралось именно вручную, не сдавалось в литье сторонней фирме, звено за звеном лили и собирали непосредственно на предприятии «Софико». Мастер-модель звеньев и все остальные работы делали под неусыпным контролем Курмышова. И собирали по звеньям, поэтому что это такое и как выглядит в окончательном варианте, узнали только тогда, когда собрали изделие полностью. Основной эскиз Леонид Константинович никому не показывал, держал в секрете, доступны мастерам были только эскизы отдельных деталей. И только после того, как два мастера собрали за несколько дней и соединили между собой звенья, стало хотя бы приблизительно понятно, что, собственно говоря, они делали. Леонид Константинович сразу же унес ожерелье и положил к себе в сейф. В инспекцию Пробирного надзора носил изделие сам, когда оно было еще без камней. То есть ни у кого не было возможности ни сфотографировать готовое изделие, ни скопировать эскиз.

Более того, — продолжал начальник производства. — В ожерелье стоит центральный камень — тридцатикаратный рубин, изображающий солнце. А камни в тридцать карат практически никогда не бывают идентичными, это природный феномен, и двух камней в тридцать карат одинакового цвета не бывает в принципе, но ведь есть еще особенности огранки, которые тоже влияют на цвет. Так что нет и еще раз нет: ожерелье существует в единственном экземпляре, во всяком случае на сегодняшний день.

— Ну, хорошо, — не сдавался Дзюба. — Настоящие камни найти трудно за такой короткий срок, вы меня убедили. А бижутерия? Можно было сделать точно такое же ожерелье, только из стекляшек?

Ваган Амаякович отрицательно покачал головой.

— Только с ведома Курмышова. Никак иначе. Я же вам русским языком толкую: он даже основной эскиз от всех прятал. И готовое изделие спрятал в сейф. Здесь, на производстве, глаз с него не спускал. Если шефа не было на работе, то даже из бункера нельзя было взять материал и работать. Только в его присутствии и под его надзором.

Дзюба был так расстроен, что на него жалко было смотреть. Нонна принесла распечатанное описание изделия, и Роман с Антоном принялись его читать:

«Ожерелье-нагрудник. Состоит из калиброванных сапфиров, рубинов, раухтопазов, голубых топазов и мелких бриллиантов, в золотой оправе. Цепь веревочного плетения состоит из 20 золотых звеньев 750-й пробы — вес 50 г; вставки на цепи — сапфиры, рубины и бриллианты, по 120 штук — 3,60 карат каждой группы камней. Звенья скреплены между собой золотыми кольцами. Центральный камень — это 30,0-каратный рубин, круглой огранки (КР-57). Само ожерелье состоит из нескольких частей: центральный камень находится в верхней части ожерелья по центру, в ложбине между смыкающимися горами, форма гор — два удлиненных треугольника, состоящих из мелких раухтопазов, светло-коричневого цвета, в количестве 184 штуки — 21,0 карат. Затем идут семь расположенных параллельно горизонтальных звеньев, символизирующих море и состоящих из темных сапфиров (450 штук, 42,0 карата), бриллиантов (260 штук, 7,8 карата), рубинов (375 штук, 39,0 карат), светло-синих сапфиров (210 штук, 23,0 карат), бриллиантов (135 штук, 4,0 карат), рубинов (66 штук, 7,0 карат), голубых топазов (88 штук, 9,0 карат). Размер изделия 168 на 102 миллиметра, вес золота 138 граммов 750-й пробы, все звенья ожерелья подвижные. Оценочная стоимость изделия 4,2 млн рублей».

— Ё-моё, — протянул шепотом Роман. — Сколько чисел-то! Застрелиться легче! И твой Борис Соломонович все это вчера на глазок прикинул и в уме просчитал? Немыслимо! И ведь не ошибся, назвал стоимость от трех до пяти лимонов, значит, и с камнями, и с золотом не просчитался.

— Я ж тебе говорил: он такой профессионал, каких теперь не бывает, — таким же шепотом ответил Антон и уже нормальным голосом спросил: — Нонна, а вот тут два раза указаны бриллианты и два раза рубины, это почему?

— Потому что это две разные группы камней, отличающиеся качеством. Цвет-то нужен был разный, — пояснила девушка.

— Вы не понимаете, — вмешался Араратян. — Вы, как и все дилетанты, считаете, что каждый камень имеет только один цвет. Если рубин, то красный, если аметист, то фиолетовый, если бриллиант, то белый. А это не так. Цвета и оттенки имеют широчайший спектр. Да только один белый цвет у бриллианта имеет несколько разновидностей! А уж о количестве вариантов красного цвета у рубина и говорить не приходится. Камень для солнца искали очень долго, он должен был быть вполне определенного цвета и достаточно крупный, а потом к нему нужно было подобрать камни для отблесков и полос на воде, и они должны были быть соответствующего цвета с постепенно ослабевающим тоном. Вот на это у Леонида Константиновича и ушло больше года. Так что второго именно такого ожерелья совершенно точно пока нет, даже если и нашелся кто-то, кто продал восковки или рисунок, то до появления изделия в реальной жизни пройдет еще очень много времени, — повторил он.

Ну что ж, настало время задать следующие вопросы: не могли ли у кого-то быть личные мотивы для убийства Леонида Курмышова? Может быть, его смерть не связана с убийством Евгении Панкрашиной, и все это не более чем совпадение? Конечно, совпадение очень уж странное, если не забывать про таинственное ожерелье, пропавшее у Панкрашиной и вообще неизвестно откуда появившееся, но... Чего в этой жизни не бывает?

— Ну, об этом лучше спросить у Алексея Юрьевича Сотникова, они давние друзья, — покачал головой начальник производства. — Если в жизни Леонида

308

Константиновича и есть что-то эдакое, вернее, было, то Сотников обязательно об этом знает. Леонид Константинович учился у отца Сотникова, пришел к нему еще мальчишкой, вот с тех пор они и дружат. Так что если Сотников не знает, то либо не знает никто, либо ничего не было.

Значит, Сотников. Тот самый ювелир, которого следователь приглашал на опознание Курмышова и который стал первым свидетелем, допрошенным по делу об убийстве.

— А еще кто?

— Ну, еще Илья Ефимович Горбатовский, они, правда, не так много лет дружны были, как с Сотниковым, но тоже довольно близкие приятели. Во всяком случае, у нас на фирме по «давалкам» для Ильи Ефимовича часто работы выполняют.

— По «давалкам»? — переспросил Антон, нахмурившись.

— Ну, это наш жаргон, — улыбнулся Араратян. — По давальческим договорам, так они называются. Илья Ефимович частный мастер, у него своя мастерская, в которой он работает один, с парой помощников на мелких работах, и на литье нам отдает.

Всю обратную дорогу Дзюба угрюмо молчал.

— Рома, ты не расстраивайся, — утешал его Антон.

— Да ну. — Рыжий оперативник безнадежно махнул рукой. — Опять получается, что я туфту придумал, только время зря потеряли.

— Вот это ты напрасно. Мы узнали массу полезного. Во-первых, мы теперь точно знаем, как выглядело ожерелье, и у нас есть его профессиональное описание. Даже если ты окажешься прав и на Панкрашиной было не это ожерелье, а копия или бижутерия, все равно мы знаем, что ищем и о чем вообще речь идет. Во-вторых, в нашем деле отрицательный результат — тоже результат. Одной версией меньше, значит, больше сил можно направить на другие версии. И потом, когда бы ты еще увидел, как гранят алмазы? А тут нам с тобой столько интересного удалось увидеть: и огранщиков, и закрепщиков, и приборчики всякие, и про родирование нам рассказали. Знаешь, у меня в голове почему-то картинки такие были, как из старых фильмов. Помнишь, был такой фильм «Сверстницы»? Ну, там три подружки, одна в медицинском учится, другая в театральном, а третья на часовом заводе работает. Так вот, там этот часовой показывали, все такие чистенькие, в беленьких халатиках и в косынках, ну прямо как в операционной. Вот я и думал, что ювелиры так же работают. А тут обычное производство, никаких белых халатов, никакой стерильности. Зато специальные приспособления у тех, кто работает с металлом, чтобы металлическая пыль не разлеталась, а собиралась на поверхности, и ее потом снимают, чтобы ни один миллиграмм золота не пропал. Ведь интересно же!

— Интересно, — грустно согласился Роман. — Только делу не помогло.

— Ну, Ромка, ты сам себе противоречишь, — заметил Сташис. — Что ты Кузьмичу говорил, когда просил разрешить тебе собрать сведения о конфликтах среди геймеров? Что, даже если сейчас не пригодится, может пригодиться когда-нибудь потом, в другом расследовании.

Уж что-что, а утешать Антон, отец двоих маленьких детей, умел мастерски. Когда они входили в кабинет следователя Рыженко, настроение у Дзюбы было вполне боевым.

— Сотников... — задумчиво повторила Надежда Игоревна, выслушав доклад оперативников. — Его уже допрашивал Разумов. И что-то мне подсказывает, что этот Сотников из тех людей, которые начнут страшно злиться, если их вызвать еще раз и начать задавать все те же вопросы. А когда свидетель злится, то он плохой свидетель. — Она полистала материалы дела, сложенные в папку, нашла протокол допроса Сотникова, пробежала глазами. — Да, вопросы придется задавать те же самые: были ли у Курмышова враги. Только вы уж давайте, ребятки, сами к нему поезжайте и проявите максимум вежливости и интеллигентности. Кто там у нас второй задушевный друг убитого?

— Горбатовский, — подсказал Дзюба.

— Ага, и его Разумов успел допросить, и даже его дочку... Ладно, Горбатовского я вызову и сама допрошу, а вы дуйте к Сотникову и покажите человеку, что вы к нему со всем уваженьицем.

Полдороги оперативники проехали в молчании, Антон думал о том, как решить вопрос с няней, Дзюба, как обычно, гулял по Интернету.

— Что там с убийством Гены? — спросил Сташис. — Есть новости?

— Есть, — вздохнул Роман. — Судебно-химическое исследование показало, что Генку отравили тиофосом. Место от укола нашли. Представляешь, прямо через куртку и свитер кололи. Наверное, игла здоровенная была...

— Тиофос? — переспросил Антон. — Это что за хрень? Я про такую не слышал никогда.

— Это ядохимикат, который выпускали в пятидесятых-шестидесятых годах для использования в сельском хозяйстве, а также на личных участках, огородах и в садах для борьбы с вредителями. Жутко токсичный. Говорят, один дядька только пробку от бутылки с этой дрянью языком лизнул — и помер. Короче, где-то с конца шестидесятых годов его выпускать перестали, а до этого он был в свободной продаже, покупай — не хочу.

— И чего? — не понял Сташис. — Это ж сколько лет-то с тех пор прошло! Он, небось, весь выдохся уже раз сто и стал совершенно безвредным.

— Вот и нет, — возразил Дзюба. — Он очень стойкий к внешней среде и в неразведенном виде может храниться неограниченно долго. Кто-то, видать, купил давным-давно и забыл, а теперь вот нашли...

— И кто нашел?

— Ну кто-кто... Рабочие, которые там старые постройки сносят и новые возводят. В общем, Антоха, геймеры мои горят синим пламенем. Уже проверили всех рабочих, которые живут в той общаге, выявили тех, кто трудится на загородных объектах, там сейчас обыски проводят. Общагу уже всю прошмонали сверху донизу, не нашли пока ничего, но следак надеется, что убийца оставил тиофос там же, где и нашел. Вот где найдут, там, стало быть, преступник и работает. А дальше дело техники. Следак готов уже джигу плясать на костях того работяги, который... — Он расстроенно махнул рукой. — Опять я лажанулся.

— Погоди, Кузьмич вроде говорил, что проверяют рабочих, которые сразу после убийства по домам разъехались. Что, их побоку? Теперь проверяют тех, кто на загородных объектах вкалывает?

— И тех, и других, — уныло поведал Роман. — Но, вообще-то, зря они так распыляются, группы не пересекаются.

— То есть?

— Я хочу сказать, что те, кто уехал, и те, кто работает за городом, это две совершенно разные группы людей. Ни одного совпадения. Конечно, если бы оказалось, что из уехавших хотя бы один работал на загородной стройке, в него бы уже вцепились мертвой хваткой. В общем, Антоха, не знаю я ничего! Не понимаю. Наверное, я действительно тупой.

— Угу, — хмыкнул Антон, подруливая к симпатичному двухэтажному зданию в конце переулка. — А следователь твой острый до полной невозможности. Ладно, сосредоточься, пойдем ювелира окучивать.

Звонок оперативников застал Алексея Юрьевича в одном из выставочных залов Академии художеств на Пречистенке. Он не совсем понимал, о чем еще ему нужно разговаривать с представителями доблестных органов, поэтому решил зря время не тратить. Он голоден, а поблизости есть весьма приятное заведение с грузинской кухней, поклонником которой Сотников был уже много лет.

Назвав оперативнику, представившемуся Антоном Сташисом, адрес в Сеченовском переулке, Алексей Юрьевич не спеша закончил осмотр коллекции, ради которой приехал сегодня в выставочный зал, и отправился в любимое кафе. Конечно, не все здесь радовало его придирчивый взгляд, например, сочетание темно-зеленых скатертей с сочно-красными салфетками казалось ему грубоватым, но зато резные высокие спинки стульев выглядели достаточно изящно. И еще Сотникову нравилось, что в одном зале стены отделаны деревом, в другом — декорированы камнем, и всегда можно занять место в соответствии с настроением: деревянные стены источали мягкое тепло, позволяющее расслабиться и успокоиться, а рядом с каменным узором Алексей Юрьевич словно набирался сил, энергии и решимости. Но главным, конечно, была именно кухня.

Он успел съесть сациви и лобио, когда в зале появились двое. Почему-то Сотников ни на секунду не усомнился: это они, полицейские. Хотя вроде и не похожи, один — молодой рыжеволосый качок, второй — высокий красивый парень с тонким лицом. Да, каждый в отдельности действительно не похож на оперативника, а вот то, что они вместе, сразу выдает их принадлежность к одной профессиональной группе. Ибо в обычной жизни между этими молодыми людьми не могло бы быть ничего общего.

Интересно, о чем они будут спрашивать? Вроде следователь, который допрашивал его после опознания, обо всем уже спросил. Да, спросил-то он обо всем, но обо всем ли рассказал ему Алексей Юрьевич? Во время вчерашних посиделок по случаю Лёнечкиного дня рождения посетила его странная мысль: да, о мертвых — или хорошо, или ничего, но так ли уж это правильно? Позавчера, в среду, его спрашивали о Лёне, и он отвечал так, как считал нужным. Мертвый Лёня лежал буквально за стеной, в десятке метров от кабинета, где с Сотниковым беседовал следователь, и казалось немыслимым рассказывать о старом друге всю правду. Правду о его слабостях. Правду о его пороках. О его характере. О его отношении к жизни. И Сотников сказал только то, что и так было всем известно: Леонид был знаком с широким кругом представителей шоу-бизнеса и мира искусства, активно ухаживал за женщинами и много лет поддерживал отношения с Кариной Горбатовской. Вроде бы ничего плохого о Лёне он не сказал.

А вот вчера, слушая Илюшу, произносящего долгую прочувствованную речь в память о Лёне, Алексей Юрьевич вдруг подумал о том, что если рассказывать следствию про погибшего только хорошее, как того требует христианская мораль, то ведь убийца может остаться безнаказанным...

Сегодня он готов был рассказать всё. Ну, почти всё.

Поэтому предложив оперативникам на правах гостеприимного хозяина заказать что-нибудь из фирменных блюд и напитков, он приготовился отвечать на вопросы.

Как и следовало ожидать, первым был вопрос о конфликтах и врагах. И он рассказал об Олеге Цыркове. Рассказал все, как было.

И об Илюше Горбатовском тоже рассказал.

И о Карине. О том, как Курмышов ей изменял.

— Значит, вы знали, что у вашего друга были любовницы. Вы были с ними знакомы?

— Я хорошо знал только Каринку, она практически выросла на моих глазах, а других любовниц Курмышова когда знал, а когда и нет. Лёня знакомил меня с ними, если представлялся случай, но мог и не познакомить, особенно если понимал, что связь случайная и кратковременная.

— А в последнее время у Курмышова появилась новая любовница? И вообще, кто у него был в последнее время, кроме Карины Горбатовской?

— Точно не знаю, — признался Сотников. — Но, вероятнее всего, кто-то был, потому что Лёня не мог долго оставаться только с Кариной, ему нужен был адреналин, новые ощущения, новые впечатления. Он панически боялся старения, особенно после микроинсульта, гнал от себя мысли о том, что немолод и нездоров, и всячески развлекался в этом направлении.

— А как отец Карины относился к такому поведению? Или он не знал о похождениях вашего друга?

— Знал, — Сотников насмешливо посмотрел прямо в глаза рыжеволосому оперативнику. — Прекрасно знал. И относился к этому плохо.

И о самом Леониде Алексей Юрьевич тоже рассказал то, чего не говорил на первом допросе.

— Лёня любил общество, — говорил Сотников, — принимал все приглашения, а их было ох как немало! Он буквально купался в статусе лица, приближенного к звездам, для него это было очень важно. Видите ли, мой друг был весьма тщеславен. Это не значило, что я его меньше любил, я принимал его таким, каков он был, но недостатки отчетливо видел.

— Леонид Константинович был хорошим ювелиром? — спросил рыжий качок. — Или просто модным?

Вопрос Сотникову понравился. Этот мальчик понимает разницу между тем, что модно, и тем, что действительно хорошо. Странная парочка. Рыжий спрашивает, а второй, с тонким интеллигентным лицом, больше молчит, только пометочки какие-то в блокноте делает.

— Для Лёни ювелирное искусство — это не мир прекрасного, — ответил он. — Он вообще от искусства как такового был весьма далек. Он занимался ювелирным делом, которое для него было просто ремеслом, доходным ремеслом, способом заработать и оказаться на одной орбите с известными и влиятельными людьми. И в этом всегда было принципиальное различие между нами. Для меня главное — создать изделие, Изделие с большой буквы, произведение искусства, в которое вложен глубокий смысл, уникальное, неповторимое, предназначенное для конкретного человека и конкретного случая. А Лёня этого не умл и не считал нужным уметь. Лёня не был творцом. Все, что он придумывал сам, было, мягко говоря, примитивным и пошловатым, у него отсутствовал природный вкус и то, что нынче именуют креативом. Но он был поистине гениальным исполнителем, мастером, его руки могли творить такие чудеса, которые неподвластны практически ни одному ювелиру, которого я когда-либо знал. Лёня был гением тонкой работы.

И тут второй оперативник, тот, что все время молчал, достал из конверта фотографию. Сотников бросил презрительный взгляд на слишком кичливое, по его мнению, ожерелье.

— И что это?

— А это мы хотели у вас спросить, — заметил молчаливый сыщик. — Вы сами-то не знаете, что это?

— Это ювелирное изделие, — насмешливо ответил Алексей Юрьевич. — Называется ожерелье-нагрудник. Что еще вас интересует?

— Вы когда-нибудь раньше его видели?

— Нет. Никогда не видел. А должен был?

— Это изделие находилось в сейфе Леонида Константиновича Курмышова.

Ну, все понятно. Вполне Лёнькин вкус.

— Возможно, — пожал плечами Сотников. — И что из этого следует?

— То есть вы не знали о том, что ваш друг делает это украшение?

— Нет, не знал. А что в нем особенного? Кроме размера и цены, конечно, — уточнил ювелир. — Судя по количеству камней, оно весьма недешевое. Кто-то заказал, Лёня сделал. Он же все-таки ювелир, а не сантехник, он и должен делать подобные вещи.

— Видите ли, Алексей Юрьевич, нам сказали, что для этого изделия Курмышов почти полтора года искал и подбирал камни. Неужели вы могли об этом не знать?

— Вполне мог. Мы действительно дружили с Лёней с самого детства, но это не значит, что мы жили на глазах друг у друга и делились каждой повседневной мелочью. Это женщины так дружат. Мужская дружба все-таки несколько иначе выглядит. Например, я уже говорил вам, что со своими подругами Лёня меня редко знакомил.

— Да, конечно, — согласился рыженький. — Алексей Юрьевич, я понимаю, что следователь вас уже спрашивал об этом, но все-таки: что может означать рабочий пакет огранки алмаза, проткнутый насквозь нательным крестом? Не дает нам это покоя. Очень смахивает на ритуальное убийство, совершенное по личным мотивам. Убийца хотел что-то этим сказать. Что? Подумайте, пожалуйста. Мы ведь знаем, что профиль вашего Ювелирного Дома еще с девятнадцатого века — символика, изделия со скрытым смыслом, с посланиями. Может быть, вы сумеете разгадать и это послание?

И тут Сотников поймал взгляд, который бросил на рыженького молчаливый. В этом взгляде было и удивление, и одобрение, и восхищение. Ай да рыжик! Подготовился к встрече, молодец. А второй, судя по всему, ничего о Ювелирном Доме Сотниковых не знает.

— Хорошо, — улыбнулся он. — Подумаю. Сразу навскидку не скажу, но обещаю подумать. Если что-то придумаю — сразу позвоню, вы мне свои телефончики оставьте.

Рыженький и молчаливый достали из карманов визитные карточки и протянули ему. Сотников быстро пробежал глазами скромные надписи: Роман Дзюба, Антон Сташис и номера телефонов. Больше ничего — ни званий, ни должностей, только небольшой рисунок — щит с мечом, символика правоохранительной системы.

Он стал прятать карточки в бумажник, и пальцы вдруг одеревенели и перестали слушаться.

Кому убийца Лёни оставил послание? Полиции? Всему миру? Или конкретно ему, Алексею Сотникову?

Кто должен был, по замыслу преступника, разгадать скрытый смысл послания? Кто, если не Алексей Юрьевич Сотников Четвертый?

— Ну, ты даёшь, — восхищенно проговорил Антон, когда оперативники вышли из кафе. — Когда ты успел?

— Что успел?

— Да про Сотникова этого столько узнать.

— Сегодня. Пока мы сюда ехали.

— И откуда?

— Из Интернета, — равнодушно ответил Роман. — А Интернет — в телефоне. Там все есть. Надо только не лениться искать и не забывать это делать.

— Вот жук! Сидел, ковырялся в своем айфоне и мне ни слова не сказал, — возмутился Антон. — Ромка, так не поступают. Мы едем беседовать со свидетелем и должны быть одинаково информированы.

— Да я не успел просто! — начал оправдываться Дзюба. — Я порылся в Инете, нашел кое-что, только хотел тебе рассказать, а ты про Генку спросил, вот я и отвлекся. Как про Генку разговор заходит — у меня сразу все мозги отшибает, начинаю переживать. Не сердись.

— Ладно, — махнул рукой Антон. — Но в последний раз, договорились?

— Конечно, — благодарно выдохнул Роман и совершенно по-детски добавил: — Я больше так не буду.

Антон рассмеялся и хлопнул его по спине.

— Тебя куда подбросить?

— А ты сейчас сам куда едешь?

— В контору, мне с Кузьмичом надо перетереть по одному вопросу, он меня ждет.

— Можно мне с тобой?

— Зачем? Опять будешь Зарубину печень выклевывать?

— Опять, — твердо ответил Дзюба, глядя исподлобья. — Я знаю, что вы все надо мной смеетесь. Генка вообще меня Рыжим на манеже дразнил, говорил, что я клоун. Ну и смейтесь на здоровье. А я все равно буду пытаться докопаться.

— Ты по-прежнему так уверен, что работа по Генкиному делу идет в неправильном направлении? А как же твой тиофос, который, небось, только в старых сараях и можно было откопать? Это же прямое указание на гастарбайтеров.

— Да ни в чем я не уверен! — В голосе Дзюбы зазвучало отчаяние. — Но я знаю одно: нельзя отказываться от версии, пока она не до конца проверена.

— Ладно, поехали.

Вторая половина дня пятницы — не лучшее время для быстрой езды по московским улицам, поэтому не длинная, в общем-то, дорога от Пречистенки до Петровки заняла немало времени. Роман снова уткнулся в свой айфон и что-то увлеченно искал в Интернете.

— И что ты сейчас там выискиваешь? — поинтересовался Антон.

— Смотрю информацию на этого Олега Цыркова, про которого нам Сотников рассказал. Все-таки у него был конфликт с Курмышовым. Мало ли...

— Ну и чего нарыл?

— Да ничего, — сердито ответил Дзюба. — По-моему, дохлый номер. Он слишком богат и влиятелен, этот Цырков, чтобы убивать ювелира, который дал ему неправильные сведения. Чего он столько времени ждал-то? С февраля уж сколько месяцев прошло. Давно бы убил, если бы захотел. Возможностито у него ого-го какие! Любого киллера можно нанять, хоть самого лучшего из Америки выписать.

— И то правда, — согласился Антон. — Я бы еще заметил тебе, что человек с такими возможностями не станет мараться и убивать. Он вполне мог устроить Курмышову небо в алмазах и без всякого криминала. Задавил бы так, что тот дышал бы через раз, и то не каждый раз. А Сотников нам сказал, что Олег очень боялся вылететь из этого их самодельного ювелирного клуба, поэтому обиду засунул подальше и подозрений своих не выказывал больше. Вот представь: убивает он Курмышова, и оба оставшихся ювелира начинают в первую очередь его же и подозревать. То есть сто пудов из сообщества изгоняют. Ну и стоила ли овчинка выделки? Но Рыженко, конечно, мы доложим, пусть сама решает, как быть с Цырковым. Надо будет — поработаем его, не вопрос.

Едва завидев Романа Дзюбу, протиснувшегося в кабинет следом за Антоном, подполковник Зарубин сморщил лицо, словно незрелый лимон съел.

— Та-ак, — протянул он. — Заходите, гости дорогие. Начинайте из меня жилы тянуть. Что на этот раз?

Роман отважно выступил вперед:

— Сергей Кузьмич, я на минутку. Я только спросить хотел: что там в компьютере у Гены? Я к операм на территории подкатывался, но они ничего не рассказывают, говорят, Зарубин главный, у него и спрашивай, если сочтет нужным — скажет, а нас не трогай.

— Ну, в общем-то, правильно говорят, — кивнул Сергей. — В компе у твоего дружка много всего, все эти дни искали связь с убийством, но ничего не нашли. Ни на какие сайты он особо не ходил, только играл, даже новостями не интересовался. Ну, в интернет-магазинах иногда кой-чего заказывал. А больше ничего интересного.

— Понятно. — Дзюба понурился, подумал немного и снова вскинул голову. — Сергей Кузьмич, а Генкина машина где? Может?..

— Не может! — взорвался Зарубин. — Нашли мы машину, она стояла в укромном месте, во дворах, метрах в двухстах от общаги, где Гену нашли. Так что как ни крути, но приехал он туда сам, с какой-то целью. И уймись уже со своими геймерами, ты когда-нибудь геймера-гастарбайтера в Москве видел? Они все по общагам живут, по хостелам или вдесятером комнатуху снимают в коммуналке. А еще, если ты не знаешь, очень широко практикуется проживание в строительных вагончиках-бытовках, где, конечно, самое место навороченному компу и скоростному Интернету.

Дзюба пригорюнился, тихо попрощался и ушел, аккуратно притворив за собой дверь.

— Расстроился парень, — сочувственно заметил Зарубин. — Ничего, мы все молодыми были, у всех были ситуации, когда кажется, что точно знаешь, как правильно, а никто тебя не слушает и тебе не верит, и кажется, что все вокруг тупые идиоты. А потом, когда все заканчивается, оказывается, что ты был неправ и не понимал очевидного.

— Он переживает, — негромко заметил Антон. — Не в том дело, что он чувствует себя правым, а в том, что он товарища потерял. Гена с ним плохо обращался, а Ромка его любил искренне.

— И это бывает, — философски заметил Сергей. — Мы тоже товарищей теряли и теряем. Просто у рыжего это в первый раз, не освоился еще.

— Лена, ты сейчас очень занята? — робко спросил Дзюба, когда Лена Рыженко ответила на его телефонный звонок. — Я хотел тебя погулять пригласить.

— Погулять? — В голосе девушки звучало недоумение. — С какой стати?

— Понимаешь, — волнуясь начал объяснять он, — мне нужно съездить в одно место, ну, туда, где Гену убили, посмотреть кое-что. Тебе же Гена нравился, правда?

— Ну, — осторожно согласилась девушка. — Он прикольный был, красивый такой. И что?

— Если я там один буду шарахаться, меня могут заметить, сразу поймут, что сыщик что-то вынюхивает, а если я буду с тобой, то на нас никто и внимания не обратит. Подумаешь, парочка гуляет, ищет укромное место, где за ручки подержаться. А ты можешь помочь в раскрытии убийства. Поможешь?

— Ну... ладно, — без особого воодушевления согласилась Лена. — Только не думай, пожалуйста, что я буду изображать влюбленную подружку и держаться с тобой за ручки. Знаю я эти фокусы.

— Да, Лен, да ты что, — забормотал Дзюба. — Я ничего такого в виду не имел. Просто будем идти рядом и разговаривать.

Он даже машину поймал, чтобы не везти Лену в такую даль на городском транспорте. Девушка сидела с безучастным выражением лица, которое ничуть не оживилось, когда они вышли из машины возле общежития, где жили рабочие из стран ближнего зарубежья.

Первое, что бросилось в глаза Роману: отличное место для парковки. Принадлежало оно, разумеется, не общаге, просто прямо перед убогим покосившимся зданием находилась просторная забетонированная площадка, вероятно, предназначенная для какого-то дальнейшего использования, но временно заброшенная. На площадке могло поместиться десятка полтора машин, а стояло всего две. Значит, Гена приехал на машине и вполне мог здесь остановиться. Но не остановился. Почему-то он предпочел выйти из автомобиля в двухстах метрах отсюда и оставить его в каком-то дворе. Почему? Почему не выйти из машины прямо перед входом, если ему нужна была именно эта общага?

Ответ понятен: Гена Колосенцев не хотел афишировать либо свой интерес к этой общаге, либо свои контакты с кем-то из тех, кто здесь проживает, поэтому поставил машину вдалеке и дальше пошел пешком. Но что-то не сложилось... Похоже, Сергей Кузьмич прав, все завязано на этой общаге. Но все равно надо идею с геймерами довести до конца. И есть ведь еще гаражи, маршрут к которым указан в записке, найденной у Гены. А вдруг это и в самом деле вовсе не те гаражи, которые нашли оперативники? Не зря же там не было кафе с бело-голубой вывеской, а в записке написано, что оно там должно быть.

И Роман потащил Лену обследовать близлежащую местность. Зачем-то Генка сюда приехал. И если не ради общаги и ее обитателей, то, возможно, ради гаражей? И этот гаражный комплекс находится где-то здесь, рядом с общагой...

— Слушай, долго еще ты меня будешь по этому захолустью таскать? — недовольно спросила Лена. — Здесь же грязь непролазная и вообще какая-то помойная дыра.

— Потерпи, пожалуйста, — умоляющим голосом попросил Дзюба. — Ну, потерпи, Лен. Это же для Гены надо.

В общем-то, девушка была права: район не самый подходящий для романтических прогулок, освещение оставляет желать лучшего, грязи на тротуаре по щиколотку, глубокие лужи, да и прохожие имеют какой-то бомжеватый вид.

— Гене твоему уже ничего не надо, — резко ответила Лена. — Это тебе надо. Строишь из себя крутого сыщика, хочешь быть умнее всех. Только ничего у тебя не получится, потому что ты всего-навсего рыжий клоун. С меня хватит, я еду домой. Поймай мне машину.

Ей даже в голову не пришло, что поймать машину в этом месте более чем проблематично, а если и повезет, то ни один уважающий себя мужчина свою даму в эту машину не посадит: опасно. Роман собрался было что-то объяснять, уговаривать... и вдруг понял, что ничего не надо. Объяснять не надо. И уговаривать тоже не надо. Если человек не понимает таких простых вещей, как желание и готовность помочь, то что тут можно сказать? В памяти всплыли полные сочувствия и сострадания глаза Дуни, Евдокии из ломбарда, и Роману даже показалось, что он слышит ее голос: «Но ведь человека убили. Хуже этого ничего не может быть. Когда человека убивают, мне кажется, неприлично считаться, кто что должен и что не должен, все должны дружно браться за руки и помогать друг другу, чтобы найти преступника. Разве нет?»

Сам Дзюба готов подписаться под каждым словом этой замечательной девушки. А вот Лена, видимо, нет... Ой, он же обещал Дуне сводить ее куда-нибудь на кофе с пирожными в благодарность за помощь и по-братски разделенный обед! Совсем забыл. Нехорошо.

— Я отвезу тебя домой, — сказал он спокойно и сам удивился тому, как холодно звучал его собственный голос.

Он посмотрел на надутое лицо Лены и испытал чувство, близкое к шоку: почему он два года, целых два года считал это лицо лицом мадонны? Почему он обмирал каждый раз в присутствии этой девушки? Что с ним случилось? Морок какой-то, что ли? Колдовство?

Но что бы это ни было, оно исчезло. Растаяло. Растворилось.

Он молча повел Лену в сторону освещенной трассы, не обращая ни малейшего внимания на ее сердитые возгласы и злобные едкие комментарии по поводу каждой кочки и лужи. Остановил первую же машину, невзирая на ее немытость и вполне очевидную раздолбанность, усадил Лену сзади, сам сел рядом с водителем.

Даже сидеть с ней рядом ему почему-то было неприятно.

— Отвезем девушку, — негромко сказал он, — потом вернемся сюда же.

— Понял, — кивнул «бомбила».

Он не закончил то, ради чего приехал в этот район города. И не успокоится, пока не получит ответы на свои вопросы.

Ночью он опять играл. Пятница закончилась, впереди суббота, у большинства геймеров выходной, поэтому играли, не считаясь со временем. И Дзюба играл. Конечно, только тогда, когда не удавалось отсидеться в наблюдателях. Он все ждал, что, возможно, кто-то из игроков скажет что-нибудь важное про Геннадия. Что-нибудь такое, за что можно зацепиться и вытянуть всю нить целиком. Игроки, разумеется, не обходили молчанием гибель администратора сервера, но пока в их словах Роман ничего интересного не уловил.

А сегодня появился новый игрок, судя по голосу — молодой парнишка, лет семнадцати-восемнадцати, такой же неопытный, каким был сам Дзюба еще пару дней назад, когда впервые вошел в игру. Только в отличие от оперативника не обладавший феноменальной способностью к формированию динамического стереотипа. И не догадавшийся сперва потренироваться на свободных от игроков серверах. Разумеется, на новичка обрушился шквал презрительных реплик и рекомендаций не подводить команду, «покинуть игровое поле и не мешать нормальным мужикам рубиться». Паренек, взявший себе претенциозный ник Чак Норрис, оказался обидчивым, начал огрызаться и даже хамить, на что немедленно отреагировал новый администратор с ником Бедуин, пришедший на смену Пуме-Колосенцеву.

— Уважаемый игрок с ником Чак Норрис! — послышался в наушниках строгий спокойный голос. — От имени всего клана я убедительно прошу вас покинуть игру и не вступать в нее до тех пор, пока вы не научитесь самым элементарным вещам. Вы мешаете всей команде. Будьте любезны, проявите уважение к другим игрокам. В противном случае я буду вынужден поставить на голосование вопрос о том, чтобы вас забанить на длительный срок.

Чак Норрис что-то проворчал, но, как ни странно, прекратил игру.

«Вот молодец этот Бедуин, — с уважением подумал Роман. — Нашел ведь правильные слова и правильную интонацию, чтобы осадить этого юного хама. Интересно, как Гена вел себя в подобных ситуациях? Уж точно не так. Генка, наверное, начинал издеваться и оскорблять, вряд ли он в игре был не таким, как в жизни».

Он продолжал то играть, то наблюдать, внимательно следя за репликами, которыми обменивались игроки и вслух, и в чате, не только надеясь услышать что-то о гибели Колосенцева, но и пытаясь уловить, какие свары и конфликты, на какой почве и насколько серьезные могут возникать во время игры, и оценить их как повод для расправы. Вот, например, то, что пришлось выслушать новичку Чаку Норрису... Ведь иной за такие слова действительно может убить. А Генка мог кого угодно «опустить» точно так же, как он постоянно «опускал» Дзюбу. Гена Колосенцев был злым, недоброжелательным, ехидным, безжалостным, циничным, это правда, поэтому нажить себе врагов среди игроков мог без труда.

Глаза слипались, и приходилось взбадривать себя то умыванием ледяной водой, то порцией мороженого, которым Роман предусмотрительно запасся по пути домой. Проводив Лену, он снова вернулся к общаге и еще долго осматривал близлежащие улицы, закоулки и дворы в надежде найти гаражный комплекс, подходящий под описание из записки, найденной у Геннадия. Но ничего не нашел. Возвращаясь, почувствовал такой нестерпимый голод, что зашел в первый попавшийся круглосуточный магазин и купил мороженое. Съел его прямо на улице, не сходя с крыльца магазина, и вдруг ощутил, что бодрости прибавилось. То ли оттого, что холодное, то ли оттого, что сладкое... Он тут же вернулся и купил десять порций: полночи предстояло не спать.

— Что-то Телескопа не видно, — заметил кто-то из игроков. — Он со снайпой лихо управляется, очень бы нам сейчас не помешало, а то этот гаденыш Аватар засел на башне и весь угол держит, не прорвешься никак. Телескоп бы его вмиг снял.

— Ага, — поддакнул другой голос. — Пропал куда-то, раньше он играл каждый божий день, ни одного дня не пропустил, а теперь не приходит на сервак, а жалко, игрок он неплохой.

— Да отличный он игрок!

Геймеры активно включились в обсуждение, теперь в наушниках звучали самые разные голоса:

— Не знаете, может, заболел или случилось что?

— Да что может случиться-то?

— Ну, кто его знает, вон Пуму убили, тоже ведь никто не ожидал.

— Да ладно, Пума опером был, у него работа такая, в любой момент могут убить, а Телескоп у нас кто?

— А фиг его знает. Мы не спрашивали, а он сам не говорил.

— И вообще, может, это и не мужик, а дамочка, он же молчал всегда, помните? Только в чате отписывался.

— А, ну да, точно, у него микрофона не было, так что вполне может быть, что и женщина.

— Или даже девчонка-школьница, среди них такие игруньи попадаются — иному мужику за ними не угнаться.

Роман судорожно проглотил последний кусок мороженого в вафельном рожке и принялся нажимать клавиши: ему нужно было срочно связаться с Бедуином, но так, чтобы об этом никто не узнал. Выйдя на страницу, с которой можно было вести переписку с конкретным игроком, он быстро набрал текст: «Я из уголовного розыска, занимаюсь расследованием убийства Пумы. Мне нужна ваша помощь. Это срочно и конфиденциально. Пожалуйста, свяжитесь со мной по телефону...»

Ну вот, теперь остается только ждать. Судя по голосу и тому, как Бедуин отреагировал на поведение юного хама Чака Норриса, он должен оказаться вполне здравым и порядочным мужиком.

Дзюба не ошибся, сперва на экране в списке наблюдателей появилось слово «Бедуин», что означало: администратор на время прекратил игру, и спустя несколько секунд раздался звонок. Бедуин сразу согласился помочь и использовать свои возможности, которых нет у других игроков, не имеющих «админки», чтобы получить нужную Роману информацию.

— Держатель нашего сайта общедоступную страницу статистики не поддерживает, — сказал он деловито. — Поэтому вы ничего и не смогли найти. Но я сделаю, не вопрос.

Это заняло некоторое время, в течение которого оперативник то играл, то наблюдал и слушал, то поедал очередную порцию мороженого.

Около трех часов ночи Бедуин дал ответ: некий игрок, выступавший под ником Телескоп, действительно начал играть примерно за месяц до убийства Колосенцева, причем играл каждый день без перерыва, и со дня его смерти ни разу больше на сервере не появился.

— А можно вас попросить сравнить время нахождения в игре Пумы и Телескопа? — осторожно проговорил Роман, боясь спугнуть удачу. — Я понимаю, что уже глубокая ночь и все это требует времени, но это очень нужно. Пожалуйста.

— Сделаю, — коротко ответил Бедуин.

И действительно сделал. Еще через час в личке появилось длинное сообщение от Бедуина, в котором подробно перечислялись даты, часы и минуты, указывающие на нахождение на сервере Геннадия Колосенцева-Пумы и некоего, пока еще бесполого, существа с ником Телескоп. Согласно этим данным выходило, что Телескоп начинал играть сразу же после того, как на сервере появлялся Пума, и выходил из игры, как только Колосенцев покидал игровое поле. Не было ни одной учетной записи, которая свидетельствовала бы о том, что Телескоп играл тогда, когда Пумы не было.

— Вы что-нибудь знаете про этого Телескопа? — с надеждой спросил Роман.

— Сейчас посмотрю, что есть в профиле. До того как Пуму убили, я был обычным игроком, не админном, так что Телескопа помню. Он действительно хороший снайпер, и претензий к нему ни у кого никогда не было. Правда, он и не собачился, как некоторые, у него микрофона не было, он только в чате отписывался. Но вежливо, грамотно.

— Как вы думаете, зачем он по пятам ходил за Пумой? У вас вообще такое бывает?

— Конечно! — воскликнул администратор. — Например, есть какой-то очень хороший игрок, и возникают подозрения, что он пользуется читами, то есть играет нечестно. Или просто кто-то хочет изучить его манеру игры. Тогда за ним и ходят с сервака на сервак, смотрят. Но вряд ли Телескоп для этого за Пумой ходил, Пума никогда не был читером, он был честным игроком и уважаемым админом. А что касается возможности поучиться... Знаете, Телескоп играл достаточно хорошо, чтобы еще у кого-то учиться. Хотя, конечно, все может быть.

— А Телескоп может быть женщиной? — на всякий случай уточнил Дзюба.

— Да легко! — рассмеялся Бедуин. — Он может быть кем угодно и даже дамой пенсионного возраста. Есть у нас одна такая, играет, как бог. Вот, смотрю профиль... Настоящее имя не указано, адрес электронки не указан... И ай-пи-адреса нет... Профиль скрыт. У него, похоже, анонимайзер стоит.

— Такое часто случается?

— Не особенно, — задумчиво ответил Бедуин. — Что геймеру скрывать?

— Спасибо. Если что — я еще обращусь?

— Давайте, не стесняйтесь, — подбодрил его администратор.

Действительно: что геймеру скрывать?

Что же получается? Что некто Телескоп, пользующийся анонимайзером — программой, позволяющей скрыть ай-пи-адрес, по которому определяется конкретный компьютер, интересовался игрой только тогда, когда играл Гена. А без Гены ему игра была не интересна? Почему бы это?

Глава 11

Едва дождавшись семи утра, Роман Дзюба помчался к дому, где жил Сергей Кузьмич Зарубин. Для сыщиков нет суббот и воскресений, для них есть выходные дни, которые можно урвать, когда удастся. Поэтому где будет подполковник в субботу: дома или на службе, прогнозировать было невозможно. Заняв в восемь утра позицию напротив подъезда, Дзюба мысленно перекрестился и вытащил телефон. Один бог знает, что ему сейчас придется выслушать! Но он был готов. Привык. Да и дело того стоило.

Зарубин оказался дома, хотя и собирался куда-то убегать.

— Сейчас выйду, — хмуро пообещал он. — Штаны только надену. Имей в виду, у тебя пять минут.

Появился он на улице минут через двадцать, но Роман готов был ждать и дольше. За эти двадцать минут он раз десять проговорил в уме то, что собирался сообщить подполковнику, стараясь с каждым разом сделать свое сообщение более коротким и убедительным, ведь сказано же: всего пять минут.

Сергей Кузьмич вопреки ожиданиям выслушал его довольно внимательно, но потом все равно небрежно махнул рукой.

— Ты хоть раз за то время, что играл, был свидетелем такого уж серьезного конфликта, из-за которого и убить могут?

— Нет, — признался Дзюба. — Не был. То есть конфликты возникают постоянно, но не такие, чтобы убивать.

— Тогда с чего ты взял, что они вообще бывают?

— Мне Гена рассказывал...

— Ну, — пренебрежительно фыркнул Зарубин, — мало ли что тебе Гена рассказывал. Это, как говорят судейские, показания с чужих слов. В Америке они как доказательства не принимаются.

— А у нас не Америка, — огрызнулся Роман.

— И все равно не принимаются, — подполковник почему-то улыбнулся и подмигнул. — Мы уже по шестерым из восьми рабочих, уехавших в ночь убийства на родину, ответы получили, там все в порядке, а вот двоих найти никак не могут. Чует мое сердце, что именно они-то нам и нужны. Ведь что нормальный работяга делает, уезжая с заработков на побывку домой? Отсыпается, отъедается, с женой милуется или там с подругой, с детьми время проводит, и это нормально. А вот если такой гастарбайтер уезжает домой, но дома не появляется, это настораживает. Так что не бзди, Ромашка, скоро мы этих деятелей за жабры возьмем. Иди лучше делом занимайся, у вас с Антохой вон ювелиры плачут — слезами заливаются, а ты все про глупости думаешь.

Да, не на такой ответ рассчитывал Роман... Неужели не найдется никого, кто прислушается к его информации и задумается над выводами? Неужели только он один обречен носиться со своими подозрениями и догадками?

Ну ничего, сегодня Антон собирался навестить дочь Горбатовского Карину, любовницу Курмышова.

Сташис сказал, что Дзюба ему для этого визита не нужен, он один прекрасно справится. Вот и хорошо, есть возможность заняться «своим» делом и попытаться выяснить, кто же такой этот загадочный «Телескоп».

Карина Горбатовская не производила впечатления убитой горем, и это сразу насторожило Антона Сташиса. Он начал задавать обычные в таких случаях вопросы о врагах и недоброжелателях убитого Курмышова, а сам исподтишка присматривался к любовнице потерпевшего: да, она, безусловно, расстроена, даже, пожалуй, горюет, но она... как бы это сказать... не раздавлена. Не исходит от нее, как во многих других случаях, немое, но отчаянное послание: «Жизнь кончена». Более того, по некоторым жестам и фразам Антону показалось, что Карина впервые за долгие годы расправила плечи и вздохнула свободно. Во всяком случае, движений, направленных вниз и являющихся признаками печали и подавленности, он видел с ее стороны куда меньше, чем движений, направленных вверх.

Ничего нового о личности возможного подозреваемого Горбатовская не рассказала. В принципе можно было и уходить, осталось только прояснить вопрос с ожерельем, найденным в сейфе убитого ювелира. И, пока суд да дело, еще понаблюдать за Кариной. Могла она убить своего любовника? А почему нет? Сплошь и рядом такое случается. Другое дело, что крупный широкоплечий тяжеловесный Курмышов был задушен, а физические данные Карины не очень-то позволяли предполагать в ней убийцу-душителя, но ведь убийц по найму никто, к сожалению, пока не отменил...

— Вы не знаете, что за ожерелье лежало в сейфе у Леонида Константиновича? Для кого он его делал?

Карина пожала плечами.

— Понятия не имею. Лёня вообще при мне сейф почти никогда не открывал.

— Почти? — переспросил Антон.

— Почти, — повторила Карина. — Потому что открывал, конечно, когда делал для меня изделие в подарок. Тогда приглашал меня к себе, открывал сейф, доставал и дарил. Подарки делать Лёня любил и радовался, как ребенок, когда я примеряла украшения или рассматривала какую-нибудь вещицу и восхищалась.

Что вообще лежит в сейфе у Курмышова, она не знает и никогда не знала. Но теоретически, исходя из опыта собственного отца, предполагает, что там должны быть камни, материалы, эскизы, лицензии, документы из Пробирного надзора, какие-то наличные деньги, клейма, заготовки и готовые изделия, которые еще не забрали или которые ждут, когда их подарят.

«Да, — вспоминал Антон, — именно это все и было в описи, которую я читал».

— Посмотрите, пожалуйста, эту фотографию.

Он положил перед Кариной снимок. Та бросила сперва незаинтересованный короткий взгляд, потом поднесла к глазам и побледнела.

— Значит, Лёня все-таки сделал его...

— Кого — его?

— Погодите. — Карина сжала голову ладонями, зажмурилась, потом снова долго рассматривала ожерелье на фотографии.

— Да, это оно. «Рассвет на Эгейском море», никаких сомнений. Господи, Лёня, Лёня...

Антону показалось, что она сейчас заплачет. Но Карина Горбатовская не заплакала, только еще сильнее выпрямила спину. И начала рассказывать.

Когда-то, в 2008 году, известный певец Виктор Волько обратился к частному ювелиру Курмышову с просьбой свести его с Сотниковым: на свое сорокалетие Волько хотел подарить самому себе что-нибудь особенное, а ему говорили, что Сотников — потомок известного ювелирного дома и делает очень интересные вещи. Сам Волько не знал, какое именно изделие хочет иметь, но оно должно было быть со значением «на творческое долголетие». И назвал сумму, которой он располагал на этот подарок. Сумма очень внушительная, заказ хороший, деньги Леониду Курмышову всегда нужны, и упускать заказ он не хотел. Поэтому заявил певцу, что сам может придумать и изготовить такую вещь. Более того, он может сделать такую имитацию под девятнадцатый век, что ни один эксперт не отличит от работы Дома Сотникова девятнадцатого века.

— Так уж и ни один?.. — засомневался Волько.

И Курмышова понесло:

— Да я сам эксперт по Дому Сотникова, нас всего двое таких, которые могут со стопроцентной гарантией установить подлинность вещи Дома Сотникова, потому что есть секретный кодекс Алексея Сотникова Второго. В этом кодексе перечислены те признаки, по которым можно точно установить подлинность изделия. И кодекс этот на сегодняшний день доверен только двум людям: Алексею Сотникову Четвертому, к которому вы так стремитесь попасть, и мне. Вы, конечно, можете пойти к самому Сотникову, но тогда работа вам обойдется намного дороже, у вас ведь нет своих камней, значит, их надо будет приобретать, и вы должны иметь в виду, что за работу в среднем мастер берет двадцать процентов от стоимости камней, Сотников берет тридцать, потому что это имя и репутация, а я возьму по-божески. Так что решайтесь.

Курмышов очень хотел получить заказ, и ему удалось уговорить Волько. Пока готовили эскизы и согласовывали детали, они много встречались, симпатизировали друг другу, почти сдружились, и, когда Волько мимоходом как-то спросил, что это за секреты такие, которые позволяют отличить подлинник от подделки, Курмышов сначала отвечал коротко и уклончиво, но, видя, какими горящими любопытством глазами смотрит на него звезда шоу-бизнеса, не совладал с тщеславием и начал рассказывать и даже показывать фотографии. Он и сам не заметил, как выложил все. Потом, конечно, спохватился, предупредил, чтобы Волько никому... никогда... ни одного слова...

Певец, разумеется, поклялся всем святым, что есть в его жизни. И через неделю все это стало достоянием широкого круга специалистов по ювелирному антиквариату, в том числе аукционистов. Виктор Семенович Волько продал секреты Дома Сотникова за очень большие деньги. Оказалось, что он, не полагаясь на собственную память, успел вовремя нажать нужную кнопку, тем самым включив диктофон на мобильном телефоне.

Курмышов был в ужасе. Он приезжал к певцу домой, чтобы объясниться, хотел скандалить и бить морду, но не прорвался через охрану. Волько на его звонки не отвечал и вообще больше не появлялся.

Спустя какое-то время Курмышову удалось его поймать: случайно в ресторане он увидел Волько одного, тот обедал. Курмышов подошел и сел за столик, начал выговаривать ему, обвинять, стыдить. Волько не стал звать охранника, ждавшего его в машине: времени прошло много, острота ситуации сгладилась, он перестал бояться Леонида. Более того, мило улыбался и рассказывал про то, какие дивные краски на рассвете над Эгейским морем.

Леонид упрекал его в непорядочности, возмущался:

— Как ты мог, Витя, я же тебя просил, я предупреждал, а ты мне давал честное слово! Ты меня обманул, но я-то — хрен с ним, а в результате мой друг, давний и близкий, оказался почти разорен. Я учился у его отца, я всем обязан Дому Сотникова, а получается, что я доверился подонку, и из-за этого пострадали хорошие люди.

Но на Волько, однако, эти упреки и обвинения никакого впечатления не произвели. Он спокойно продолжал разделывать серебряными щипцами огромного лобстера, запивая его дорогим белым вином.

— Да брось ты, — почти весело говорил он. — Фигня это все, не обеднеет твой Сотников. Плюнь и забудь. Слушай, я тут на Эгейское море съездил. Какие краски! Особенно на рассвете! Просто обалдеть! Ты на Эгейском был когда-нибудь? Не был? Тебе обязательно надо туда съездить, это тебя вдохновит на создание новых шедевров.

— Да? — мрачно проговорил Курмышов, который понял уже, что взывать к совести этого человека бессмысленно. — Хорошо, я тебе обещаю: я туда съезжу и сделаю вещь, которую назову «Рассвет на Эгейском море». И еще я тебе обещаю, что это будет последний рассвет, который ты увидишь в своей жизни.

Встал и ушел...

Вот это история! Значит, не просто так Виктор Волько появился в уголовном деле рядом с надевшей ожерелье Евгенией Панкрашиной. Связь-то есть.

— И что было дальше? — затаив дыхание, спросил Антон.

Карина слабо улыбнулась и покачала головой.

— Лёня задумал сделать ожерелье «Рассвет на Эгейском море». Он даже специально ездил туда, смотрел, как это выглядит, потому что прежде никогда в Греции не был.

— А зачем он хотел сделать такое ожерелье?

— Его очень задело, что Виктор так легко отнесся к тому, что натворил. Волько так и не понял всю низость своего поступка, и Лёня хотел, чтобы Виктору постоянно что-то напоминало о той подлости, которую он совершил. Ну и чтобы Виктор боялся, а если не боялся, то, по крайней мере, тревожился и опасался. Одним словом, Лёня хотел ему жизнь подпортить, отравить. Но сделать такое ожерелье очень трудно в смысле подбора камней.

— Да, — кивнул Сташис. — Я в курсе, мне объяснили уже.

— Ну вот, — продолжала Карина. — Он настойчиво и упорно искал камни, покупал их, ждал, когда соберется нужное для такой работы количество. Но о том, что подбор камней закончен и он приступил к работе, Лёня мне не сказал.

— А это удивительно, что он не сказал? Или это нормально?

— Когда как, — в голосе женщины проступили нотки нескрываемой горечи. — Если у него в данный момент не было серьезного романа, то он, безусловно, говорил мне обо всем, что связано с работой. Я ведь дочь ювелира, поэтому хорошо понимала все, о чем Лёня рассказывал, хотя профессия у меня совсем другая, я экономист. Но я росла рядом с папой и его учениками, поэтому в ювелирке неплохо разбираюсь. А вот если у него был разгар нового романа, то мог и не сказать, потому что все внимание его в такие моменты устремлено на совсем другую женщину.

Значит, у Курмышова был какой-то серьезный роман, причем роман длительный, потому что подбор камней был давно закончен, а про ожерелье Леонид Константинович Карине до самой своей смерти так и не сказал. Надо искать эту даму.

— Скажите, Карина, неужели позиция эксперта по изделиям конкретного автора столь уникальна? Как-то трудно поверить, что из-за поступка Курмышова сильно пострадал Сотников.

— Да, как правило, по каждому конкретному автору действительно авторитетных экспертов человека по три по всем мире, — ответила Горбатовская. — Алексей Юрьевич получил искусствоведческое образование, его хорошо знали и признавали его заслуги в Академии художеств, дали ему звание народного художника СССР, и это позволило ему получить сертификат эксперта международного уровня. Алексея Юрьевича признавали все крупнейшие аукционные дома. И с разглашением секретов Дома Сотникова все это рухнуло.

Ну надо же! Прямо тайны мадридского двора какие-то! Сташис никогда не думал, что в ювелирном деле все так серьезно.

— Интересно, что это за секреты такие? — спросил он. — Можете рассказать? Мне просто любопытно, я никогда о таком не слышал.

Карина грустно усмехнулась.

— Да конечно, теперь это уже ни для кого не секрет. Во-первых, состав эмалей, он индивидуален для каждого мастера. Во-вторых, наличие секретной метки в секретном месте. Например, если это кольцо, то такое место может быть под камнем. Если в изделии Сотниковых есть замочек, то надо выкрутить миниатюрный шурупчик, на котором выгравирована определенная буква, видно ее только под очень мощной лупой. Для каждого вида изделий было свое место, где стояла такая метка. И третье: если изделие было из нескольких предметов, например, парюра, то есть гарнитур, выполненный в едином стиле, или полупарюра, то каждый предмет имел свою метку, и все вместе эти метки складывались или в определенный образ, или несли определенный смысл. Если образа или смысла не получалось, можно было с уверенностью говорить о том, что это подделка. Даже если кому-то и удавалось найти то секретное место, где должна стоять метка, то саму метку подделать было практически невозможно, если не знать секретный кодекс.

Н-да, все еще сложнее, чем думал Антон... Так, может быть, убийство Курмышова — затея обиженного Сотникова? Тоже, конечно, времени прошло немало, но, бывает, идея зреет годами и ждет удобного момента, чтобы воплотиться в реальность. Сам-то Сотников ни слова об этом не проронил. Про конфликт с Цырковым рассказал, а вот про свой конфликт с убитым умолчал.

— И как Сотников отреагировал на поступок Курмышова? Не собирался ли отомстить? Может быть, высказывался в этом смысле?

На красивом лице Карины Горбатовской отразилось изумление.

— Кто собрался отомстить? Алексей Юрьевич? Да вы что! Я его с детства знаю, девчонкой даже была в него тайно влюблена, лет эдак в четырнадцать-пятнадцать он мне казался небожителем: такой образованный, такой эстет, так много знает, ведь ему по наследству перешла огромная библиотека Сотниковых — единственное, что уцелело при национализации, когда Дом Сотникова забрали большевики. У Алексея Юрьевича осталось множество антикварных изданий восемнадцатого и девятнадцатого веков.

— И куда потом делась ваша влюбленность?

— А потом я повзрослела, — ответила Карина почти весело, — и поняла, что Алексей Юрьевич — герой не моего романа. Но, отвечая на ваш вопрос, скажу с уверенностью: на месть он не способен. У Алексея Юрьевича много недостатков, это правда, он очень критично относится к людям, даже к тем, с кем дружит и кого вроде бы любит. Хотя порой мне кажется, что он вообще не любит никого. И очень зол на язык, надо признать. Например, Лёню Сотников считал личностью, лишенной творческого потенциала, ценил его технику, но как художника и творца не воспринимал. И открыто говорил об этом при мне и папе, не стеснялся. Правда, надо отдать ему должное: никому, кроме меня и папы, он о Лёне плохого не говорит. Он вообще человек воспитанный, всем нравится, для всех приятный. — Карина снова усмехнулась. — Наверное, хочет производить хорошее впечатление. Только вот позволяет себе за глаза довольно злые высказывания. Но именно за глаза. В лицо — никогда и никому ни одного злого слова. Ну что ж, каждый человек неоднозначен, нет людей, нарисованных одной краской. Все равно мне было обидно, потому что ведь Лёня был по-настоящему талантлив. Но при всем этом Алексей Юрьевич человек безусловно благородный, человек широкой души.

Ну да, широкой души... И очень острого и недоброго языка, судя по всему.

— И что это значит, если попроще? В чем выражается широта души Сотникова?

— Он простил Лёню, — просто ответила Карина. — Хоть Лёня в это и не верил никогда, ему казалось, что то, что он сделал, прощено быть не может. Но Лёня ведь по себе мерил, как и все мы. Он сам не простил бы. Вот Виктора Волько он и не простил. А Алексей Юрьевич... Нет, нет и нет.

Она рассказывала о Сотникове долго и подробно, а Антон одновременно анализировал то, что слышал, и наблюдал за ней. Нет, определенно она не раздавлена горем. И в то же время горюет. Черт знает что! Любящие женщины, по его представлениям, должны бы вести себя как-то иначе. А эта... Или все-таки не на Сотникове сосредоточить внимание, а именно на ней, на этой красивой одинокой женщине, отдавшей непутевому любовнику около десяти лет своей юности и молодости и так и не создавшей с ним семью и не родившей ребенка?

Да, но если верить Карине, то с таким характером, как у Алексея Юрьевича Сотникова, месть вряд ли может иметь место. Убийство из мести демонстративно, иначе оно теряет смысл. Человек, который умеет сдерживаться, скрывать свои мысли и чувства, вести себя определенным образом, чтобы производить определенное впечатление, либо не станет мстить вообще, либо сделает это не так открыто и демонстративно. И, уж во всяком случае, не будет оставлять на трупе улики, недвусмысленно свидетельствующие о том, что убийство совершено по мотивам, связанным с ювелирной профессией. Алексей Сотников слишком умен для того, чтобы совершать столь глупые и неосмотрительные поступки.

Или все-таки Волько? Господи, то ни одного подозреваемого, то сразу трое!

— А что Леонид Константинович собирался делать с этим ожерельем, когда он его закончит? — поинтересовался Антон. — Как он собирался предъявлять его Виктору Волько? Дарить? Послать по почте? Или что?

— Знаете, я тоже спрашивала Лёню об этом, но он только отмахивался и отвечал: не буду я сейчас об этом думать, сейчас первоочередная задача — собрать ожерелье, найти камни, подходящие по размеру, цвету и оттенкам, а уж когда оно будет готово, я придумаю, что с ним делать. И еще я не понимала, почему именно женское украшение, ведь разумнее предъявить или подарить мужчине что-нибудь мужское, например, портсигар или шкатулку для хранения часов и украшений типа запонок и булавок для галстука. Но Лёня предпринял несколько попыток под моим давлением придумать мужскую вещь и быстро отказался от них.

— Почему?

— Он говорил: «Я так вижу, мне нужны плавные линии». Лёня вообще поклонник ар-нуво, а мужские вещи — это прямые углы, квадраты и прямоугольники, они не вписываются в его концепцию. Творческая личность, что вы хотите. Он так видит. И ничего другого у него не получается.

Антон посмотрел на часы: немало, ох, немало времени провел он в доме Карины Горбатовской. И обо всем вроде бы спросил. Обо всем, кроме одного: что она на самом деле испытывает? А не поняв этого, невозможно исключать ее из списка подозреваемых.

Он сделал вид, что собрался уходить, но, уже выйдя в прихожую, внезапно обернулся и сказал:

— Карина Ильинична, вы не очень-то похожи на женщину, которая только что потеряла своего любимого мужчину. Вашему самообладанию можно только позавидовать. Вам, наверное, хочется рыдать и кричать. Примите мои соболезнования и позвольте выразить вам свое восхищение. Вы человек необычайной силы духа.

Ну вот, мяч брошен. Посмотрим теперь, последует ли ответная передача, или мяч так и покатится к краю поля.

— Я? — искренне удивилась Карина. — Я — человек необычайной силы духа? Да что вы, Антон! Я слабая и безвольная курица. И рыдать мне совершенно не хочется.

— Вот как? Можно спросить: почему?

— Видите ли... Впрочем, если вам это интересно... Но я не уверена...

Еще бы ему не интересно! Только ради этой реплики он и затеял весь спектакль.

— Мне интересно, — очень серьезно ответил Сташис.

Он действительно хотел понять. Не только из соображений расследования убийства, но и просто по-человечески. Слишком хорошо он помнил собственную боль и отчаяние, когда убили его жену.

— Тогда давайте вернемся в комнату, — предложила Карина. — Что нам в прихожей стоять. Хотите чаю?

— Хочу, — благодарно улыбнулся Антон.

Он снова занял место на диване, на котором только что просидел битых три часа, а Карина исчезла в кухне и вскоре вернулась с подносом, на котором стояли чашки, чайник и сахарница.

— У меня больше ничего нет к чаю, — смущенно извинилась она. — Ни конфет, ни печенья. Мне нельзя, поэтому я не покупаю. Так вот, история моих отношений с Лёней — это история постоянного ожидания и поисков. Лёня — прирожденный одиночка, он не человек семьи, он не человек отношений, он человек безусловной и полной свободы. Он понимал, например, телефон только как средство получения ИМ необходимой информации, именно ИМ, а не кем-то другим. Телефон как средство общения и поддержания отношений он не понимал. Мог сутками не подходить к телефону, если ему ничего ни от кого не было нужно. Забывал позвонить и предупредить, если задерживается или не может приехать. Даже нет, не так. — Лицо Карины дрогнуло в болезненной гримасе. — Не забывал, а именно не считал нужным. Пропадал, не объявлялся и потом страшно удивлялся, почему люди нервничают и злятся. У меня всегда была полная записная книжка телефонов его коллег, приятелей и прочих, с кем он мог проводить время, и я первые несколько лет упорно искала его по всем этим телефонам, думала, что с ним что-то случилось, беда какая-то, а потом перестала звонить, только тупо ждала. А он отключит мобильный, городской выдернет из розетки и работает сутками. И я не понимаю: мобильный выключен, потому что он работает или потому что он попал в аварию и лежит в морге.

— Зачем же сразу про морг думать? — удивился Антон. — И почему непременно авария?

— Леня очень плохо водил машину, — объяснила Горбатовская. — Хотя стаж у него большой, но соблюдать правила он почему-то нужным не считал, и я постоянно боялась, что он разобьется.

— Почему же вы все это терпели? Сильно любили его?

— Да как вам сказать... Это и есть самый трудный вопрос, на который у меня нет точного ответа. Наверное, в последние годы уже не так любила, как раньше. Сначала я, конечно, была влюблена невероятно, Лёня мне казался гением, умным, талантливым, обаятельным, ни на кого не похожим, неординарным. И потом, я знала, что он из бедной семьи, его родители не имели никакого образования и связей, и все, чего он добился, он добился только благодаря таланту и трудолюбию. Это вызывало у меня огромное уважение и восхищение. А потом страстная влюбленность сменилась привязанностью, привычкой, и я, честно говоря, хотела, чтобы эта связь уже закончилась и я освободилась от нее. Но у меня не хватало собственных сил все прекратить, все-таки столько лет на помойку не выкинешь, Лёня пророс в меня с корнями, и вырвать было трудно. И каждый раз, когда я не могла его найти, в душе поселялась греховная и страшная мысль о том, что лучше бы уж случилось самое плохое, и вся ситуация разрешилась бы сама собой. Потом я стыдилась этой мысли, упрекала себя, а потом все повторялось. И я ведь знала, что у него то и дело возникают романы с другими женщинами, а поскольку Лёня давно в разводе, я каждый раз смутно надеялась, что этот очередной роман окажется по-настоящему серьезным, дело закончится свадьбой, и тогда от меня не потребуется никаких решительных действий, все произойдет само собой. Но романы заканчивались так же стремительно, как и начинались, а я оставалась.

— То есть Леонид Константинович возвращался к вам?

— Да нет, — улыбнулась Карина. — Он от меня и не уходил никогда. Видно, я ему тоже была нужна зачем-то. Вероятно, я удовлетворяла какую-то его душевную потребность. Я предпринимала пару раз попытки объясниться и расстаться, но он смотрел на меня глазами побитой собаки и говорил, что я ему нужна и что без меня он пропадет. И я велась на эти слова, как ведутся девяносто пять процентов всех женщин. Вы же понимаете, мы, женщины, существа зависимые, нам необходимо чувствовать себя кому-нибудь нужными, и этими словами с нами очень легко справиться.

— А что, мужчины к таким словам относятся спокойнее?

— Мужчины иначе устроены, им неважно, что они нужны женщине, им важна социальная востребованность, они должны быть нужны на работе, в профессии, коллегам и начальникам. Если женщина скажет мужчине, что он ей нужен, это никогда не удержит его, если он хочет уйти. А вот если скажет начальник, то он не уйдет на другую работу, даже более интересную и выше оплачиваемую. Другое дело, что женщины генетически тренированы к чувству одиночества и ненужности, нам от этого больно, но мы не умираем и даже не болеем. А вот мужчины свою социальную ненужность переживают плохо, ломаются, спиваются.

Разговор приобрел какой-то неожиданный оборот, и Антону стало ужасно интересно все, что говорит эта женщина. И ведь действительно все так и есть... Но он как-то ни разу не задумался, почему так происходит.

— А почему женщины тренированнее мужчин? — спросил он с любопытством.

— Да потому, что в половозрелом возрасте юношей и мужчин всегда меньше, чем женщин, это статистика. На протяжении веков мужчины гибли и на охоте, и на войне, и в драках. И мы привыкли, что значительная часть из нас остается без мужчины и без семьи. У мужчин проблема одиночества стоит не так остро, строго говоря, она вообще не стоит в смысле возможностей выбора, и если мужчина одинок, то только потому, что он сам так хочет в силу особенностей характера и менталитета. И встречается это крайне редко. Не жена — так любовница или случайные подружки, но совсем одиноких мужчин вы наищетесь. А вот совсем одиноких женщин на каждом шагу встретите. Поэтому я и говорю, что женщина привыкла чувствовать себя одинокой и ненужной, для нее это больно, но нормально. А мужчины ненужности своей совершенно не выносят, не умеют с ней справляться, навык утрачен.

Она посмотрела на Антона неожиданно тепло и спросила:

— Налить вам еще чаю?

Он с ужасом понимал, что не хочет уходить. Ему было так хорошо в этой комнате, на этом диване, с чашкой чаю в руках. Но главное — рядом с этой женщиной, такой красивой и такой... Он даже не мог подобрать слова, чтобы самому себе объяснить, что так привлекало его в Карине Горбатовской. Но ее безусловная внешняя привлекательность никакой роли не играла. Его няня Эльвира была намного красивее, если уж на то пошло. Но ни разу за все годы у него не возникло желания близости с ней, даже мысль такая в голову не приходила. И ни разу не почувствовал он сожаления, когда Эля одевалась и уходила домой. Нет, не в красоте дело.

В чем-то другом. В чем-то неуловимом, что не дает ему вот так просто встать и уйти. Потому что больше вопросов у него нет, и надо все-таки соблюдать приличия.

И, решив соблюдать приличия, Антон Сташис протянул Карине свою чашку.

— Да, будьте добры, налейте. У вас очень вкусный чай.

Хотя на самом деле чай был совсем обыкновенным, даже не очень вкусным. Во всяком случае, Антон такой сорт не любил.

Но разве это имело хоть какое-нибудь значение!

В эту субботу Надежда Игоревна Рыженко была дежурным следователем, и Антону не составило особого труда вклиниться между выездами дежурной следственно-оперативной группы на место происшествия, чтобы доложить новую информацию. Ему казалось, что Надежда Игоревна слушает не особенно внимательно, ее постоянно дергали и отвлекали, как всегда и бывает во время «суток», когда нужно принимать решения по всем происшествиям, какими бы они ни были, и нет возможности сесть в своем кабинете за столом, достать материалы какого-то одного дела и вдумчиво их изучать.

— Заключение судебных медиков по трупу Курмышова пришло, — сообщила она. — Много интересного я из него узнала. Следователь, который возбудил дело и выносил постановление о проведении экспертизы, оказался умным парнем, сразу сообразил, что наш покойный — человек крупный, физический сильный, и просто так его не задушишь. Должны быть хоть какие-то следы борьбы. А их нет. Зато есть кровоподтек в области правого запястья, и на коже в этом месте — следы металла. Как раз там, где они и должны быть, учитывая наручник, который оказался у убитого на правой кисти. Вот он и поставил перед экспертами вопрос о наличии следов отравляющих веществ. И, как выяснилось, поставил не зря. Обнаружили нитразепам. Нашего Курмышова как следует накачали снотворным и пристегнули наручником к чему-то. А когда он совсем ослабел, задушили. Ну-ка быстренько скажи мне: какой из этого следует вывод?

— Убийцей может быть женщина, даже не особенно крупная, — ответил Антон. — Или мужчина, но такой... хлипковатенький.

— Вот именно. И вы до сих пор не выяснили, кто из контактов Курмышова был его последней любовницей? — не то спросила, не то констатировала Рыженко. — Почему? Это что, так сложно?

Антон почесал переносицу.

— Понимаете, я думаю, что это была Панкрашина. И поскольку она предпринимала поистине титанические усилия к тому, чтобы муж ничего не узнал, они очень тщательно шифровались. Ведь о ее контактах с биологической матерью приемной дочери Игорь Панкрашин так и не узнал, хотя дамы общались больше двух лет.

— Слушай, ты мне тут прямо шпионские страсти описываешь! — неожиданно рассердилась Надежда Игоревна.

«Наверное, дежурство выдалось непростым, она устала, нервы сдают», — сочувственно подумал Сташис.

— Ну, хорошо, допустим, Панкрашина делала все возможное, чтобы муж ничего не заподозрил. А Курмышов? Ему-то зачем скрывать от окружающих свой роман с женой бизнесмена? И потом, они же должны были как-то контактировать, созваниваться. Этот парнишка, Надир, мне твердо сказал: среди телефонных номеров, которыми пользовался убитый ювелир, нет ни одного телефона Панкрашиной, ни мобильного, ни домашнего. И среди контактов Панкрашиной нет ни одного телефона Курмышова. Надир — мальчик с головой, он проверил не только мобильный, домашний и рабочий номера ювелира, но и телефоны его ближайших помощников на фирме, людей, с которыми он давно работал и которые преданы ему. Мало ли, может, они связывались через мобильник начальника производства или старшего технолога! Вот какие мысли этому мальчику в голову пришли! И ничего не нашел. Ни-че-го! Скажу тебе больше: у него хватило ума проверить электронную почту Курмышова и его переписку в социальных сетях. Панкрашина компьютером не пользовалась вообще. Ее дочь показала, что если маме что-то было нужно, она просила Нину найти или сделать, но сама к компьютеру не притрагивалась и даже не знала, как его включать. Тем более у Нины стоит пароль, которого ее мать не знала. Или ты полагаешь, что любовники пользовались записками и тайниками? Чушь все это!

— И все равно я хочу понять, как ожерелье попало из сейфа Курмышова к Панкрашиной и как оно туда вернулось, — твердо проговорил Антон. — Конечно, если это было одно и то же ожерелье.

— Но ты же сам говорил, что копия исключена, — заметила Рыженко, успокаиваясь. — И имитация тоже.

— Говорил, — вздохнул Антон. — Но с этим в любом случае надо разбираться, особенно в свете истории с Виктором Волько.

— Вот и разбирайся, только мне не мешай и мои планы не нарушай. Я Волько сама допрошу в понедельник, вы с Дзюбой к нему пока не суйтесь. Уяснил?

— Уяснил. А можно я сам еще раз проверю контакты Курмышова и Панкрашиной?

Рыженко глянула недовольно, головой покачала.

— Надир нормальный опер, не хуже тебя. Он все сделал как надо и даже больше. Откуда у тебя столько самомнения?

Нет, определенно Надежда Игоревна была сегодня не в духе.

— У меня не самомнение, — мягко пояснил Сташис. — У меня твердое убеждение, что шаблонные слова о замыленном глазе не с бухты-барахты появились. Кстати, в редакции любой газеты и любого журнала всегда был сотрудник с функцией «свежего глаза». Именно поэтому.

Рыженко еще немного подумала, потом со вздохом открыла сейф, полистала заметно распухшую за последние пару дней папку с материалами дела и протянула Антону скрепленные листы.

— Копию сделай, ксерокс включен.

Сташис быстро скопировал страницы и вернул оригиналы следователю. Надо срочно искать Ромку.

Телефон Дзюбы упорно находился «вне зоны», и Антон не понимал, куда подевался его временный напарник. Наконец, около восьми часов вечера Роман ответил на звонок.

— Но ты же сам сказал, что сегодня я тебе не нужен, — растерянно и даже как будто обиженно протянул он в ответ на нападки Антона.

— Нужен — не нужен, а на связи быть должен! — отрезал Сташис. — Надо встретиться, дело есть.

Антон подъехал к условленному месту, припарковался, оперся затылком о подголовник и опустил стекло. Не то дождь со снегом, не то снег с дождем. 1 декабря, первый день зимы, а на деле — не пойми что. Скоро каникулы у детей, надо что-то думать, куда-то их отправлять покататься на лыжах, что ли, или просто воздухом подышать... В прошлом году Эля забрала ребят на зимние каникулы к себе в загородный дом, водила их на каток и в лес на лыжах, возила куда-то кататься на запряженных лошадками санях, и тогда же впервые отвела Василису в конный манеж, чтобы та могла вдоволь пообщаться со своими любимыми животными. Васька, конечно, загорелась идеей заниматься верховой ездой, но это удовольствие Антону не по карману: конный спорт очень дорог. Хорошо бы бракоразводный процесс у Александра Андреевича Трущёва подзатянулся... Но даже и в этом году, пока Эля еще не замужем, она может не взять ребят к себе: в соседнем доме живет ее любовник, и ей гораздо интереснее проводить время, в том числе ночное, с ним, а не с чужими детьми. Что же делать? Как выходить из положения?

Дзюба ввалился в машину, и Антон сразу обратил внимание, что куртка у Романа почти совсем не вымокла. А ведь должна была бы, по такой-то погоде. Видно, он находился где-то совсем неподалеку, совсем рядом, буквально в двух шагах... Точно! Вон в том доме сидят ребята из управления «К» — подразделения по борьбе с преступлениями в сфере высоких технологий. Значит, Ромка был у них. Зачем? Опять из-за Колосенцева? Теперь понятно, почему у него телефон не работал. Там, небось, в некоторых помещениях столько электронной аппаратуры напихано, что обычный спутниковый сигнал теряется в бесчисленных полях, фонах и шумах. А в других кабинетах все нормально, сигнал проходит, и Ромкин телефон заработал.

Но спрашивать Антон ничего не стал. Вместо этого поведал историю, услышанную от Карины Горбатовской.

— Вот и получается, что певец Виктор Волько увидел на Панкрашиной ожерелье и как-то отреагировал. Вполне возможно, Панкрашина знала, какое название дал Курмышов своему изделию, и очень вероятно, что сказала об этом Волько. И у нас есть все основания полагать, что певец не остался к этому факту безучастным, потому что с приема он внезапно сбежал, не допев третье отделение. И как ты думаешь, Ромка, что этот Волько сделал потом?

— Ну как что? — Глаза Дзюбы возбужденно сверкали. — Убил Панкрашину. На следующее же утро и убил.

Антон покачал головой.

— Не все так очевидно. Во-первых, это очень трудно.

— Что трудно? — не понял Роман. — Человека убить? Это нам с тобой трудно, а им — раз плюнуть.

— Это трудно, — терпеливо повторил Сташис, который дал себе слово не злиться и не грубить, как это делал, к сожалению, покойный Гена Колосенцев, а спокойно и внятно объяснять то, чего Ромка не понимает. Учить его, пока есть возможность. — Волько убежал с приема около десяти вечера, а Панкрашину убили в одиннадцать утра на следующий день. Прошло всего тринадцать часов. И за эти тринадцать часов нужно было провернуть огромную кучу работы: найти исполнителя, потому что не сам же Волько стоял в подъезде с ножом в руках, правда? Значит, он должен был кого-то нанять. И собрать информацию о жертве: кто она, где живет, чем занимается, когда и куда поедет в ближайшее время, будет ли одна... И заметь себе, из имеющихся в распоряжении убийцы тринадцати часов как минимум семь приходятся на ночное время, когда информацию не очень-то пособираешь. Нет, Рома, Виктор Волько не успел бы организовать это убийство, даже если бы захотел. И вот тут приходит черед «во-вторых». А зачем певцу Виктору Волько убивать Евгению Панкрашину? Какой смысл в ее убийстве?

— Он увидел ожерелье и подумал, что Панкрашина представляет для него опасность. Курмышов же
предупреждал: рассвет на Эгейском море — это будет последний рассвет, который ты увидишь в своей
жизни. Волько этого не забыл, поэтому воспринял
появление Панкрашиной в ожерелье как прямую
угрозу, — возразил Дзюба.

— Согласен, — кивнул Антон. — Но как он мог
сделать вывод о том, что Евгения Панкрашина представляет для него опасность? Что он о ней знал? Они
даже не были знакомы, на том приеме впервые увидели друг друга. Для того чтобы думать, что какой-
то человек опасен, нужно обладать хоть какой-то
информацией, нужно иметь историю отношений
с этим человеком. Нужно его заранее бояться. И вот
тут у нас с тобой ничего не сходится. Другое дело —
Курмышов, он все-таки впрямую угрожал певцу, пусть
и давно, уж четыре года прошло, но все-таки угрожал.
Тут цепочка была бы понятной: увидел ожерелье —
вспомнил Курмышова — испугался — убил. Но убил
бы Курмышова. Панкрашину-то зачем убивать?

— Антон, — медленно проговорил Дзюба, — а может, это Волько Курмышова и убил? И получится все
так, как ты говоришь.

Антон усмехнулся:

— Да я уже подумал об этом в первую очередь,
как только Карина мне все рассказала. Теоретически,
конечно, все может быть, но практически — маловероятно. Курмышов был убит в воскресенье вечером,
а к Волько мы с тобой ездили в понедельник. Он был
раздражен, рассеян, это правда, но он не производил
впечатления человека, который только накануне от-
нял чью-то жизнь. Сам ли ты или по твоему заказу
совершили убийство, но когда на следующее утро
к тебе приходят из полиции, ты не можешь не ре-

агировать. Реакция бывает разной, от откровенного страха до истерики, от нервной дрожи до полной апатии, но она обязательно есть. Хоть какая-нибудь. А у Виктора Волько ее не было. Никакой. Ты сам видел. Если предположить, что Волько на самом деле убийца, то придется признать, что он не певец, не артист, а холодный циничный киллер с огромным опытом. Похоже?

Роман отрицательно помотал головой и печально вздохнул.

— Поэтому, Ромка, вот тебе все бумаги, нужно еще раз провести сравнение списка контактов Панкрашиной и Курмышова.

— Зачем? — безучастно спросил Дзюба.

Он выглядел расстроенным и вялым, хотя еще несколько минут назад глаза его горели готовностью ринуться в бой.

«Наверное, опять о Колосенцеве вспомнил», — сочувственно подумал Антон.

— Пойми, Рома, у нас с тобой только два варианта. Первый: на Панкрашиной в день приема было не то ожерелье, которое нашли у Курмышова в сейфе, а его точная копия или дешевая имитация. Нам с тобой на пальцах объяснили, что вероятность этого близка к нулю. И второй вариант: ожерелье было все-таки то самое, сделанное Курмышовым. И тогда необходимо найти связь между ювелиром и Панкрашиной, чтобы понять, каким образом оно попало к Евгении Васильевне и как вернулось назад к Курмышову. Где-то на этом пути и находится человек, который думал, что ожерелье будет у Панкрашиной с собой, когда она приедет на Речной вокзал к своей подруге Татьяне Дорожкиной. Вот его нам и нужно найти. Потому что это именно он убил Панкрашину. Он, а вовсе не Виктор Волько.

Роман медленно кивнул, потом поднял глаза и повернулся к Антону.

— А Волько как же? Разве не нужно его брать в оборот?

— Куда он денется, Рома? Он же уверен, что его ни в чем не подозревают. Надежда Игоревна сама его допросит в понедельник, она так сказала.

— А вдруг он все-таки убийца? Ведь прием был во вторник, а Курмышова убили в воскресенье вечером, времени вполне хватило бы, чтобы...

— Да какой он убийца! В самом крайнем случае — заказчик. Но все это весьма маловероятно, Ромчик.

— Но почему? Прости, Антон, но ты меня не убедил, — упрямо возразил Дзюба. — Мне кажется, что Волько может быть причастен и к убийству Панкрашиной, и к убийству ювелира.

— Может, — задумчиво повторил Антон. — Может... И все-таки не может. Понятно, что Волько не сам убивал, но заказать, конечно, мог, вопросов нет. И все равно не вяжется. Источник угрозы для него — Курмышов. Панкрашина в эту схему никак не влезает. Если бы он рассматривал именно ее как угрозу, он ограничился бы только ее убийством, зачем тогда Курмышова убивать? И вообще, я не вижу смысла в этих убийствах. Если бы Волько действительно боялся Курмышова, то, во-первых, он не сделал бы того, что сделал, во-вторых, убил бы Курмышова еще в две тысячи восьмом году, когда тот впервые пригрозил, и в-третьих, постарался бы убить и Сотникова тоже. Потому что от его поступка пострадали оба ювелира, а не только один Курмышов. Следовательно, Сотников тоже мог бы рассматриваться как источник угрозы и опасности. А Сотников жив-здоров, слава богу. Нет, Рома, там какая-то другая схема. Поэтому садись-ка ты, мил-друг, за бумаги, читай вниматель-

но, номера телефонов сличай и не только имена
и фамилии, а вообще ищи любые совпадения в спи-
сках контактов Курмышова и Панкрашиной. Даже
если окажется, что они ходили к одному и тому же
стоматологу, все годится, на все внимание обращай.

Антон собрался было напоследок все-таки спросить Дзюбу, что он делал в управлении «К», но
почему-то не стал задавать никаких вопросов. Захочет — сам скажет. У оперов тоже есть своя профес-
сиональная этика, согласно которой никогда нельзя
лезть ни в бумаги своих коллег, ни в их дела, пока
сами коллеги тебя об этом не попросят.

Телефонный звонок Карины Горбатовской оторвал Алексея Юрьевича Сотникова от нового эскиза,
над которым они с женой Людмилой увлеченно тру-
дились уже несколько часов. В изделие Сотников собирался вложить послание о том, что вера и надежда
имеют огромную силу, но не для всех, а только для
тех, кто умеет быть милосердным. Без милосердия не
работают ни вера, ни надежда. Традиционно веру, надежду и милосердие обозначали сложным символом,
состоящим из креста, якоря и сердца, но Сотников
не любил кресты. Почему — он и сам не знал. И якоря он тоже не жаловал. Слишком прямолинейно получалось... Однако были варианты: наряду с крестом
веру символизирует образ чаши, а надежду, помимо
якоря и корабля, можно выразить при помощи об-
разов ворона и цветка. Для милосердия же существо-
вал целый арсенал выразительных средств — пламя,
дети, плод или пеликан. Конечно, дети — это совсем
не то, что допустимо в ювелирном изделии, но вот
языки пламени могли бы оказаться весьма приемле-
мыми. Людмила пробовала сочетания разных симво-
лов, но результат их обоих пока не устраивал.

— Алексей Юрьевич, ко мне приходили из полиции. Я все рассказала. Простите меня.

Голос Карины звучал печально и устало. Наверное, бедная девочка чувствует себя виноватой, рассказав полицейским то, о чем сам Сотников предпочел бы умолчать. Интересно, кто к ней приходил? Тот рыженький, который много чего знает про историю Дома Сотникова? Или второй, постарше, красивый и молчаливый? А может, оба вместе?

— Я понимаю, вы бы не хотели, чтобы об этом знали... Если бы вы не хотели скрыть, вы сами рассказали бы, у вас была такая возможность, ведь вы и со следователем разговаривали. Но вы ничего не рассказали. А я вас подвела, — продолжала говорить Карина. — Простите меня, если можете.

— Ничего, Кариша, — мягко ответил Сотников. — Ничего страшного. Все равно рано или поздно пришлось бы рассказать. Не ты — так кто-нибудь другой посвятил бы полицию в эту историю. Ничего, детка, не кори себя, все нормально.

— Но ведь вас теперь будут подозревать...

— Ну, что ж поделать, — улыбнулся Сотников. — Такая, видно, моя судьба.

Он положил трубку рядом с собой на стол, заваленный набросками эскизов. Значит, Карина рассказала... Зачем? Господи, зачем? Ну почему нельзя было промолчать?

И тут скользкой змеей вползла в голову мысль: «Карина защищалась. Отводила от себя подозрения. Она готова была открыть все чужие секреты, чтобы полицейские подозревали кого угодно, только не ее саму. Неужели это она Лёню?..»

Настроение мгновенно испортилось, во рту появился привкус горечи. Людмила вопросительно смотрела на мужа, который, вместо того чтобы вновь за-

няться эскизами, молча стоял возле стола и смотрел
в стену.

— Это Карина звонила? — спросила жена. — Что-
то случилось? Ты стал сам не свой.

— Ничего, Люленька, не обращай внимания. —
Он виновато улыбнулся. — Ты продолжай без меня,
ладно?

— Ты плохо себя чувствуешь? — забеспокоилась
Людмила. — Что-то болит?

— Все в порядке, просто мне нужно немного подумать.

— Ну, хорошо, — вздохнула она. — Пойди приляг,
я пока поработаю, а через пару часов посмотришь,
что у меня получится.

— Спасибо, милая. Не забудь: вера, надежда, милосердие. И постарайся обойтись без креста, это банально, хорошо?

Сотников толкнул дверь в комнату сына. Комна-
та была пуста, компьютер выключен: Юрий уехал
на выходные со своей девушкой в Питер. Не самое
удачное время года для составления правильного
впечатления об этом дивном, уникальном, потряса-
ющем городе. Впрочем, как знать, какое впечатление
правильное... Летнее, с высоким светлым небом, ос-
лепительно сияющими куполами и шпилями, яркой
рябью Невы под холодным сверкающим солнцем
и с ощущением невероятного, нескончаемого про-
стора, охватывающим Сотникова каждый раз, когда
он оказывался на Дворцовом мосту. Или осенне-зим-
нее, мрачное, депрессивное. Как знать, каков этот город на самом деле! Стоит себе город три сотни лет,
а так никто его до конца и не понял, никто в нем
окончательно не разобрался...

Алексей Юрьевич начал перебирать папки с рас-
печатками, листал, пробегал глазами, пока не на-

шел то, что искал. Эту часть дневниковых записей Юрия Алексеевича Сотникова Второго, родившегося в 1877 году и приходившегося Алексею Юрьевичу прадедом, сын еще не обратил в художественный текст, но уже переработал в наброски. Вынув нужные листы из папки, Сотников уселся здесь же, в комнате сына, и погрузился в чтение:

«Старый ювелир Алексей Юрьевич Сотников Второй передает свои секреты. Он был единственным сыном в семье, были еще две старшие сестры, которые уехали из России в 1918—1919 годах, а он со всей своей семьей остался, для него ценны могилы предков, он не смог их бросить. Арестован в 1919 году, в сентябре 1920 года выпущен. В тюрьме ЧК он сидел вместе с сыном Карла Фаберже, Агафоном. Их освободили одновременно, по личному распоряжению Троцкого, и с одной и той же целью: составить реестр всех драгоценностей императорской семьи, попавших в руки новой власти, подробно их описать и сделать фотографии, а также помочь в экспертной оценке стоимости и подлинности изделий, предназначенных к продаже за границу для диктатуры пролетариата. Оба они, и Сотников, и Агафон Фаберже, были включены в состав комиссии академика Ферсмана по описанию Российского алмазного фонда (1922—1923 годы, с декабря 1922 года — Алмазный фонд СССР). Именно тогда Алексей Юрьевич Второй и услышал разговор, для него не предназначенный, о том, что сначала распродадут то, что есть, а если этого не хватит, начнут изготавливать подделки, потому что сами ювелиры свалили за границу, а все мастера, рабочий люд, остались в России, и они знают все секреты и смогут сделать отличные имитации, тем более что среди этих работников есть выдающиеся мастера с собственными клеймами. Может быть, это кто-то выговаривает молодому чекисту, который арестовал человек двадцать мастеров и пытается их прессовать. (Посоветоваться с отцом, как лучше: Алексей Юрьевич случайно слышит разговор или ему кто-то рассказывает, может быть, тот же Агафон Фаберже?) Буквально: «Их надо на руках носить и пылинки сдувать, они — залог выживания нашей молодой Советской республики. Не дай бог повредить им руки или глаза. Выпускай немедленно!!!»

Услышав этот разговор, Алексей Юрьевич Второй, которому было на тот момент 75 лет (родился в 1845 году, выпустили из тюрьмы в 1920 году), понял, что изделия Дома Сотникова могут попасть под раздачу: если будет нужда, их начнут подделывать точно так же, как изделия Фаберже, Семеновой, Хлебникова и других. Поэтому он, старательно вспомнив все, чему его когда-то учил отец, и все свои работы, сформулировал основные принципы, то есть фактически разработал целую систему защиты своих изделий: написал кодекс, в котором перечислил то, чего никогда и ни при каких условиях не может быть в его изделиях. Например, если в узоре предполагались цветы с четным количеством лепестков, то число самих цветов обязательно должно быть нечетным, и наоборот: если лепестков нечетное число, то самих цветов — четное. Если изделие состоит из двух предметов (например, пара серег или пара браслетов) или больше, метки должны быть разными, но вместе составлять определенный символ. Если изделие имеет замок, то секретный символ ставится... Если изделие имеет ножки, то символ ставится... Если кольцо...

Алексей Юрьевич работал над перечнем много месяцев, стараясь ничего не упустить и не напутать и каждую минуту благодаря Бога за то, что в Ювелирном Доме Сотниковых тайные метки ставили только сами Сотниковы. Были, были у них превосходные мастера, имеющие собственные клейма, но каждое изделие в определенный момент (например, перед закрепкой камня в кольце или в серьгах) непременно приносилось в маленькую личную мастерскую хозяина, где он, оставаясь один на один с произведением ювелирного искусства, ставил в только ему известном месте только ему понятный знак.

(Кстати, не забыть сослаться на письмо 1896 года, написанное женой Алексея Юрьевича своей сестре, где есть слова о том, что «Алексис никому не доверяет, даже старшим мастерам, хотя любит их и уважает. Если после нанесения метки изделие требует доводки, позволяющей разглядеть саму метку, то доводит его сам и возвращает уже полностью готовым. А ведь ему уже шестой десяток, и я опасаюсь за его зрение и полагаю, что ручные работы в этом возрасте могут подорвать его здоровье».)

Старый ювелир сделал то, что потом назвал своим секретным кодексом Дома Сотниковых, но никому его не показывал. Хотя его сын Юрий Алексеевич знал и о том, что отец над ним работает, и о причинах, побудивших старика взяться за эту работу. Перед смертью Алексей Юрьевич передал секретный кодекс своему сыну и одному любимому ученику, который не эмигрировал после революции, а остался рядом с Учителем, выказывая тем самым ему свою полную преданность (про ученика в дневниках информации мало, надо будет его придумать поярче или порыться в архивах, спросить у отца, может, ему дед что-нибудь рассказывал об этом человеке, в дневниках есть только его имя, надо характер сделать). Алексей Юрьевич Второй на смертном одре сказал сыну и ученику: «Только вы сможете быть настоящими экспертами по изделиям Дома Сотникова, только вы будете знать, настоящая это вещь или подделка. Фаберже уже подделывают с благословения новой власти, я это знаю точно, скоро дело дойдет до наших изделий. С годами наши вещи будут расти в цене, попыток подделки будет много, все больше и больше, и люди, которые будут точно знать, как отличить настоящую вещь от поддельной, окажутся на вес золота, они обогатятся, потому что их экспертное заключение будет стоить очень дорого. Это мое наследие вам, мой прощальный подарок».

Получившие секретный кодекс сын Юрий Алексеевич Второй, автор дневниковой записи, и оставшийся в России преданный ученик Алексея Юрьевича Второго заключили соглашение о том, что останутся до самой смерти единственными носителями знания и передавать его будут перед самой кончиной очень осторожно, только детям, унаследовавшим профессию ювелира, а в случае их отсутствия — проверенным и доверенным ученикам. У ученика Алексея Юрьевича Второго с наследниками не заладилось, он умер внезапно, не успев передать секреты Сотникова своему собственному ученику, поэтому в последующие годы кодексом владели и распоряжались только сами Сотниковы».

Алексей Юрьевич аккуратно положил страницы на место и закрыл папку. Всегда любопытно наблюдать за процессом превращения наброска в готовый текст, это сродни тому, как из эскиза получается готовое ювелирное изделие. Надо будет непременно перечитать этот отрывок, когда сын Юрка сделает его «художественным». И конечно же, родительское сердце грели слова, взятые сыном в скобки: «спросить у отца». Признает сынок, что отец знает больше и может быть полезным. Приятно.

И снова мысли вернулись к Леониду Курмышову. Ах, Лёнька, Лёнька, что ж ты натворил!

К знакомым ребятам из управления «К» Роман Дзюба ездил действительно из-за дела Колосенцева. Бедуин сказал, что у неизвестного игрока с ником Телескоп стоит анонимайзер, позволяющий ему сохранять полную анонимность. Но для управления «К» это не должно быть слишком уж большой проблемой.

В принципе так оно и оказалось.

— Только время нужно выкроить, — сказали Дзюбе. — Вот с основной работой разгребемся, а к вечерку, может, сделаем. Как получится. Или завтра.

И Роман терпел и ждал. Вернувшись домой, разложил перед собой полученные от Антона распечатки и тупо смотрел в них, понимая, что надо работать. Но сил не было. И настроения не было тоже.

Он заставил себя взяться за длинные многостраничные списки. Быстро пробежал глазами то, что касалось Панкрашиной, и челюсть свело, будто оскоминой: ему казалось, что эти телефоны и имена он знает уже наизусть, ведь столько времени пришлось провести в поисках подозрительных контактов Евгении Васильевны. И уж фамилии Курмышова среди них совершенно точно не было, в этом Роман Дзюба мог бы поклясться. Отбросив в сторону детализацию звонков Панкрашиной, он взялся за материалы, касающиеся погибшего ювелира. Эти списки были куда обширнее, Леонид Константинович вел жизнь активную и наполненную общением с самыми разными людьми.

Почти сразу глаза начали слипаться. Несколько ночей Роман не спит как следует, проводя по полночи за компьютером в игре, которая ему, в сущности, не нужна и не интересна, вот и результат... А что, если подремать, ну хоть полчасика, чтобы голова не была такой мутной?

От звонка мобильного он вздрогнул. Открыл глаза и понял, что заснул быстро и глубоко. Долго не мог понять, откуда исходит звук, пытался нащупать в темноте будильник, потом догадался зажечь свет и увидел светящийся дисплей телефона. Звонили из управления «К».

— Ха! Он думает, что он самый умный, — раздался в трубке голос сотрудника, к которому Роман обращался сегодня за помощью. — Развел всякую фигню с Ирландией, Новой Зеландией и прочими ландиями. Думал, его невозможно отследить. Детский лепет. Короче, записывай, Ромчик: Фролов Денис Владимирович, адрес... телефон...

Дзюба решил, что еще не совсем проснулся, поэтому просто молча записывал данные, которые ему диктовали по телефону. Потом долго сидел и смотрел на сделанные собственной рукой записи.

Телескоп — Денис Фролов? Тот самый, который рассказывал им с Антоном о том, что Гена Колосенцев стоял за углом с каким-то незнакомым парнем...

Да. Ну и что в этом особенного? Фролов — геймер, это известно. Почему ходил по пятам за Пумой? Потому что Пума был известен как один из лучших игроков, и совершенно естественно проявить интерес к его манере игры, чтобы выявить привычные стереотипы мастера и выработать собственные приемы контратак. Гены не стало — и Фролов перестал играть. Ему стало неинтересно.

Нет, не так. Телескоп перестал играть на серверах их сайта. Но кто сказал, что он совсем перестал играть? Он просто ушел на другие сайты, где с успехом применяет приемы, наработанные за время наблюдения за Пумой. Вот и все.

А почему он не сказал им с Антоном, что учился у Пумы? Или сказал? Роман напряг память... Он восхищался Геной, это точно. Говорил, что во время соревнований искал глазами Пуму, потому что хотел увидеть легендарного геймера. То есть Фролов ни на минуту не пытался скрыть, что знал: Пума — настоящий мастер. И играл Фролов недавно, он сам сказал, когда советовал обратиться к более опытным игрокам.

То есть получается, что он ни в чем не обманул и ничего не скрывал.

А зачем тогда поставил анонимайзер? Да мало ли зачем! Предложение существует только тогда, когда есть спрос, этому Дзюбу еще в школе учили. Если существуют программы-анонимайзеры, значит, есть масса причин, по которым люди их ставят на свои компьютеры. И из этой массы причин, как обычно, процентов десять имеют криминальную подоплеку, а остальные девяносто — вполне законную и объяснимую.

«Я пытаюсь его оправдать, — мелькнуло в голове у окончательно проснувшегося Дзюбы. — А что, если попробовать с другого конца? Если изначально предположить, что Денис Фролов убил Генку, и попытаться найти возможную причину, мотив?»

Предположим, между Геной и Фроловым возник какой-то конфликт. Но как? Если игроки говорили правду и Телескоп играл без микрофона, значит, он ни с кем не вступал в переговоры и не мог ни с кем пособачиться. Бедуин, новый админ, говорил, что

Телескоп только отписывался в чате, при этом был безупречно корректен. Значит, конфликта быть не могло.

Тогда где мотив? Где выгода от убийства Колосенцева?

А что, если Фролов совершил преступление, о котором узнал Геннадий? И Денис убил оперативника, пока тот никому ничего больше не рассказал... Дзюба покрутил новую неожиданную мысль в голове, примерился к ней со всех сторон и решил, что идея никуда не годится. Какое преступление может совершить системный администратор небольшой фирмы Денис Фролов? Уж во всяком случае, не такое, которое могло бы заинтересовать опера из уголовного розыска. Профессия у Дениса мирная, с денежными потоками не связанная, и потом, для того чтобы Гена начал его хоть в чем-то подозревать, нужно, чтобы было преступление, по которому Фролов проходит в качестве фигуранта. Есть такое преступление? Неизвестно. Это надо будет попробовать выяснить. Но, с другой стороны, если Фролов — фигурант по делу, если он в чем-то замазан или к чему-то причастен, то на кой ляд он поперся на соревнования, где будет играть подозревающий его опер? Хотел перед глазами лишний раз мелькнуть? Глупо. Не знал, что Пума — тот самый опер, который сел ему на хвост? И понял это только тогда, когда увидел его живьем? Возможно. Тогда что сделал бы человек разумный и психически здоровый? Правильно: немедленно убрался бы из интернет-кафе подальше. А Фролов не только не убрался, но и поприсутствовал на церемонии награждения, а потом вместе со всеми отправился в кафе «Орбита» праздновать победу команды. И по пути увидел Генку с неизвестным парнем...

Нет, ничего не получается, ничего! И столько усилий и времени потрачено на то, чтобы вытянуть пустышку. Обидно.

Взгляд Романа снова упал на разбросанные по полу распечатки: значительная часть рабочего стола занята компьютером, столько бумаг можно разложить только на полу и на диване, но если на диване спать, то... Ёлки-палки, как же не хочется снова вникать в эти телефоны и имена!

Он решил, что немножко поиграет. Ну совсем чуть-чуть. Только чтобы проснуться. Заодно и послушает разговоры геймеров, авось, про Гену что-нибудь скажут...

В два часа ночи Дзюба решил взять себя в руки и все-таки заняться ненавистным бумажным делом. Он выключил компьютер и уселся на пол.

В два часа пятнадцать минут он тяжело поднялся и отправился на кухню, чтобы сварить себе кофе и сделать бутерброд.

В два часа сорок две минуты, в ночь с субботы на воскресенье, Роман Дзюба обнаружил в списке контактов Леонида Курмышова некую даму по фамилии Нитецкая. Вероника Валерьевна Нитецкая.

Он легкомысленно пренебрег необходимостью посмотреть на часы, прежде чем хвататься за телефон. Голос оперативника по имени Надир звучал на фоне громкой музыки и отдаленного шума: парень явно проводил ночь в очень веселой и большой компании.

— Ты обалдел, что ли, в такое время звонить! — накинулся на него Надир.

— Но ты же не спишь, — удивился Дзюба.

— Знаешь, дорогой, я, конечно, не сплю, но занят таким делом, которому телефонные звонки не способствуют, — сердито ответил оперативник. — Что ты хотел? Что за пожар?

— Извини, — пробормотал Роман, до которого только сейчас дошло, от какого занятия он оторвал Надира. — Когда контактами Курмышова занимались, вы Нитецкую Веронику Валерьевну проверяли?

— Нитецкую? — переспросил Надир, потом снова повторил: — Нитецкую, Нитецкую... А, это та, которая косметикой торгует? Проверяли. Она не любовница ювелира, просто заказчица. Заказывала у Курмышова кольцо.

— А ты его видел, это кольцо?

— Само собой, она показала.

— Ну, мало ли что она тебе показала, — усомнился Роман.

— Знаешь, — рассердился Надир, — мало ли, много ли, а только на том кольце стояло именное клеймо Курмышова, в точности совпадающее с клеймами, которые мы нашли в его сейфе. Так что кольцо совершенно точно он ей делал.

— То есть Вероника Нитецкая — не любовница Курмышова?

От досады Роману хотелось чуть не плакать. Ну, в крайнем случае что-нибудь разбить.

— Нет, что ты. — Голос Надира смягчился, видно, он уловил, до какой степени расстроился его собеседник. — Просто клиентка.

Роман с досадой пнул ногой валяющиеся на полу распечатки, быстро умылся, разделся и нырнул в постель. Когда перестает везти, то уж не везет тотально.

Глава 12

— И сколько часов ты спал сегодня, неугомонный ты мой? — с подозрением спросил Антон Сташис, когда в семь утра его поднял телефонным звонком Дзюба.

— Ну, мало, — буркнул Роман. — В три лег, в половине пятого поднялся списки эти гребаные изучать. Никого, кроме Нитецкой, больше не нашел. Вероника Валерьевна — единственный общий контакт Курмышова и Панкрашиной. Надир говорит, что она просто клиентка ювелира, ей Курмышов кольцо делал. Значит, совпадение.

— Знаешь что, Ромка, ложись-ка ты спать и выспись как следует, — посоветовал Антон. — На тебя в последние дни смотреть больно. И работник из тебя никакой. А Нитецкой я сам займусь. Сегодня похороны Курмышова, я все равно собирался пойти, вот и посмотрю для начала, пойдет она проститься со своим ювелиром или нет. А там поглядим.

— Мне, наверное, тоже надо пойти, — неуверенно протянул Роман.

— Да спи уже, — рассмеялся Антон. — Набирайся сил. Справлюсь я без тебя.

Церемония прощания с Леонидом Константиновичем Курмышовым была организована в просторном ритуальном зале крематория, куда, несмотря на довольно солидные размеры помещения, с трудом втиснулись все желающие проводить ювелира в последний путь. Антон стоял чуть в стороне и внимательно наблюдал, отмечая известные всей стране лица: артисты, певцы, продюсеры, спортсмены... Всем им за долгие годы работы Леонид Курмышов делал украшения и разные изделия, которыми они гордились и с наслаждением пользовались. Вот прошла довольно большая группа людей, среди которых Антон заметил Сотникова, Горбатовского, Карину, Араратяна и всех тех, кого он видел на фирме «Софико»: закрепщики, шлифовщики, мастера-огранщики, Нонна в темных очках, скрывающих заплаканные глаза, рядом с ней семенил ее дед — невысокий морщинистый Глинкин, старший технолог. И в этой группе тоже были «публичные» лица: представители руководства Гохрана и Алроса, видимо, лично знакомые с Курмышовым.

А вот и Нитецкая. Совсем одна. С охапкой темнобордовых роз. Она ни с кем не разговаривала, ни к кому не подходила — ни к «звездной» группе, ни к «ювелирной», ни к родителям Леонида Константиновича, очень-очень старым и, судя по их лицам, не особенно отчетливо понимающим, что вообще происходит. Старики сидели на полированной скамье возле самого гроба, установленного на постаменте, сгорбленные, тихие, но с сухими глазами. Рядом примостились молодые мужчина и женщина — приехавшие из другого города дети Курмышова, жившие отдельно от отца, насколько помнил Антон, как минимум лет пятнадцать, если не больше.

Сначала священник провел обряд отпевания, потом начались прощальные речи. Сташис глаз не сводил с Вероники Валерьевны, которая так и стояла одна, в самом углу, держа в руках свой поминальный букет. По ее лицу текли слезы.

Церемония длилась долго, потом каждый желающий подошел к покойному, прикоснулся к его рукам и положил цветы. Когда гроб под органную музыку стал опускаться вниз, Нитецкая первой повернулась и вышла из ритуального зала. Она так ни с кем и не заговорила. Неужели она действительно не более чем заказчица? Но тогда почему она так плакала? И почему такой выразительный букет?

Антон догнал ее на широких ступенях крематория, женщина торопливо шла, почти бежала к своей машине.

— Вероника Валерьевна! — окликнул ее Сташис.

Нитецкая резко остановилась, обернулась и посмотрела на него глазами, в которых все еще стояли слезы. Губы ее кривились от с трудом сдерживаемых рыданий. Антон мягко взял ее под руку и подвел к своей машине.

— Вероника Валерьевна, вы не считаете, что нам пора поговорить? — негромко спросил он.

— Но не сейчас же, — вяло ответила Нитецкая.

— Нет, именно сейчас, — твердо и даже чуть жестковато проговорил Антон. — Тем более что вы в таком состоянии все равно не можете вести машину. Давайте я отвезу вас домой, посидим, поговорим, вы помянете Леонида Константиновича, как полагается. Насколько я понял, на общие поминки вы идти не собираетесь.

— Что мне там делать... — махнула рукой Нитецкая. — Ладно, поехали. А моя машина?

— Я позабочусь об этом, если вы дадите мне ключи.

— Ладно, — безнадежно повторила она и, уже взявшись за ручку дверцы, чтобы сесть в салон, вдруг сказала: — Вы правы. Я была Лёниной любовницей. Вы ведь об этом хотели поговорить?

— И об этом тоже, — кивнул Антон. — Садитесь, пожалуйста.

— Составите мне компанию? — спросила Нитецкая, выставляя на стол рюмки, бутылку коньяку и тарелку, на которой лежали ровные аккуратные ломтики сыра и дольки лимона. — Или мне придется поминать Лёню в гордом одиночестве?

— Я на работе, — коротко ответил Антон. — К тому же за рулем.

Она не стала переодеваться и сидела за столом все в том же черном платье, в котором была на панихиде. Черный шелковый шарф, которым во время отпевания были покрыты ее волосы, теперь лежал на плечах, и Вероника то и дело теребила бахрому на его концах.

— Я сказала, что была Лёниной любовницей, — начала Нитецкая, выпив залпом полную, хотя и небольшую, рюмку. — Но это не так. Вернее, не совсем так. У нас были такие отношения, при которых слова «любовник» и «любовница» звучат неуместно. Грубо. Пошло. Мы любили друг друга так, как это мало кому удается на нашей грешной планете. Мы жили в унисон и дышали в унисон, мы чувствовали друг друга за десятки километров. Мы были одним целым. Именно поэтому Лёня не знакомил меня ни с кем из своего окружения. Мы хранили наши отношения в тайне, берегли от чужих глаз, никому ничего не рассказывали, потому что боялись спугнуть такую невероятную, такую невозможную любовь. Поэтому, хотя Лёня был холост, меня не пригласили на поминки. Обо мне просто никто ничего не знал.

Антон молча кивнул. Вот и еще один Курмышов появился, совсем другой, не похожий ни на легкомысленного гуляку-дельца, о котором рассказывал Сотников, ни на безумно талантливого возлюбленного Карины Горбатовской. Курмышов, которого не знал никто из его друзей и знакомых. Никто, кроме женщины, которую он действительно любил. Какой же из этих Курмышовых настоящий? Или все трое?

— Расскажите мне, что произошло у Леонида Константиновича с Сотниковым, — попросил он.

Нитецкая кивнула и опрокинула еще одну рюмку. Поймав настороженный взгляд Антона, слегка усмехнулась:

— Не бойтесь, я свою норму знаю. И всегда останавливаюсь на половине этой нормы. Нет ничего отвратительнее пьяной женщины.

То, что рассказывала Вероника Валерьевна, большей частью уже было известно Антону, но он все равно слушал очень внимательно, боясь упустить какую-то деталь, которая, вполне возможно, была известна только этой женщине.

Лёнечка Курмышов после восьмого класса пришел к отцу Алексея Юрьевича Сотникова, известному ювелиру Юрию Сотникову, подмастерьем на выучку. Сам Алеша стоял за спиной отца с раннего детства и всех учеников хорошо знал, хотя они были старше него. С Курмышовым у Алеши сложились добрые отношения, тем более что Алеша в свои 10 лет уже много что умел, а Лёня пока еще не умел ничего, но не считал зазорным учиться не только у мастера, но и у его маленького сына. Очень скоро они стали близкими друзьями. Алеша часто приводил Лёню в свою комнату и показывал ему перешедшие по наследству альбомы с эскизами, а также книги с иллюстрациями, привезенные невесть каким путем из-за границы.

Они оставались друзьями много лет, и когда у Леонида во время дефолта 1998 года сложилась трудная финансовая ситуация, Алексей поделился с ним секретным кодексом Сотниковых. Эти знания позволили Курмышову стать еще одним экспертом по изделиям Дома Сотникова, его стали приглашать крупные аукционные фирмы и хорошо платить. Курмышов был очень благодарен своему другу Алексею, искренне и глубоко благодарен.

Но однажды он в каком-то непонятном порыве, который сам потом не смог ни объяснить, ни оправдать, рассказал про эти секреты одному своему заказчику, певцу Виктору Волько. И не только рассказал о том, что есть такие секреты, но и перечислил их подробно, даже проиллюстрировал многочисленными фотографиями и рисунками. Потом спохватился, взял с певца слово, что это останется между ними, потому что число экспертов по изделиям Дома Сотникова строго ограничено, их всего двое, и Курмышов — один из них, это обеспечивает им стабильный доход. Волько поклялся, что сохранит все в тайне, но очень скоро слил информацию тем, кому она была интересна. Поскольку теперь аукционисты и коллекционеры сами могли определять подлинность работ Сотникова, в экспертах отпала нужда, и Алексей с Леонидом лишились источника дохода. Правда, к ним по-прежнему обращались коллекционеры, но человек, потерявший статус эксклюзивного эксперта, уже не мог рассчитывать на высокие гонорары за консультации. Кроме того, раньше сами консультации осуществлялись преимущественно за границей, когда при подготовке торгов приглашались эксперты, в это же время туда съезжаются коллекционеры со всего мира, и именно они обращаются за частными консультациями. И хорошо платят, ведь известно, что самые богатые коллекционеры живут в США и в Англии. Сидя в России, на отечественных коллекционерах много не заработаешь.

С того момента у Леонида Курмышова возникло сильное чувство вины перед Сотниковым. И идея поквитаться с Волько стала навязчивой, он жить не мог, дышать не мог, он считал, что должен сделать хоть что-нибудь, чтобы отомстить Волько, напугать его, испортить ему жизнь. И не придумал ничего лучше, чем сделать «Рассвет на Эгейском море» и показать певцу. После скандала с Волько у Курмышова случился инсульт, ему, правда, удалось восстановиться, но не полностью, зрение упало и правая рука плохо слушалась, достаточно, чтобы рисовать и делать эскизы, но недостаточно, чтобы выполнять тонкие работы по изготовлению ювелирных изделий. Именно поэтому он занялся бизнесом, открыл свою фирму по изготовлению ювелирной массовки, стал ее руководителем, но сам уже делать ничего не мог. Фирму он открыл там же, где и Сотников, на «Кристалле», поскольку там площади, мощности, оборудование и бункер. Алексей очень помог ему в то время, поэтому, когда Лёня решил заняться бизнесом, совершенно естественно, что они оба оказались в одном месте.

У Леонида не было никаких конкретных идей, как предъявить колье Волько и как это обставить, он творческий человек, фантазер, мечтатель, романтик, он придумывал какие-то невероятные комбинации, которые разваливались при первых же попытках их обсудить...

И вдруг Евгения Панкрашина, приехав в гости и привезя фотографии дочери, последние, недельной давности, сказала, что ей нужно вместе с мужем идти на прием и муж требует, чтобы она надела ювелирные украшения, и даже денег дал, а ей так не хочется их тратить на пустое...

— И она решила взять украшение напрокат, — монотонно рассказывала Нитецкая, откусывая ровными красивыми зубами малюсенькие кусочки сыра. — Вы можете себе такое представить? У нее самой никаких достойных украшений не было, только обручальное кольцо тридцатипятилетней давности и маленькие сережки еще советских времен, золотые, с крохотными рубинчиками. Дикость, конечно, но Евгения сама выбрала такую жизнь, она хорошо знала, что почем и что сколько стоит.

— Я не понял, — остановил ее Антон. — Вы что имеете в виду, Вероника Валерьевна?

— Ну как что? Евгения сама решила, что человеческое тепло и дружеские контакты стоят дороже, чем красивая одежда и украшения, которые она вполне могла себе позволить. Она отдавала себе отчет в том, что нужно выбирать: или сохранить подруг, давних, любимых, близких, или носить то, что позволяют деньги, и выглядеть соответственно. Она была достаточно мудрой, чтобы понимать, что эти вещи не совмещаются и обязательно нужно делать выбор. И она свой выбор сделала.

— Ну надо же, — озадаченно проговорил Антон. — А я был уверен, что ей действительно не хотелось ни красивой одежды, ни украшений, во всяком случае, и ее муж, и ее приятельницы именно так говорили.

— Да вы с ума сошли! Где вы видели женщину, которой не хотелось бы красиво одеваться и украшать себя, если есть возможности и деньги? Не родилась еще такая, я вас уверяю. И Евгении тоже очень всего этого хотелось. Но сохранить круг общения ей хотелось еще больше. Вот и все.

— Но почему же тогда ее муж?..

— Господи, да потому, что он ее не понял бы! Евгения видела, с какой легкостью он разорвал все дружеские связи, которые у него остались с тех времен, когда он был простым совслужащим, и приобрел новые, и поняла, что ее резонов он не поймет и не одобрит. Куда проще было сказать: «Я не хочу, мне не нужно», и все, и никаких лишних вопросов.

— Но муж ведь понимал, что Евгения Васильевна не просто не хочет, а умышленно старается не вызывать зависть у своих подруг. Он сам мне это говорил, — возразил Антон.

— Конечно, понимал, — кивнула Нитецкая. — Он ведь не идиот. Но он искренне был уверен в том, что Евгении так легко не вызывать зависть подруг именно потому, что ей действительно ничего не нужно. В общем, он думал так, как ему удобно. Впрочем, как и все мы. А со мной Евгения могла себе позволить быть совершенно откровенной, она за дружбу со мной не держалась, это она была мне нужна, а не я ей. И кстати, она была единственной, кто знал о моих отношениях с Лёней. Разумеется, не все и не в деталях, и имени его я не называла, но о том, что мой любимый мужчина — ювелир, я ей говорила.

Вот, значит, как... Мало ему третьего Курмышова, так теперь еще и вторая Панкрашина. Неужели люди до такой степени не видят и не понимают друг друга?

Евгения Панкрашина спросила у Нитецкой, может ли она посоветовать какой-нибудь конкретный бутик, где можно взять украшение напрокат. Сказала: «Поговори со своим другом-ювелиром, он наверняка знает, это же одна шайка-лейка». Рассказывала про то, что прием очень шикарный и будет петь сам Волько, во всяком случае, муж говорил, что с ним подписали контракт. И тут Нитецкая, услышав имя певца, выступила с инициативой.

— Зачем тебе бутик? — сказала она. — Там надо деньги платить за прокат. Если хочешь, я поговорю со своим другом, у него наверняка есть какие-нибудь интересные изделия, которые он еще не отдал заказчику. Вообще-то этого делать нельзя, но в виде исключения он пойдет тебе навстречу, я за тебя поручусь.

Евгения радостно согласилась: проблема, оказывается, решается так просто! В тот же день, когда Евгения ушла, Нитецкая позвонила Курмышову:

— Лёня, это твой единственный шанс.

Но Леонид почему-то начал сомневаться.

— А вдруг Волько не увидит мое ожерелье? — говорил он. — Прием большой наверняка, народу тьма, где гарантия, что во время перерыва он выйдет в зал и будет ходить среди гостей, и ему обязательно попадется навстречу дама в ожерелье? И не просто попадется на глаза, но и сумеет донести до него информацию о названии этого ювелирного изделия?

Вероника понимала его сомнения. Конечно, такое ожерелье трудно не заметить, оно получилось очень выразительным, ведь Лёня вложил в него огромные деньги именно для того, чтобы оно выглядело как картина бисером и не вызывало ни малейших сомнений, потому оно и вышло таким броским, ярким, громоздким. Но все равно вероятность успеха очень мала, артисты далеко не всегда спускаются в зал к гостям, они могут отпеть свое, отвыступать и сидеть в специально отведенной комнате, отдыхать.

— Все может быть, — соглашалась Вероника. — И у тебя может ничего не получиться, но пробовать надо, другой такой возможности не будет. Когда еще появится шанс узнать, что Волько приглашен на частную вечеринку, и при этом будет возможность надеть ожерелье на кого-нибудь из гостей? Один шанс на миллион. Когда певец выступает в концертных залах, он никого не увидит.

И Леонид Курмышов отдал Веронике «Рассвет на Эгейском море».

В понедельник, 19 ноября, Евгения Панкрашина приехала к Нитецкой и забрала ожерелье. Для этой поездки ей нужен был официальный визит к подружке, но, как назло, именно в тот день эта подруга не могла быть дома днем, тогда, когда это было необходимо Евгении. У подруги были какие-то дела, и она пообещала, что вернется домой к пяти часам вечера. Переносить встречу с Нитецкой оказалось тоже невозможным, и Евгении пришлось выкручиваться: она доехала со своим водителем до дома подруги, которой заведомо не было дома, велела ему забрать ее в семь вечера и вошла в подъезд. Дождавшись, когда водитель уедет, вышла на улицу и поехала к Нитецкой на метро, это недалеко. Вероника показала ожерелье, перечислила камни и несколько раз настойчиво, но вроде бы ненавязчиво повторила, что ювелиры иногда дают названия своим изделиям, и вот это как раз называется «Рассвет на Эгейском море». У него есть еще и второе название — «Последний рассвет». Конечно, не было почти никаких шансов, что Евгения сможет донести информацию до Волько, но чем черт не шутит...

К пяти часам Евгения, прижимая к себе сумку с невероятно дорогим ожерельем, явилась к подружке. А в семь приехал водитель, и Евгения вышла к нему так, словно все это время, с трех часов, в этом доме и провела.

Поскольку ожерелье было дорогим, Лёня очень волновался за него и просил непременно вернуть сразу после мероприятия. Евгения обещала привезти украшение на следующий день, в среду. Она утром позвонила Нитецкой и сказала, что привезет ожерелье после обеда, потому что в первой половине дня у нее какие-то дела, она что-то обещала своей подружке... Вероника не очень вслушивалась в эти объяснения, потому что день ей предстоял довольно напряженный, со сложными переговорами и капризными партнерами. И встречаться с Панкрашиной после обеда она не могла ни при каких условиях.

— Я заеду к тебе сейчас, — быстро проговорила Вероника, одной рукой держа телефон возле уха, другой застегивая молнию на сапоге. — Встану во дворе, вынесешь мне ожерелье. Другого времени у меня сегодня не будет, а вещь нужно вернуть. Дорога займет минут сорок—сорок пять, посматривай в окно, я встану так, чтобы ты могла меня увидеть.

— Ожерелье нужно было вернуть обязательно в среду, — объясняла Нитецкая, — потому что Лёня сильно нервничал, ведь изделие очень дорогое, а он отдал его ни за понюх табаку в чужие руки, причем даже не знает, кому именно, и расписку никакую не брал, все под честное слово. Когда я подъехала, Евгения спустилась и отдала мне коробочку с ожерельем. Я сразу же отвезла его Лёне и помчалась на деловую встречу.

— Значит, те фотографии, которые вы мне показывали в прошлый раз, вы получили от Панкрашиной не утром в день убийства? — усмехнулся Антон. — Обманули, выходит?

— Обманула. — Нитецкая глянула на него с пьяной дерзостью. — Я эти фотографии получила на несколько дней раньше, когда Евгения сказала мне про прием.

— Ну да, — кивнул Сташис. — Я заметил в прошлый раз, что вы как-то нервничали, отвечая на вопросы о Панкрашиной. Вы ведь рассказали нам правду, если я правильно понял. И все время мучился вопросом: отчего вы так нервничали? У вас даже руки дрожали. Это было странно: человек говорит чистую правду, а так волнуется.

— Я судорожно размышляла, рассказать про ожерелье и про Лёню или не надо. Так ничего и не решила. Поэтому и нервничала, вернее, отвлекалась мысленно все время, потому что трудно сосредоточиться одновременно и на ответах на ваши вопросы, и на собственных размышлениях.

Антон подумал, что это верно, именно использование этой особенности человеческого мозга помогло ему когда-то выжить, похоронив всю свою большую семью. А ему самому — двойка с минусом. Ведь он видел, как покачивалась Нитецкая, переминаясь с ноги на ногу, а это, как гласили умные книги, является признаком того, что человек колеблется и не может принять решение: поступить так, как подсказывает интуиция, или прислушаться к голосу разума. Видел, но не задумался над причинами. Проморгал, одним словом.

«И что мы имеем в итоге?» — думал он, распрощавшись с Нитецкой и дозваниваясь до человека, которому собирался передать ключи от машины Вероники Валерьевны: обещания надо выполнять.

С ожерельем разобрались, оно существовало в единственном экземпляре и не было украдено во время убийства, а вот тайну смерти Евгении Панкрашиной так и не раскрыли. Как-то странно все складывается в этом деле: вроде человек говорит правду, то есть ничего не выдумывает, пересказывает в точности все, как было, а что-то смущает... И потом оказывается, что смущало не зря. Почему-то вдруг вспомнилась Светлана Дорожкина. Тоже ведь установлено, что она говорила чистую правду, ничего не выдумала, и сегодняшний рассказ Нитецкой лишний раз это подтвердил. Но что-то было не так... Не такие взгляды, не такие жесты, не та интонация. Ну, с Нитецкой стало понятно: она обладала информацией и не понимала, нужно ею делиться или нет. А Светлана Дорожкина? Что такого она могла знать, что заставляло ее, говоря чистую правду, отвлекаться и думать об этом?

Дома царила необычная для воскресного вечера тишина. Как правило, дети, несмотря на строгий надзор няни, по пятницам и субботам куролесили допоздна, на следующий день отсыпались, и в воскресенье уложить их вовремя бывало весьма проблематичным. Едва переступив порог квартиры, Антон подумал было, что дома никого нет, но тут же уловил едва слышный звук шагов Эли, которая появилась в прихожей, прижимая палец к губам. Антон молча кивнул, разделся и на цыпочках прошел следом за няней на кухню.

— Это как же вам удалось их так укатать? — осведомился он. — Еще девяти нет, а дети спят. Чудеса!

— Я возила их за город, в один пансионат, где сегодня устраивали большой детский праздник. Множество развлечений для всех возрастных групп, начиная от трех-четырех лет и до подростков. Но самое главное, — Эля хитро улыбнулась, — я заранее узнала программу и поняла, что там предполагаются самые разные соревнования. Для лыж и коньков еще рано, погода не позволяет, а детям ведь нужно движение на свежем воздухе. Одним словом, результат налицо. Набегались, надышались, навеселились так, что уснули прямо в машине, я их с трудом разбудила и еле-еле накормила ужином, у обоих головы в тарелку падали.

— Спасибо вам, Эля. Не представляю, что я буду без вас делать.

Ее лицо помрачнело.

— Не надо снова об этом, пожалуйста. Все решено. И это только вопрос времени.

— Да, времени... — печально повторил следом за ней Антон. — Вы знаете, что мне посоветовал ваш Трущёв?

— Он посоветовал найти жену, — ответила Эля. — Он мне рассказывал.

— И где я должен ее искать? Может, вы подскажете? Вот один знаток жизненных проблем, например, у меня на службе советует поискать хорошую одинокую женщину среди учителей или врачей-педиатров. Омерзительное ощущение, как будто решил завести собаку или кошку и придирчиво выбираешь породу: у этой капризный характер, эта слишком крупная, от этой много шерсти... Но ваш Трущёв уверен, что мне так или иначе придется принести себя в жертву обстоятельствам, которые сложились не по моей вине. Просто они так сложились. И без жертв выхода не найти. Вы тоже так считаете?

Эля сидела, опустив голову. Антон понимал, что разговор ей неприятен, ведь она сама несколько лет назад пришла к нему и предложила безвозмездную помощь, и он эту помощь принял, но ни она, ни он не подумали: а что будет дальше? Антон был в страшном горе, потеряв жену, Эля была в ужасе оттого, что ее муж, затеяв на улице пьяную стрельбу, смертельно ранил молодую женщину, мать двоих маленьких детей. Она немедленно подала на развод и пришла к овдовевшему по вине ее мужа Антону Сташису с просьбой принять ее посильную помощь. Оба они были не в том эмоциональном состоянии, чтобы думать о будущем. Когда на тебя сваливается горе, обычно в голову не приходит простая мысль о том, что когда-нибудь острая боль притупится и начнется другая жизнь, в которой будут другие люди, другие мысли и другие чувства. Кажется, что так теперь будет всегда. И любые слова о том, что когда-нибудь все будет совсем иначе, звучат кощунственно.

А потом оказывается...

— Мне ведь тоже придется принести определенную жертву, — проговорила Эля, подняв глаза на Антона. — Я предложила вам помощь, более того, я просила, я умоляла вас принять ее, потому что вы отказывались и не хотели, чтобы я работала бесплатно. Мне удалось вас уговорить. А теперь получается, что я вас предала. Обманула. Бросила на произвол судьбы. И стою перед дилеммой: остаться хорошей для вас, остаться порядочной и верной, но отказаться от любви, от семьи и возможности родить ребенка, или жить с любимым мужем, растить собственных детей и всю жизнь, до самой смерти, чувствовать себя подлой предательницей, пообещавшей помощь и не сдержавшей слова, бросившей вас в трудную минуту. Думаете, мне легко делать этот выбор?

— Но вы его сделали, — заметил Антон.

— Да, — кивнула няня. — Я его сделала. Но не думайте, что мне это было легко. Всю оставшуюся жизнь я буду чувствовать себя виноватой перед вами. И это здорово отравит мне существование. Простите меня, Антон, я старше вас и давно уже поняла, что жить, ничем не жертвуя, невозможно. Не получается. Весь мир устроен равновесно, об этом еще Ломоносов писал, помните? Ежели где чего убавится, так в другом месте непременно прибавится. А так, чтобы прибавлялось и здесь, и там и нигде не убавлялось, не бывает. Это ведь не только закон сохранения вещества. Это закон жизни. И нам приходится его принимать и с ним считаться. Все проблемы у людей начинаются именно тогда, когда они не хотят приносить жертвы. Они хотят, чтобы только прибавлялось, но ни в коем случае не убавлялось. А таких решений не бывает.

«Да, — думал Антон. — Таких решений не бывает. Конечно же, Эля права. Значит, придется пожертвовать своими представлениями о счастливом браке и действительно искать подходящую жену. В конце концов, говорят же, что браки по расчету бывают очень счастливыми, если расчет сделан правильно».

— Вы регулярно ходите в школу и в детский сад, вы водите детей в поликлинику... — начал он осторожно.

— Да-да, я понимаю, о чем вы, — подхватила Эля. — После разговора с Сашей я много об этом думала. Ну, так. — Она слабо улыбнулась. — На всякий случай: вдруг вы спросите.

— Считайте, что спросил.

Эля вышла из кухни и через минуту вернулась с листком, на котором четким красивым почерком были написаны имена, фамилии и график работы трех женщин: двух педиатров и учительницы младших классов.

Антон недоверчиво пробежал глазами ровные строчки.

— Они хоть не страшные?

— Они очень симпатичные, — заверила его няня. — Незамужние, любят детей, подходят вам по возрасту.

— Ладно, — тяжело вздохнул он, складывая листок и пряча его в карман джинсов, — давайте ужинать, что ли...

Глава 13

—Где вы были вчера с десяти до тринадцати часов? — задал Антон Сташис вопрос, заранее согласованный со следователем.

Надежда Игоревна, как и обещала, вызвала к себе на допрос певца Виктора Волько. Разумеется, по его телефонному номеру отвечал не он, а его бессменный помощник, он же продюсер, и Надежда Игоревна дала ему полную возможность высказаться, отведя ровно пять минут на словоизлияния по поводу того, что «как же так можно, Виктор Семенович — человек крайне занятой, и с какой это стати он будет ездить к какому-то там следователю на какие-то там допросы, да еще прямо сейчас, с бухты-барахты, у него не только весь день — вся неделя расписана наперед по минутам, и вообще как вам не стыдно таскать на допросы такого известного человека». За эти пять минут Надежда Игоревна успела включить компьютер на рабочем столе в своем кабинете и пробежать глазами главные новости, а также полить стоящие на подоконнике цветы. Когда отмеренные ею пять минут истекли, она бесцеремонно прервала поток слов и произнесла несколько давно отработанных фраз, донельзя напичканных словами «привод, принудительное доставление, полиция, позор перед соседями, огласка, журналисты, пресса, комментарии». Слишком давно она работает в должности следователя, чтобы не научиться обращаться с людьми, которые в силу некоторых обстоятельств считают себя не такими, как другие.

В итоге Виктор Волько появился в ее кабинете еще до полудня. Примерно минут двадцать он старательно изображал из себя невинную звезду, незаконно и необоснованно подозреваемую невесть в чем. Да, он давно знал Леонида Курмышова, и что с того? Его вся артистическая среда знала. Да, Леонид что-то рассказывал о Доме Сотникова, было даже интересно. Да, Волько поделился с другими людьми тем, что рассказал ювелир, а что в этом такого? Это же не государственная тайна оборонного значения. И вообще, когда это было... Столько лет прошло...

Потом Надежде Игоревне это надоело, и она сделала незаметный знак Антону: твой ход. Вот тогда он и задал свой вопрос, такой на первый взгляд невинный. Виктор Семенович, не почуявший столь очевидного подвоха, тут же принялся с энтузиазмом рассказывать, в котором часу он встал накануне, в котором часу пришел его помощник, какие вопросы они обсуждали, кто ему звонил и кому звонил он сам, куда они потом поехали и с какой целью. И после каждой фразы неизменно прибавлял:

— Вы спросите, вам все подтвердят, меня там видели.

— А на похоронах Леонида Константиновича Курмышова вы были?

— Нет. — В горячности Волько снова проскочил мимо поворота, не заметив предупреждающий знак. — Я же вам только что объяснял, что я был...

— А почему? — прервал его Антон, изобразив на лице искреннее любопытство.

— Что — почему? — не понял певец.

— Почему вы не были на похоронах Курмышова? Все были, вся ваша, как вы выразились, артистическая среда. Все, кто знал ювелира и пользовался его услугами, пришли. А вы — нет, не соизволили, хотя и рассказывали нам только что, что были знакомы с ним много лет и душевно приятельствовали. Как же так, Виктор Семенович?

Волько запнулся, потом спохватился:

— Ах да, я вспомнил, я же был на похоронах, просто у меня совсем не было времени, и я заехал буквально на две минуты, постоял, положил цветы... Нет, я их отдал кому-то с просьбой положить к гробу, когда будет соответствующий момент. И уехал.

— Куда?

— Я же вам сказал...

— Виктор Семенович, перестаньте, — поморщилась Рыженко. — Хватит уже. Вас на похоронах не было...

— Нет, я был!

— Да нет, Виктор Семенович, — усмехнулся Антон. — Вы путаете. Это я там был. А вот вас как раз и не было. И нам необходимо ваше внятное объяснение: почему? Если в течение полутора минут мы не услышим этого объяснения от вас, то дадим его сами. И не думаю, что оно вам понравится. Так что выбирайте: ваше объяснение или наше. Хотите быть подозреваемым в убийствах Евгении Панкрашиной и Леонида Курмышова — воля ваша, так и запишем. Не хотите — рассказывайте, как все было на самом деле.

Упирался певец недолго.

— Я ничего не знаю ни про какую Панкрашину! — истерически завопил он. — А Курмышов... Ну да, действительно...

Он действительно испугался тогда на приеме. Проходившая мимо незнакомая дама улыбнулась ему, он дежурно улыбнулся в ответ и обратил внимание на ее ожерелье, очень крупное, броское, яркое, его просто невозможно было не заметить. И очень красивое. Ему хотелось быть приятным, а никакого другого комплимента в голову не пришло, просто сработал автоматизм: поклонники должны тебя любить. И Волько похвалил украшение. А дама вдруг начала рассказывать, что это ювелирное изделие имеет название «Рассвет на Эгейском море», и у него есть еще второе название — «Последний рассвет». Дама еще что-то щебетала о том, что ювелиры, оказывается, иногда дают названия своим изделиям, а она никогда об этом не слышала, и как это интересно... А Виктор Волько уже ничего не воспринимал от ужаса. Перед глазами стояло искаженное ненавистью и яростью лицо Леонида Константиновича, в ушах набатом звучали его, казалось бы, давно и прочно забытые слова: «Это будет последний рассвет, который ты увидишь в своей жизни».

Сперва Волько решил, что Курмышов где-то здесь, наблюдает за ним со стороны. Он стал искать ювелира в зале, хотел объясниться, а когда не смог найти, сделал отчаянную попытку проверить: набрал домашний телефон Курмышова, и тот снял трубку. То есть его совершенно точно на приеме не было. И почему-то в этот момент Виктору Волько стало по-настоящему страшно. Он решил, что ювелир задумал какую-то невероятную, чудовищную месть. И певец растерялся, не смог совладать с собой, убежал с приема, наплевав на прописанные в контракте обязательства, и опрометью кинулся к знакомому криминальному авторитету из числа поклонников.

— Вы, наверное, знаете, у всех звезд есть... ну, как бы это сказать... поклонники и спонсоры из этой среды, — запинаясь, объяснял певец. — У нас ведь часто возникают всякие недоразумения, особенно когда приглашают на частные вечеринки, и надо иметь за спиной авторитетных людей, которые помогут и защитят, если что...

— Я знаю, — кивнула Рыженко. — Вы не отвлекайтесь, пожалуйста. Продолжайте.

Волько примчался к своему «спонсору-поклоннику», криминальному авторитету Михалеву, и попросил дать ему человека для выполнения деликатного поручения: попугать ювелира Курмышова. Нет, ни в коем случае не убивать, просто напугать до смерти, чтобы дать Леониду понять: Виктора Волько голыми руками не возьмешь, он тоже умеет показывать зубы и огрызаться, он тоже может быть опасен. Почему-то ему казалось, что таким образом он сможет остановить Курмышова.

— И кого вам дал Михалев?

— Он позвонил куда-то, через некоторое время приехал Гриша Дубинюк, здоровенный такой парень, одним своим видом может напугать до обморока. Я Гришу давно знал, он всегда рядом с Михалевым. Мне, собственно, именно такой и нужен был, я же не убивать просил, а только напугать, вот и подумал, что Леонид Константинович его как только увидит — сразу отступится от своих намерений.

— То есть вы не заказывали Дубинюку убийство Курмышова?

— Да вы что! — Волько побелел. — Как вы могли подумать! Конечно же, нет, я только попугать хотел. И еще строго-настрого велел не бить и вообще не калечить, потому что ювелир работает руками, калека работать не сможет, если руки повредить. И вообще, я не живодер. Вы поймите, я не хотел Леониду зла, я не хотел ему ничего плохого, я просто защищался! Я был уверен, что это он хочет мне отомстить, и пытался его остановить. Напугать и остановить.

— Хорошо. Как именно вы намеревались напугать Курмышова?

— Я... Я не знаю... Я Грише сказал: на твое усмотрение, реши сам, по ситуации. Мне важен результат: Леонид должен испугаться так, чтобы навсегда забыть мысль отомстить мне.

— И что именно усмотрел Григорий Дубинюк? Он вам доложил, как он напугал Курмышова?

— Он... сказал, что похитил Леонида в четверг вечером и отвез в такое место, где он посидит немножко и остынет.

— В четверг вечером — это через день после приема? — уточнила Рыженко, которой в протокол нужно было вписывать не «четверги» и «следующие дни», а конкретные даты. — Двадцать второго ноября?

— Ну... да, наверное.

— И что было потом?

— Я не знаю... Я правда не знаю... Честное слово! Гриша сказал, что акция устрашения завершается, и в воскресенье, в самом крайнем случае — в понедельник, ювелир уже будет дома и станет тихим и покладистым.

— Когда Дубинюк сказал вам, что акция устрашения завершается?

— В... в субботу, кажется. Да, в субботу.

— В субботу, двадцать четвертого ноября, — снова уточнила Надежда Игоревна. — В чем конкретно состояли действия по устрашению Курмышова?

Рыженко быстро набирала на клавиатуре протокол допроса, Волько сидел растерянный и испуганный. А Антон наблюдал за ним и прикидывал: действительно, Курмышова никто не видел, начиная с вечера четверга, и никто не разговаривал с ним по телефону. А умер Леонид Константинович поздним вечером в воскресенье. И не сам умер, а был задушен.

Кто-то лжет. Или Волько, или Дубинюк, пообещавший своему заказчику, что акция закончена и похищенный ювелир уже совсем скоро вернется домой.

Надо разговаривать с Михалевым. Конечно, найти Григория Дубинюка — задачка для первокурсника, но найти — это полдела, надо еще сделать так, чтобы он заговорил. А вот тут без команды авторитета уже не обойтись. Ох, не хочется Антону ехать к Михалеву одному! Но никуда не денешься, сегодня хоронят Геннадия Колосенцева, и на Ромку до самого вечера рассчитывать не приходится.

— Виктор Семенович, — Антон подошел вплотную к певцу, — я вас попрошу сейчас достать свой телефон и позвонить вашему ярому поклоннику Михалеву. Мне нужна срочная встреча с ним. Чем скорее — тем лучше. Надеюсь, вам он не откажет?

То ли Волько сумел найти нужные слова, то ли Михалев и в самом деле был его фанатичным поклонником, но встреча была назначена уже через час в доме авторитета в ближнем Подмосковье.

Конечно, девяти лет работы в уголовном розыске совсем недостаточно для того, чтобы по праву считать себя крутым профи, но разговаривать с «криминальным элементом» за эти годы Антон Сташис все-таки научился. Михалев не был настоящим вором в законе, начинал в середине девяностых, как многие, с рэкета, возглавлял борзых ребятишек в спортивных костюмах и наводил страх на окружающих беспредельной отмороженностью своей команды. Однако с той поры минуло без малого два десятка лет, Михалев из тридцатилетнего бандюка превратился в солидного дядечку под полтинничек, делового и даже почти приличного, но по старой памяти привечавшего и принимающего под свое крыло не вполне высокоинтеллектуальный народ. Певец Виктор Волько своими сладкими романсами про неверную любовь и предательство затрагивал самые чувствительные струны давно иссохшего михалевского сердца, посему бывший бандит, а ныне деловой человек обеспечивал своего кумира и охраной (какая же звезда в России без охраны-то! Это и не звезда вовсе, а так, шелупонь беспородная), и кое-какими деньгами, и выгодными контрактами на выступления во время частных праздников, и определенного рода услугами.

Выслушав Антона, Михалев, болезненно худой (язва плюс холецистит), с плохими ногтями (грибок плюс авитаминоз), но с ослепительно-белыми ровными зубами (работа хорошей стоматологической клиники), хмыкнул:

— Невелика проблема. Ладно, Гриша упираться не станет, я ему скажу. Ты ж понимаешь, занесем сколько надо кому надо, и никакого уголовного дела о похищении человека не будет.

А вот в этом Антон Сташис очень даже сомневался. Не тот человек Надежда Игоревна Рыженко. О чем он честно предупредил самоуверенного Михалева, который в ответ только плечами пожал:

— Твоя следачка не единственная в этом мире, есть и другие, поумнее и похитрее, с которыми можно договориться. Ты ж понимаешь: если бы этих других не было, мы бы с тобой сейчас тут не разговаривали.

С этим трудно было не согласиться. Конечно, проблема доказанности обвинения существовала всегда и будет существовать. Но проблема продажности представителей правоохранительной системы по своим масштабам не шла ни в какое сравнение с трудностями доказывания. И откровенный цинизм Михалева даже не покоробил Антона: за девять лет в розыске он и не к такому привык.

Михалев движением пальца подозвал «порученца», дежурившего у двери, что-то шепнул ему, и через сорок минут Григорий Дубинюк явился пред светлые очи своего «командующего».

— Ну, — вальяжно развалившись в кресле, протянул Михалев, — расскажи-ка нам, друг сердечный, чего ты с ювелиром учинил, каку таку расправу.

Дубинюк, здоровенный громила, который и впрямь мог одним своим видом напугать даже видавших виды мужиков, сперва, как и ожидалось, принялся валять дурака, мол, ничего не знаю, да, Виктор Волько просил пугнуть какого-то мужичка, велел только мышцами поиграть.

— Я пока этого мужика нашел — время прошло, я к нему сунулся, а его и след простыл, нигде не мог застать, так что поручение не выполнил. А чего такого-то? Мышцами играть не запрещено.

— Ага, — удовлетворенно кивнул Михалев. — А теперь все сначала. И без военных песен.

— Как скажешь, — легко согласился Дубинюк. — Твое слово — закон. Ну, значит, певец попросил найти ювелира и пугнуть как следует, это я уже сказал. Я его нашел, возле дома его караулил, дождался, когда он подъедет, из машины своей выйдет, и скрутил. Ночь, народу рядом никого, все как по маслу вышло.

Да он струсил сам-то, когда меня увидел, и своим ходом в машину полез. А там уж я его «колесами» охреначил, заставил целую пригоршню съесть, чтобы, значит, спалось слаще. Он минут через пятнадцать и вырубился. Аж похрапывать начал. Я его отвез в гараж и наручником к трубе прицепил. На другой день приехал, набодяжил «колес» в воду из бутылки, ювелира растолкал, он попить попросил, я и дал ему бутылку. И на следующий день снова тот же финт проделал. И все, больше не приезжал. Думаю: проспится как следует, очухается, начнет на помощь звать, кто-нибудь обязательно услышит. Освободят бедолагу.

— Понял, — широко и радушно улыбнулся Антон. — А теперь давай все то же самое, но по правилам. Ты ж понимаешь, Гриша, я — человек служивый, подневольный, у нас не мозг всему голова, а правильно составленная бумажка. Значит, какого числа ты похитил ювелира Курмышова?

Гриша задумался всерьез и надолго. Похоже, фиксировать даты в его привычки не входило. Зато с днями недели он управлялся лихо.

— Ну, смотри... — Он вытянул мощную, покрытую короткими волосами пятерню и принялся загибать пальцы. — Певец заказ сделал поздно вечером, когда моя Томка в ночь работала, значит, был вторник, потому что она в ночь работает только по вторникам и пятницам. День я соображал, чего там и как, значит, среда прошла, а на следующий день я его и свинтил. Значит, четверг был.

Антон записал в блокнот: 22 ноября, четверг. Пока все сходилось и с показаниями Волько, и с тем, что говорили другие свидетели.

— В четверг я его в гараже оставил, потом в пятницу первый раз бутылку бодяжил, — продолжал загибать пальцы Дубинюк. — В субботу — второй раз.

И все. Снотворное давал три раза, первый раз «колеса» в пасть засунул, и два раза в бутылке с водой. После субботы я этого кренделя в глаза не видел.

— Ну да, — кивнул Антон, — а в воскресенье убил его. За что, Гриша? Что он тебе сделал?

— Уби-ил? — недоверчиво протянул Дубинюк. — Э, нет, начальник, так не пойдет. Что мое — то мое, упираться не стану, вон командир велел признаваться — его слово закон. А чужого мне не шей. Говорю же: в субботу в последний раз приехал в гараж, напоил и оставил. Всё. Чего там дальше было — мне неведомо.

— Значит, не убивал?

— Да мамой клянусь!

— Ладно, Гриша, — вздохнул Антон. — Я сейчас вызываю группу, поедем на место, покажешь гараж. А тебя потом в камеру. Сам понимаешь, порядок есть порядок.

— Да не вопрос, начальник, — осклабился Дубинюк. — Мы все понимаем. Командир в беде не бросит. Нам с полицией ссориться резона нет, верно, командир?

— Верно, — усмехнулся Михалев. — Посидишь денек-другой, отдохнешь, а потом тебя выпустят, я договорюсь.

И ведь договорится. Антон не сомневался в этом ни минуты. Он вызвал группу, теперь нужно было ждать.

— Гриша, а гараж-то чей? — спросил он. — Твой собственный?

Дубинюк расхохотался:

— Ой, уморил, начальник! Я что — придурок, в собственном гараже человека держать? У меня этих гаражей по всей Москве и Подмосковью штук десять для всяких таких нужд. Нахожу хозяев, которые своими боксами не пользуются, и арендую сразу на год вперед. Все законно, между прочим.

— Не сомневаюсь, — снова улыбнулся Антон. — А давай-ка мы пока с тобой про твое алиби поговорим на субботу и воскресенье. В котором часу ты в гараж в последний раз приехал?

— Ну, — Дубинюк поскреб ногтем висок, — где-то в обед, часа в два, может, в три. Разбудил страдальца, напоил, дождался, пока опять уснет, дверь запер и уехал.

— Куда?

— Так на дачку. — В глазах Григория стояло совершенно детское недоумение: куда же еще нормальный человек может ездить по выходным, если не на собственную дачу?

— Один поехал? Или с Томкой своей?

— Ну ты тупой, начальник! — возмутился Дубинюк. — Я ж тебе говорю: Томка в пятницу в ночь работает. Стало быть, приходит с работы в субботу часов в двенадцать дня и спать заваливается. Какая ей дача?

— Значит, на дачу поехал один, — уточнил Антон. — И что там делал?

— Да как обычно: баньку затопил, попарился, выпил, отдохнул.

— И долго отдыхал?

— До понедельника. Опять же где-то до обеда. Часов в пять вечера в Москву вернулся.

— Далеко дача-то?

— Шестьдесят восьмой километр по Калужке.

В дверь заглянул «порученец» с недобрыми глазами.

— Командир, там менты подвалили. Говорят, их вызывали.

Михалев встал с кресла, подошел к Дубинюку и по-отечески обнял его.

— Держись, Гришаня, скоро все закончится. И давай там будь умником, веди себя правильно.

— Само собой, не в первый раз. — Ничуть, по-видимому, не расстроенный Дубинюк хмыкнул и протянул Антону руки, на которых тот защелкнул наручники.

«А чего ему расстраиваться? — зло думал Антон, ведя громилу к воротам. — У него вся жизнь такая: нагадил — задержали — посадили в камеру — выпустили — снова нагадил — снова выпустили... Привык. И не страшно. Командир в беде не оставит».

Гараж, в котором Григорий Дубинюк держал Кур-мышова, находился в такой глуши, что члены группы, выехавшей на осмотр и заодно проверку показаний на месте, успели использовать весь богатый словарный запас, характеризуя собственные впечатления от неустроенности, грязи и отсутствия фонарей.

— О! — радостно воскликнул Дубинюк, которого вели двое оперативников, поддерживая за плечи справа и слева. — Все, как я и планировал. Дверь взломана. Значит, докричался, болезный.

Начали выставлять свет: в сумерках проводить осмотр крайне затруднительно. Дверь гаража действительно была приоткрыта и прилично изуродована. Рядом валялась арматурина. Надежда Игоревна села на раскладной стульчик и приготовилась писать протокол.

— Гриша, а ключи-то от гаража где? — спросил Антон.

— Так у меня, на связке должны быть, в кармане. — Григорий попытался было залезть рукой в карман, но наручники мешали. — Посмотри сам, — усмехнулся он. — В куртке, слева, во внутреннем кармане.

Антон извлек довольно увесистую связку ключей.

— Эх, Ванька-ключник — злой разлучник, — засмеялся он. — На фига ж ты такую тяжесть с собой таскаешь? Ну давай, показывай, который из этих ключей от гаража.

— Вон тот, с белой точкой.

Замок грустно валялся на мокрой земле. Эксперт проверил ключ и кивнул.

— Этот.

— Зачем же ты, Гриша, дверь-то ломал, если у тебя ключи были? — поддел Дубинюка Антон.

В принципе он почти поверил этому громиле. В самом деле, какой резон взламывать дверь, если в кармане лежит ключ? Но уж очень забавным было наблюдать, как истово борется этот тяжеловес за правду: что мое — то мое, а чужого не возьму.

— Так не ломал я! — снова заволновался Григорий. — Я же так и хотел: пусть мужик проспится, ему уже достаточно страху, а потом начнет звать на помощь — его и освободят. Вот видите сами — освободили же.

— Ладно, ладно, верю, — успокоил его Антон. — Пока. Давай поближе подойдем, только внутрь не заходи, от двери показывай, как там и что было.

Внутри при направленном свете стали видны распиленные по цепи наручники: точнее, только одна их половина, так и оставшаяся прикрепленной к трубе и лежащая на полу. Здесь же, на полу, обнаружилась и ножовка. Эксперт аккуратно осмотрел находки и хмыкнул.

— Судя по всему, цепь распилили этой ножовкой. А вот где второй наручник — это вопрос. Должен был по идее остаться на руке у того, кто здесь сидел.

— А второй наручник на трупе, — заметила Рыженко вполголоса. — Гражданин Дубинюк, у вас есть ключи от наручников, которыми вы приковали гражданина Курмышова к трубе?

— А как же, — осклабился Дубинюк. — Это в другом кармане, справа. Маленькие такие.

— Ой, уж мы без тебя не разберемся, — невольно фыркнул один из оперативников, приехавший с группой. — А то мы наручников с ключами в глаза не видели.

— И зачем же ты, Гриша, цепь пилил, если у тебя ключи были? — не унимался Антон. — Вещь только попортил зазря.

И конечно же, Дубинюк снова взвился и с пеной у рта принялся повторять все то, что говорил раньше, чем изрядно позабавил Антона.

— А ножовка чья? Твоя?

— Хозяйская. Я когда гараж в аренду беру, смотрю, чтобы все было, что может пригодиться. Если чего нет — приношу. Но здесь все вроде было.

— И что же это, интересно, тебе может пригодиться? — прищурился незнакомый Антону оперативник. — Клещи пыточные? Или еще что? Тебе гаражи нужны как отстойник для угнанных машин или как место, чтобы трупы прятать?

Гриша крякнул и повернулся к Антону:

— Слышь, начальник, ты ему скажи, чтоб не трогал меня попусту. Я еще раз повторяю: что мое — то мое, а больше ни слова не скажу.

— Ладно, не кипятись, — примирительно произнес Сташис. — Скажи-ка лучше, где эта ножовка лежала? Мог Курмышов сам ее достать и цепь перепилить?

— Да прям! Она вон там лежала, на верстаке, где весь инструмент.

— Точно помнишь?

— Мамой клянусь, — твердо ответил Дубинюк. — Не сам он освободился, кто-то ему помог.

— Слушай, — Антон наморщил нос, принюхиваясь, — а почему здесь так воняет?

— Угадай с трех раз, — буркнул Гриша. — Ты что хотел, чтобы я ему судно по пять раз на день подносил? Как сидел на полу — так и сидел.

Понятно. Антон отошел от гаража на несколько шагов и осмотрелся. Попытался представить себе человека, которого в течение трех суток заставляли спать под действием сильного снотворного. Вот он начал приходить в себя, просыпаться, вот набрался сил для того, чтобы звать на помощь, вот кто-то его услышал, взломал дверь, перепилил цепь наручников и... Что было дальше? Этот спаситель вывел несчастного пленника наружу? Или оставил в гараже и ушел, мол, пусть сам теперь выбирается? Ну, допустим, так или иначе, но Курмышов вышел из своей «камеры». У него должна быть сильная слабость, головокружение. И ноги от трехсуточного пребывания тела в неудобном положении наверняка держали плохо. Куда он пошел в таком состоянии? Или присел на что-нибудь, чтобы подышать воздухом и немного прийти в себя? На что присел? Прямо на размокшую от дождей грязную землю? Или нашел что-нибудь?..

Правильно. Он нашел вот этот перевернутый ящик, самый обыкновенный ящик из деревянных планок, такие ящики используют в качестве тары. Курмышов присел на ящик и...

А вот что было дальше — Антон никак сообразить не мог. Нужно было протягивать нить между обессиленным, плохо себя чувствующим человеком с болтающимся на одной руке наручником, сидящим здесь на тарном деревянном ящике, и трупом этого же человека, обнаруженным в совсем другом месте, с рабочим пакетом огранки алмаза и нательным крестом, воткнутым в пакет.

Что произошло? Как? Почему?

— Надежда Игоревна! — Он подошел к следователю, составляющему протокол. — Пусть эксперт посмотрит ящик, я там нашел...

— Что за ящик? — нахмурилась Рыженко, не переставая записывать.

— Мне кажется, на нем могут быть следы, оставленные Курмышовым. Мне кажется, он должен был на нем сидеть.

Рыженко оторвалась от протокола, внимательно глянула на Сташиса и кивнула:

— Хорошо.

Осмотр гаража и прилегающей местности с одновременным допросом Дубинюка занял много времени, и на то, чтобы сделать что-то еще, ни у кого не оставалось ни сил, ни времени. Дубинюка с оперативниками погрузили в одну машину, следователь, эксперт-криминалист и Антон сели в другую.

— Завтра с утра давайте разделяйтесь, — устало проговорила Рыженко, — Дзюба пусть едет на дачу Дубинюка и проверяет его алиби, а ты с ребятами поработай здесь, поспрашивайте владельцев гаражей, видели ли они Дубинюка в течение нескольких дней, начиная с двадцать второго ноября, со дня исчезновения Курмышова, до ночи с воскресенья на понедельник, когда ювелира убили. Надо проверять каждое его слово. А то уж больно складно все получается: похитил он, снотворное давал он, а убил не он. Сомневаюсь я.

— Но зачем ему убивать ювелира? — удивился Антон. — Он же получил заказ только попугать. У него к ювелиру нет личного отношения.

— А этого мы с тобой не знаем, — возразила она. — Мы вон тоже думали, что между Панкрашиной и Курмышовым никакой связи нет, а что оказалось? Иногда такое всплывает, что иному фантасту в голову не придет. Ведь у Дубинюка была возможность разговаривать с ювелиром, мало ли каких общих знакомых они могли найти.

— Но Курмышов был на препаратах, он же спал.

— Засыпают-то не сразу, какое-то время проходит. Да и сам Дубинюк помнишь, что говорил? Заставил Курмышова проглотить горсть таблеток, и тот заснул минут через пятнадцать. И потом, судебные медики нам какой результат выдали? Что в крови обнаружен такой-то препарат в такой-то концентрации, и на момент исследования трупа эта концентрация была недостаточной для того, чтобы человек был без сознания или спал. Это все, что нам известно. А вот какой она была раньше? Действительно ли Курмышов все время находился без сознания? Или Дубинюк все-таки имел возможность с ним общаться?

— Но Дубинюк говорит...

— Надо все проверять, — недовольно откликнулась Надежда Игоревна. — И ничего нельзя исключать, в том числе и того, что у Дубинюка мог быть личный мотив на убийство Курмышова.

Ох уж этот личный мотив! Значит, надо проверять, не пересекались ли где-нибудь интересы Леонида Курмышова и громилы Гриши Дубинюка. Снова-здорово... И почему так всегда бывает: чем больше работаешь, тем больше работы еще предстоит делать? Странная какая-то закономерность.

Оперативники из Восточного округа, где был убит Геннадий Колосенцев, уже бегали от Романа Дзюбы, как от чумы. Он постоянно приставал с расспросами не только к старшему в их группе — подполковнику с Петровки Сергею Кузьмичу Зарубину, но и к ним самим, причем ладно бы, если бы только вопросы задавал. Так ведь он еще с какими-то своими соображениями лез! И не пошлешь ведь прямым текстом, как-никак коллега.

Роман все это отлично понимал. И каждый раз, встречаясь с операми из Восточного округа, был внутренне готов к любому повороту событий, начиная от ловких увиливаний и заканчивая прямыми оскорблениями. Эти оперативники были постарше самого Дзюбы лет на пять-семь, следовательно, как и предупреждала Рыженко, чувствовали себя вправе быть высокомерными и грубыми с молодым сыщиком с чужой «земли».

Сегодня, после похорон Гены Колосенцева и поминок, он решил в очередной раз поговорить с Зарубиным, но застал его в компании тех самых оперов: сыщики проводили мини-совещание. Цель у Романа была только одна — выяснить, обнаружено ли что-нибудь интересное в компьютере Геннадия. Толкнув дверь в кабинет и увидев своих «доброжелателей», он в первый момент смешался, но потом вдохнул поглубже и вошел.

— Вот! — торжествующе воскликнул один из оперативников. — Я так и знал! Самый главный проверяльщик явился. Тебе чего, Рома? Опять великие идеи осенили?

Дзюба скрипнул зубами, но сдержался.

— Я хотел спросить, нашли ли что-нибудь в домашнем компьютере Колосенцева, — как можно спокойнее ответил он, глядя только на Зарубина.

— Ничего не нашли, — равнодушно ответил подполковник.

— Но что-то же там было, — не отступал Роман. — Компьютер же не может быть совсем пустым, раз Генка им пользовался постоянно.

Зарубин молча встал и потянулся к сейфу. Достал пакет, открыл его и высыпал на стол содержимое — несколько дисков и флешек.

— Не веришь? — В его голосе звучала угроза и одновременно огромная усталость. — Думаешь, ты один умный, а все остальные — так, погулять вышли? Все проверили, там одни программы. А текстовых файлов всего три. На одном полторы страницы какого-то несвязного бреда типа про хоббитов или еще каких-то бессмертных, имена у всех какие-то идиотические, на кликухи похожи, на другом тоже такая же муть, только покороче, на третьем вообще таблица, как будто он реконструкцию какого-то события по минутам делал. Всё. Больше ничего нет. Ниче-го, тебе понятно? Ни одного слова ни про общагу, ни про гастарбайтеров.

— А электронная почта?

— Только переписка с интернет-магазинами по поводу техники и наворотов. Ни одного личного письма, которое представляло бы интерес.

— Это точно? — Роман все еще не верил.

— Ну, если поздравление с днем рождения, посланное двоюродной сестре в Кострому, ты считаешь подозрительным, то пожалуйста...

Зарубин небрежным жестом сгреб носители в конверт и протянул Дзюбе.

— На, держи, сам проверяй, если тебе заняться нечем. Конечно, ты же у нас самый крутой, никто вокруг ничего не понимает, только один Дзюба знает, кто виноват и что делать. Памятник русской интеллигенции.

Ничего, он привык не отвечать на обидные выпады, он стерпит, потому что дело важнее. В конце концов, настанет когда-нибудь тот день, когда Роман Дзюба перестанет быть салагой. Надо только дотерпеть. Стиснуть зубы и терпеть, как советовала Надежда Игоревна.

— Сергей Кузьмич, вот вы сказали про текстовые файлы... И про таблицу, вроде как восстановление событий по минутам. Так, может, это какое-то дело, которое было у него в работе? Вы не проверяли?

— Нет!!! — заорал Зарубин. — Не проверяли!!! Мы тут сидим, чай попиваем и версии из пальца высасываем, такой у нас, понимаешь, метод работы! И по-другому работать мы не умеем.

— Да проверяли, Рома, проверяли, — подал голос один из оперов, видимо, сжалившийся над Дзюбой. — И по фактуре проверили, и по именам, и по погонялам. Ничего не сходится, даже близко не лежит.

Подполковник Зарубин остывал так же мгновенно, как и вспыхивал, и пока оперативник произносил эти несколько фраз, Сергей Кузьмич успел успокоиться.

— Правда, Дзюба, отработали мы эту поляну полностью. Но если тебе так неймется и других дел нет — пожалуйста, бери и смотри сам. Найдешь что-нибудь — скажу спасибо, а уж если не найдешь — будешь проставляться по полной.

— В смысле? — нахмурился Роман, не уловивший смысла последних слов.

— Вот тебе и «в смысле», — передразнил его Зарубин. — Ты что же думаешь, каждый сопляк может безнаказанно сомневаться в моей работе, а я это должен бесплатно глотать? Ну уж нет. Если ты прав — то ты прав, и вопросов никаких. Но если ты не прав — накроешь скатерть-самобранку. Нам всем. Кстати, когда закончишь — можешь этот хлам выбросить в помойку, это копии.

Роман молча сунул пакет с носителями в сумку и ушел.

Глава 14

На следующий день с утра пораньше Роман сел на электричку и отправился за город, в поселок, где находилась дача Григория Дубинюка. В местной управе он быстро получил список всех тех, кто владел дачами на одной с Дубинюком улице, после чего вернулся в Москву и начал методично объезжать всех соседей Григория. К сожалению, сезон не располагал к постоянному проживанию на дачах, посему все те, кто в выходные дни находился за городом, в течение рабочей недели обычно жили в Москве.

К вечеру, не чуя под собой ног и умирая от голода, он поехал, как и было условлено, на встречу со Сташисом.

Антон предложил Роману подъехать на Петровку, но, памятуя вчерашний разговор с Зарубиным и его грозный окрик, Дзюба попросил:

— А в другом месте нельзя? Мне кажется, Сергей Кузьмич уже меня видеть не может. И потом, я жрать хочу, с утра бегал, как савраска, маковой росинки во рту не было.

— Ну да, — хмыкнул в трубку Антон. — Кузьмич мне говорил с утра, что наорал на тебя вчера. Похоже, у вас нелюбовь взаимная. Ладно, тогда давай пересечемся где-нибудь, в машине посидим. Ты сейчас где? Там есть общепит какой-нибудь?

Роман покрутил головой и увидел вывеску «Шоколадницы».

— Вот пока я еду, ты питайся, — сказал Сташис. — Потом выйдешь ко мне, обменяемся впечатлениями.

Дорога заняла у Антона чуть больше часа, этого Дзюбе вполне хватило, чтобы утолить голод, и, когда раздался телефонный звонок с командой «выходи строиться», он снова был бодр и почти полон сил.

— Ну, докладывай, что там с дачниками, — потребовал Сташис.

— У Дубинюка алиби тухлое, — доложил Роман. — Вот смотри: он говорит, что в субботу уехал на дачу, пробыл там до середины дня понедельника, так?

— Ну, вроде так.

— Я опросил соседей. Да, они его видели, приехал в субботу около семнадцати часов, и машину видели на участке, и свет горел, и заходил он к кому-то около двадцати одного часа, и утром в воскресенье был, это точно. А в другое время, в частности, в воскресенье вечером, — никто его не видел. Правда, Дубинюк говорит, что парился в бане в это время, однако подтверждений этому никаких нет. Но в понедельник в первой половине дня он точно был, потому что нашелся сосед, который увидел Гришину машину рядом с домом и зашел к нему спросить, когда он собирается в Москву, не подвезет ли. Гриша ответил, что подвезет, если попозже: он собирается ехать в час — в два, не раньше.

— Значит, вечером в субботу был, утром в воскресенье был, в понедельник утром тоже был, а вот насчет ночи с воскресенья на понедельник никаких показаний нет, — констатировал Антон. — Принято.

— А у тебя что? Мне Рыженко вчера поздно вечером позвонила, озадачила дачей Дубинюка, но ничего толком не объяснила. Да и я не совсем был... Ну, в общем, ты понимаешь, я ж после похорон, — промямлил Дзюба.

Пришлось Антону подробно рассказывать про допрос Волько, про встречу с Михалевым и про показания Григория Дубинюка:

— Вот я и проверял сегодня показания Дубинюка по гаражам. Нашел несколько свидетелей, которые видели, как он действительно приезжал в субботу в середине дня. Выходные дни — автовладельцев много, кто починяет, кто выезжает, кто приезжает. А вот в воскресенье никто Дубинюка не видел. Во всяком случае, такого свидетеля не нашлось. Но это ни о чем, конечно, не говорит, потому что он мог приезжать и поздно вечером, когда уже пусто и темно. То есть точно подтверждено, что он был в субботу, как и говорил, а вот насчет воскресенья нет доказательств ни за, ни против. Так что Дубинюка рано выводить из подозреваемых в убийстве, не все там гладко... Рома, ты что? Тебе плохо, что ли? Чего ты головой трясешь?

— Погоди, Антон, — Дзюба зажмурился. — Гаражи. Ты понимаешь? Гаражи!

— Ну, гаражи. И что?

— А то, что у Генки в кармане записка была, в которой написано про гаражи!

— Да мало ли в Москве гаражей, вон на каждом шагу, — невозмутимо отозвался Сташис.

— Подожди, Антон, — горячился Дзюба. — Ты послушай! Про эту записку вообще никто не вспоминал, потому что первым делом ее отработали, убедились, что это все не то и вообще непонятно, что это за гаражи. Там номер бокса был указан, у гаража с этим номером владелец носит совершенно другое имя. И тогда решили, что это были не те гаражи. Труп-то нашли в другом месте.

— Ну хорошо, допустим. Хотя...

Но Дзюбу было уже не остановить. Он вытащил из сумки блокнот и открыл на той странице, куда тщательно переписал текст найденной при Колосенцеве записки.

— Смотри, тут же и маршрут описан, как доехать от того места, где был лан. Адреса нет, но есть подробное описание, где куда поворачивать. Давай еще раз по карте проверим, а вдруг это те самые гаражи, в которых Курмышова держали? У тебя навигатор включен?

— Я как-то без него езжу, — усмехнулся Антон, загружая в компьютер карту. — Ладно, давай посмотрим. Где, ты говоришь, были соревнования?

Дзюба назвал адрес, Антон нашел нужную точку и стал методично, под диктовку посматривающего в блокнот Романа, вести стрелку. Вот последний поворот, потом примерно 700 метров по прямой и съезд...

— Слушай, — Антон поднял голову и удивленно посмотрел на Дзюбу, — а как тебе вообще это в голову пришло? Ты оказался прав. Это те самые гаражи, куда нас вчера Дубинюк привозил. Ромка, да ты гений! Это же...

— Что? — настороженно спросил Дзюба, который мгновенно расцвел от похвалы. — Что не так?

— Да как-то... — Антон с сомнением покачал головой. — Я за рулем давно, Москву хорошо знаю. Чего маршрут-то такой странный?

— Почему странный?

— Потому что неудобный, — объяснил Сташис. — Проходит через несколько очень противных мест, где пробки бывают всегда, даже вечером в воскресенье, и потом, он вообще какой-то кривой, раза в два длиннее, чем мог бы быть, если бы ехать вот так. — Он показал при помощи стрелки более короткий и удобный маршрут. — По широкой трассе и без пробок. Почему такой странный вариант проезда выбран?

— Может, дорогу объяснял тот, кто совсем не знает Москву? — предположил Роман. — Его пару раз отвезли туда именно этим маршрутом, он его и запомнил, а другого не знает. Ведь может такое быть?

— Может, — согласился Антон. — Но может быть и по-другому.

— Гену послали объездным путем, чтобы выиграть время, — убежденно произнес Роман. — Для чего?

— Понятно для чего, — усмехнулся Антон. — И тот факт, что в записке нет адреса, а есть только схема проезда, говорит в пользу той версии, что маршрут был удлинен умышленно, потому что если сказать точный адрес, то всегда есть риск, что человек загрузит навигатор, введет адрес и получит короткий и простой маршрут.

Дзюба молчал, что-то усиленно обдумывая.

— Значит, получается, что тот незнакомый парень, которого видели игроки после лана, заманил Гену к месту убийства, дал ему длинный маршрут, который заведомо займет много времени, а сам поехал туда же более коротким и быстрым путем, — наконец сказал он. — Зачем ему это было нужно?

— Чтобы убить, — коротко ответил Антон. — Что же еще? Убил и переместил труп в другую часть города, к общаге.

— Но для чего убивать его у гаражей, а потом везти к общаге? Я не понимаю. Чем ему гаражи-то не угодили? Оставил бы тело там, где убил, и дело с концом. Нет, Антон, тут что-то не так. Все-таки получается, что к гаражам Генка поехал по какому-то одному делу, а потом к общаге — совсем по другому. Но то дело, ради которого он поехал в эти чертовы гаражи, тоже дерьмовое, — убежденно произнес Дзюба. — Иначе не посылали бы его таким странным маршрутом.

— Или ты был прав с самого начала, — заметил Антон, — когда сказал, что маршрут описывал человек, плохо знающий Москву. И Генку там никто не убивал. А вот Курмышова нашего он вполне мог освободить. Все сходится. Услышал голос, зовущий на помощь, взломал дверь, она хлипкая, слова доброго не стоит, перепилил наручники, вывел ювелира на свежий воздух, усадил на ящичек и пошел по своим делам.

— И что, никуда не позвонил? — Роман ушам своим не поверил. — Ни в дежурку, ни в «скорую»? Не может быть! Генка же все-таки полицейский, он не мог так...

— Рома, — мягко сказал Сташис, — не горячись. О покойных плохо не говорят, но ты должен признать, что для Гены интересы службы и дела всегда были на последнем месте. И он вполне мог так поступить. Мог. Поверь мне.

Дзюба опустил голову и в течение ближайшей четверти часа не произнес больше ни слова. Антон довез его до метро и на прощание сказал:

— Ты даже не представляешь себе, какой ты молодец, Ромка!

И в ответ поймал слабую и какую-то печальную улыбку молодого оперативника.

Насколько Роман Дзюба легко ориентировался в поисках любой информации в безграничной сети, настолько же он ничего не понимал в программах, поэтому дома, открыв на своем компьютере первый же диск, полученный от Зарубина, впал в полное уныние. Второй диск произвел еще более гнетущее впечатление. Тогда он перешел к флешкам, на которых, как и говорил подполковник, обнаружил всего три текстовых файла. Первый назывался «Текст», второй имел название «Таблица», третий же именовался «Кальдерон». Роман полез в поисковик и выяснил, что Кальдерон — это испанский поэт и драматург семнадцатого века. Интересно, почему Гена дал файлу такое название? Неужели он знал, кто такой Кальдерон? Открыв файл, Дзюба начал читать:

«Кальдерон — человек, тщательно скрывающий свое настоящее имя. С людьми в реале знакомиться не любит, предпочитает социальные сети, в которых проводит много времени и общается. Всем рассказывает про себя разное. Сколачивает группу людей, которые никогда друг друга не видели, и предлагает им провести два-три дня на природе, у него в Псковской области есть домик, в лесу, в глуши...

Газея — девушка лет двадцати трех — двадцати пяти, ищет богатого мужа, искренняя как дура, всем сразу выкладывает правду про себя...»

Что это? И вот такого текста — действительно полторы страницы. Особенно покоробили Романа слова «искренняя как дура»: неужели Генка действительно мог так думать о ком-то? Неужели он считал искренность признаком недалекого ума? Или просто Гена был злым и не любил людей?

Кто такой Кальдерон? Кто такая Газея? А также Ноорс и Илендра, о которых шла речь дальше? Всего восемь человек. Каждому из этих людей дана определенная характеристика, но без подробностей и без какой бы то ни было возможности выяснить их настоящие имена. Ясно только одно: все эти люди активно общались в соцсетях.

Ладно, посмотрим второй файл.

«Невозможно определить, кто на самом деле приехал. Люди в сетях почти всегда врут про себя и вывешивают фотки не пойми чьи. То ли их собственные, то ли соседа, то ли скачанные откуда-то. И вот приезжает такой человек и говорит: «Я Тумар, а то, что не похож, — не парься, я фотку чужую вывесил, так все делают». Или вообще без фотографии общался, это сплошь и рядом. И чего делать?»

Похоже, Гена размышлял над каким-то преступлением, совершенным в кругу любителей «болтушечных» сайтов. А может, и не «болтушечных», а фанатских, созданных для объединения поклонников какой-нибудь звезды. Или приверженцев каких-либо хобби и интересов. Иди знай теперь... Что это за преступление? Когда совершено? Где? Роман ни о чем таком не слышал, значит, не на их территории. Может, Генку привлекли к расследованию на приватной основе? Например, что-то произошло в этой группе людей, и они обратились к Колосенцеву с просьбой поработать «частным детективом»? А что, очень даже может быть. И все, что произошло с Геной, имеет отношение не к тем преступлениям, которыми он занимался как офицер полиции, а вот к этому, нигде не зарегистрированному.

Роман открыл «Таблицу», в которой оказалось восемь столбцов. Наверху каждого столбца стояло одно из тех имен, больше похожих на клички, которые указывались в первом файле с названием «Кальдерон». Кальдерон, Ноорс, Газея, Илендра, Баскак... По горизонтали проставлено время — часы и минуты, а в вертикальных столбцах, соответствующих каждому имени, написано, что этот человек делал в тот или иной момент. Похоже на реконструкцию событий.

Роман внимательно просмотрел таблицу, которая оказалась совсем короткой: всего пять строк, пять указаний на время. И что, это всё? Больше там ничего не произошло? Или Гена не успел доделать таблицу, а кто-то из этой восьмерки его убил?

Те, кто проверял компьютер, уверяют, что посмотрели, на какие сайты заходил Геннадий в последнее время, и ничего примечательного в журнале посещаемости не обнаружили, а ведь он наверняка заходил на сайт, на котором общались эти люди. Почему же это нигде не отразилось? Или он заходил на тот сайт не со своего домашнего компа, а с какого-то другого? Можно попробовать этот сайт все-таки найти... Конечно, шансы невелики, и найтись человек может только в том случае, если все эти Газеи и Илендры являются никами, то есть придуманными именами, под которыми люди регистрируются на сайтах. А вот если они зарегистрированы как Пети Ивановы или Маши Петровы, то их фиг найдешь. Во всяком случае, не с Ромкиными знаниями и возможностями.

Никаких Газей и Илендр поисковик не нашел, вместо Газеи он предложил Роману различные газеты, а вместо Илендры посоветовал почитать про цилиндры. А вот Баскак оказался «чиновником монгольского хана, ведавшим сбором дани и учетом населения в завоеванных землях». Баскаки, как гласила Википедия, имели военные отряды, с помощью которых подавляли выступления покоренного населения. Это уже кое-что! Баскак может оказаться не ником, а самой настоящей кликухой, данной какому-нибудь боевику из преступной группировки, которому поручено надзирать за соблюдением дисциплины, своевременной выплатой дани и быстро и жестоко расправляться с теми, кто эту дань платить не хочет.

С поисками Ноорса снова вышла незадача: именно такого написания поисковик не нашел, зато предложил НОРС — Национальную Организацию Российских Скаутов. Про скаутов Дзюба совсем почти ничего не знал, кроме того, что читал когда-то в детстве. Вроде они в какие-то походы ходят и готовят себя к тому, чтобы на фоне гражданской жизни всегда уметь защитить свою страну в случае военных действий. Или нет? Пришлось снова лезть за информацией. Найдя Устав НОРС, Роман пробежал глазами раздел «Цели и задачи организации» и с досадой закрыл веб-страничку: не то, не то, все не то... Какое отношение воспитание патриотизма и развитие внутренней потребности к самосовершенствованию может иметь к преступлению, над которым ломал голову Гена Колосенцев? Никакого. И вообще, у него не НОРС, а Ноорс, совсем другое слово. Значения которого найти так и не удалось.

Попытки что-то прояснить, набирая в поисковике все остальные имена, также провалились. В итоге оставался один Баскак.

Ну, и что с этим делать? Нет, все-таки прав был Сергей Кузьмич Зарубин, не самый Ромка Дзюба умный на этом свете. Ребята все проверили. И ни к чему не пришли. А он, Дзюба, смешной рыжий клоун, о чем ему неоднократно заявлял Гена Колосенцев.

Все кругом правы. Один он не прав. Такая, видно, у него судьба.

Глава 15

И все-таки Роман был настоящим «жаворон-
ком»: если ближе к ночи его начинали посещать упаднические настроения и горест-
ные мысли о собственной никчемности
и несостоятельности, то по утрам он обычно про-
сыпался лучезарным, бодрым и полным оптимизма.

Поэтому первым, что он сделал на следующий
день, был визит на Петровку, где, как он знал, между
половиной десятого утра и десятью часами можно
было застать и Антона, и Зарубина. Оба они сидели
в кабинете и злобно переругивались, пытаясь выяснить, кто виноват в том, что в десять часов на сове-
щании начальник будет снимать с них стружку.

Роман положил перед Зарубиным распечатанные
текстовые файлы.

— И что это? — поморщился подполковник. —
Я это уже видел раз десять. Зачем ты мне это пока-
зываешь? Убери, смотреть не могу на эту бредятину.

Роман послушно забрал странички и положил на
стол Антона.

— Посмотри, пожалуйста, — попросил он. — Как
ты думаешь, что это?

Антон быстро пробежал глазами текст и недоуменно воззрился на Дзюбу.

— А что это такое, собственно говоря? Откуда это?

— Это из Генкиного компа, — пояснил Дзюба. — Как ты думаешь, это может быть набросками к книгам?

— К книгам? — Антон задумался. — А фиг его знает, может быть. Ты что, думаешь, Гена начал книги писать? Он что-то говорил тебе об этом?

— Нет, ничего не говорил, но я, знаешь, вспомнил Фролова, с которым мы с тобой разговаривали. Помнишь, он говорил, что написать детективчик легко, а деньги платят хорошие. Вот я и подумал, что Гена мог попробовать.

Антон некоторое время молчал, вероятно, обдумывая услышанное, но тут внезапно подал голос Зарубин:

— А знаешь, Ромка, похоже, что ты прав. Не такой уж ты недотепа, как казалось. Идея богатая.

Роман в изумлении обернулся к подполковнику, а тот продолжал воодушевленно:

— Тоха, ты помнишь, мы с тобой рассуждали о том, почему Колосенцев не уволился из полиции, когда призывной возраст вышел? Ты же сам тогда высказал идею, что Генке нужна была творческая деятельность, чтобы вести тот образ жизни, какой он хотел. Вот он и начал пытаться.

— И еще я слышал, что многие, кто в милиции-полиции работал, начинают книги писать, — подхватил обрадованный Дзюба, — строят сюжеты на своих делах, которыми занимались. Фактура-то богатая, чего добру пропадать.

Они еще немного пообсуждали возможности процветания работников полиции на литературном поприще, после чего сошлись во мнении, что текст надо бы показать еще нескольким людям. Может быть, конечно, это и наброски к художественному произведению, но вполне возможно, и нет. В любом случае надо точно понимать, что это и зачем Геннадий это написал, потому что отсюда ниточка может потянуться к новому кругу людей, на контакты с которыми оперативники еще не вышли.

Глядя на дверь, закрывшуюся за Романом, Антон Сташис почувствовал, что не может отделаться от беспокойства, возникшего несколько минут назад, но так и не понял, что именно его царапнуло.

Выполняя задания следователя по отработке возможных связей Григория Дубинюка с убитым ювелиром, Дзюба при каждом удобном случае показывал распечатанные тексты всем подряд в надежде на... Он, собственно, и сам не знал, на что надеется. Наверное, на чудо. В основном люди читали, смотрели на таблицу и пожимали плечами, некоторые говорили: «Бред, чепуха, не пойми что», другие откровенно смеялись и высказывали предположение, что это действительно набросок художественного произведения в смешанном жанре детектива и фэнтези.

И только к концу дня нашелся человек, который не отбросил странички презрительным жестом, а прочел их внимательно, после чего уверенно сказал:

— Это наброски к ролевой игре.

— К чему, к чему? — переспросил оторопевший Роман, ожидавший чего угодно, только не этого.

— К ролевой игре, — терпеливо повторила его собеседница — молодая женщина, у которой Дзюба пытался выяснить, действительно ли подруга Дубинюка по имени Тамара работает в ночную смену по вторникам и пятницам и не было ли у нее знакомого по имени Леонид Курмышов: версию ревности отметать тоже нельзя. — Вот смотрите, это типичная вводная, это — кусочек текста роли, а эта таблица необходима для ведения игры.

Что такое ролевые игры, Дзюба представлял себе весьма туманно, ибо никогда этим не интересовался, но знал, что таковые в изобилии существуют на множестве разных сайтов.

— То есть получается, что человек, который это написал, создавал ролевые игры? — уточнил он.

— Ну, я бы не стала утверждать так уверенно, — засмеялась молодая женщина. — Я сама много лет играю и могу вам сказать, что эти отрывки очень дилетантские, обрывочные и вообще слабые. Настоящие игры так не пишутся. Но то, что это именно попытка написать игру, — это точно, можете не сомневаться. И еще одно: это не обычная игра.

— А какая?

— Скорее всего, заказная.

— А если на пальцах? — попросил Роман. — Я в этом, знаете ли, не силен.

— Заказная игра — это игра для узкого круга любителей с определенными вкусами и требованиями, — объяснила она. — Собираются люди, которые хотят играть, заказывают автору сценарий. Специально для них, понимаете?

— С трудом, — признался Дзюба. — И что, они заказывают игру и платят за это деньги?

— По-разному бывает. Бывает, что члены такого вот клуба пишут игры по очереди сами, а бывает, что заказывают какому-нибудь третьему лицу. И платят ему, конечно. Кстати, хорошая серьезная игра стоит недешево.

— Хорошая серьезная — это какая?

— Ну, такая, в которую можно долго играть. Не день-два, а хотя бы пару недель. Но для этого надо придумать такой закрут и такие обстоятельства, чтобы все голову сломали, а это непросто. Так что сами понимаете, деньги приличные.

Вот оно что! Получалось, что Гена Колосенцев подрабатывал написанием игр. Или только собирался, если верить словам о неумелости текста.

Нужно было срочно найти Антона и Зарубина. Собственно, Антон к работе по убийству Колосенцева никакого отношения не имел, но в его присутствии Роману было как-то проще общаться с Зарубиным.

Антон и Сергей Кузьмич оказались на выезде: очередное убийство, которое сразу же было передано в МУР.

— Мы скоро заканчиваем здесь, — негромко сказал Антон по телефону. — Еще час-полтора — максимум. Хочешь — подъезжай, пока мы тут с Кузьмичом на месте разбираемся.

И продиктовал адрес.

Роман приехал и еще битый час ждал, когда следственно-оперативная группа закончит работу на месте убийства.

Зарубин вопреки ожиданиям не разозлился при виде Романа, наоборот, подмигнул ему и бросил на ходу:

— Успехи есть? Отлично! Доложишь потом.

Выслушав сбивчивый рассказ Дзюбы, Антон и Зарубин переглянулись.

— Любопытно, — протянул Сергей Кузьмич. — Похоже, скатерть-самобранку накрывать придется мне для тебя, а не наоборот. И что ты предлагаешь делать?

— Надо искать заказчика, — твердо ответил Роман. — Кто-то же заказал ему эту игру.

— Ну, не факт, — не согласился подполковник. — Твой Колосенцев мог и сам для себя пробовать, без всякого заказа.

— Нет, Кузьмич, — вмешался Антон. — Гена в любом случае должен был понимать, кто будет покупателем, если игра получится. Не для собственного же удовольствия он ее сочинял.

— А может, он тренировался? — предположил Зарубин. — Пытался научиться, вот и наброски делал пробные.

— Учился? — скептически переспросил Антон. — Ну нет! Если бы речь шла о Ромке, я бы поверил, Ромка у нас учиться любит, он вечно в погоне за новыми знаниями. А у Гены чистого любопытства не бывало. Если он что-то делал, то всегда четко видел цель и понимал перспективу. Правильно я говорю, Ромка?

— Правильно, — подтвердил Дзюба. — Значит, были люди, которые пообещали купить у него игру и хорошо заплатить. Надо найти этих людей.

— Зачем? — Похоже, Сергей Кузьмич снова начал сердиться. — Зачем их искать? Неужели ты думаешь, что они могли убить Гену? Для чего им это нужно? Какой у них может быть мотив? Ты докопался, ты выяснил, что это за тексты, вот и молодец. Но к убийству это отношения не имеет.

Дзюба опустил голову, и вся его крепкая фигура выражала одно несгибаемое упрямство.

— Не знаю я, какой может быть мотив. И потом, мотива у них, может, и нет, но они могут что-то знать такое, что нам поможет.

Нет, все-таки плохо еще Роман Дзюба разбирается в людях! Ничего-то он в них не понимает. Вот только что казалось, что Сергей Кузьмич опять пошлет его подальше, как бывало уже много раз... Ан нет.

— В любом случае искать все равно больше негде, и так уже все проверили, — неожиданно согласился подполковник. — Может, у меня, старого дурака, мозги закоснели? Может, я что-то не то делаю? Уговорил, Рыжий, завтра же пошлю ребят поискать этих заказчиков. Кстати, где их искать-то? Есть идеи?

— Есть, — радостно отрапортовал Дзюба. — Надо начинать с геймеров, с тех самых, которых опрашивали как свидетелей, которые видели Гену на лане. Ну, и других тоже зацепить, которые с ним на одном сайте играли. Если человек любит играть онлайн, то может любить не только стрелялки, но и ролевые игры. В любом случае они примерно в одной среде общаются.

— Годится, Рыжий, — кивнул Зарубин. — Ох, чую я, придется мне карманы-то облегчать, совсем молодые на пятки наступают.

Жизнь Григория Дубинюка оказалась богата событиями и людьми, и оперативники с ног сбились, копаясь в биографии фигуранта, спокойно проводящего время в камере. Антон Сташис, Роман Дзюба, Надир, работавший на территории, где обнаружили труп Курмышова, и еще пара оперов старались изо всех сил найти хоть какую-нибудь связь, которая позволила бы говорить о возможности убийства ювелира по личным мотивам. И ничего не находили.

— Значит, что мы имеем? — устало подвел итог Антон после очередного дня бесплодных поисков. — Мы можем предполагать, что Гена Колосенцев приехал за какой-то надобностью к этим гаражам и освободил Курмышова, который к этому времени пришел в сознание. Все отдали на экспертизу, на ножовке действительно Генкины следы, то есть наручники распиливал именно он. А дальше-то что произошло? Кто увез ювелира оттуда? И кто, в конце концов, его убил и почему? И бумажка эта, крестом проткнутая... Ничего не сходится, нигде никакой логики. Допустим, Курмышова убил именно Дубинюк, хотя не могу понять зачем. Но готов предположить, что мотив у него был. Почему надо было убивать ювелира после трех дней заточения в этом гараже? Снотворное ему давать... Убил бы сразу и не парился.

— Выходит, он изначально убийство не планировал, — заметил Роман. — Хотел и в самом деле только попугать. А потом, где-то в воскресенье в первой половине дня, узнал что-то такое, из-за чего решил убить Курмышова.

— Ага, — кивнул Антон. — И что такого он мог узнать? Давай, напрягай фантазию, она у тебя отлично работает. Только не забывай, что у нас еще труп Панкрашиной, по которому мы вообще работать уже перестали, потому что не знаем, что еще можно сделать. Думали, история с ожерельем нас на что-нибудь выведет, а она завела в тупик.

Роман расстроенно замолчал. Они сидели в машине Антона и вяло жевали купленные в киоске гамбургеры, которые оказались почему-то на редкость невкусными.

— Я не знаю, — уныло проговорил, наконец, Дзюба. — Ничего придумать не могу.

— Вот и я не знаю, — со вздохом признался Антон. — Ладно, поехали по домам. Тебя до метро подвезти или куда-то в другое место?

Роман собрался было попросить подбросить его к ломбарду, где работала чудесная девушка по имени Евдокия, — это было как раз по пути, но тут зазвонил мобильный Антона. Сташис выслушал собеседника и улыбнулся Роману.

— Не грусти, Ромка, и на нашей улице праздник будет. Кузьмич звонил, просил приехать, у него есть новости для тебя. И голос у него такой, знаешь... В общем, погнали, отвезу тебя к Зарубину, хоть он меня и не приглашал, велел только тебя найти и доставить, но я тоже хочу порадоваться.

Зарубин ждал их в автосервисе, где чинили его автомобиль. Сергей Кузьмич сидел в просторном кафе, за стеклянной стеной которого работники сервиса возились с машинами, а хозяева, если не доверяли их добросовестности, имели полную возможность наблюдать за манипуляциями со своими драгоценными средствами передвижения. Завидев Антона и Дзюбу, он приветственно замахал рукой.

Тут же к ним подошла курносенькая официантка, и оперативники, до сих пор не отделавшиеся от противного привкуса гамбургера, дружно заказали по бутылочке сока и по пирожку с капустой. Дзюба, правда, подумав, крикнул девушке вслед:

— И еще сладкий какой-нибудь, ладно?

Пока несли заказ, подполковник сидел с непроницаемым лицом и рассказывал о неполадках в своей машине. Наконец ему надоело истязать двух усталых сыщиков.

— Ну что, дети мои, радуйтесь. Сейчас я вам такое расскажу! Ребята на славу постарались.

И рассказал, что оперативники провели повторный опрос геймеров на предмет выявления среди них поклонников или хотя бы просто знатоков ролевых игр. И нужный человек обнаружился очень быстро. Один из свидетелей, игравших на одном сервере с Колосенцевым, оказался любителем и ролевых игр тоже. Он рассказал, что когда узнал, где работает Гена, то спросил при личном контакте, не хочет ли он попробовать себя в написании игр: за это платят хорошие деньги, а тем, кто играет, нужен человек, который обладает достаточными знаниями по части расследования хитроумных преступлений. Геннадий сначала колебался, но потом согласился, потому что деньги нужны всегда, они лишними не бывают. А когда узнал о сути работы чуть подробнее, то и вовсе расслабился: в своих силах Колосенцев не сомневался, был абсолютно уверен, что у него все получится, похохатывал и говорил, что за такие бабки он им такие игры понапридумывает, что они год будут ковыряться — не разгадают загадку, дескать, у него придумок и живых материалов выше крыши.

— Оказалось, что существует практика создания игровых сайтов для узкого круга...

— А вот теперь послушайте, я вам запись принес специально, чтобы язык не тереть, — заявил Зарубин, доставая из кармана диктофон.

«— Я сообщил о новом знакомстве другим игрокам, участникам нашего сайта. Они очень обрадовались, потому что наш автор, то есть человек, который пишет для нас игры, похоже, выдохся, его идеи утратили блеск и оригинальность, он начал повторяться, а из-за этого игра не так интересна и заканчивается намного быстрее. Поэтому приток свежей крови был бы весьма кстати.

— Сколько авторов пишут для вас игры?

— Один.

— Только один?

— А зачем нам больше? Мы все люди деловые, нам нужно деньги зарабатывать, играть мы можем плотно и регулярно не больше одной игры в месяц, да и то не всегда получается. Так что одного автора нам вполне достаточно.

— Значит, вы сами для себя создали сайт? И на нем играете?

— Ну да. Сайт создавали специально для нас и по нашей инициативе: нас шестнадцать человек, мы все любим ролевые игры и готовы платить за свое увлечение. Мы заказали разработку сайта, оплатили, играть на нем можем только мы, сайт абсолютно закрытый.

— А кто ведет игру? Тоже автор?

— Нет, у него есть постоянная работа, он вести наши игры не может, мы для этого наняли специального человека.

— Надо же, а я слыхал, что вести чужую игру — удовольствие ниже среднего, и всегда лучше, если ведет сам автор.

— Это верно, но автор не может тратить на нас столько времени, я ж вам объясняю, у него своя работа есть, а написание игр по нашим заказам — это так, приработок, халтурка. Но мы требуем, чтобы автор ничего в голове не держал и писал все очень подробно, тогда человек, ведущий игру, оказывается полностью в курсе и может выступать в качестве гейм-мастера. Конечно, для автора это дополнительные трудозатраты, но мы хорошо ему платим.

— Ваш автор знал, что вы собираетесь пользоваться услугами Колосенцева?

— Вот этого я не знаю. Сам я ему не говорил.

— А другие члены вашей компании не говорили?

— Не знаю, вы у них сами спросите».

Зарубин выключил диктофон и торжествующе посмотрел на Романа.

— Слушай, у тебя интуиция или тупое упрямство? Как ты дожал-то меня, а? А ведь дожал! Ходил-ходил, ныл-ныл, я тебя чуть не пришиб, честное слово! А оказалось, что ты в точку попал.

— Почему в точку? — не понял Дзюба. — Вы нам еще что-то не сказали?

— Что ж я, по-твоему, совсем идиот, чтобы сразу все выкладывать, — ухмыльнулся Сергей Кузьмич. — Я люблю, чтобы человек помучился, пострадал. Короче: знаете, как зовут этого единственного автора ролевых игр, которого чуть было не заменили Колосенцевым?

— Как? — хором спросили Антон и Роман.

— А зовут его Денисом Фроловым.

— Денис Владимирович? — на всякий случай переспросил Дзюба, все еще не верящий в то, что чудо, на которое он перестал надеяться, все же произошло.

— Владимирович, Владимирович, — подтвердил Зарубин. — И свидетель дал нам полный список тех, кто играет на сайте. Так что завтра с самого утречка мои ребятки побегут их опрашивать. Если хочешь, Рыжий, можешь присоединиться. Разрешаю. Пользуйся моей добротой.

— Он не хочет, — засмеялся Антон. — Он мечтает об этом, но я его не отпускаю. У нас два трупа висят, ювелир и Панкрашина, так что ты уж давай сам со своими ребятами разбирайся. Нечего на чужом горбу в рай въезжать, скажи спасибо, что Ромка тебе идею подал. Но если мы со своими трупами немного разгребемся, то так и быть, прикрою Ромку от следователя и отпущу его попахать на твоем поле. Кстати, ты-то как вопрос со следователем решил? Он же у тебя в сторону гастарбайтеров склоняется. Вот тех двух, которые до дому пока не доехали, дождется и начнет их прессовать.

— Вот еще, — буркнул Зарубин, — буду я!.. Я ему и не сказал ничего. Что я, враг себе? Ну, дождется — и ладно, там посмотрим. А ты чего приуныл, Рыжий?

Я тебе такую новость отличную преподнес, а ты волком смотришь.

— Я не волком, — принялся оправдываться Роман. — Я просто Фролова этого вспоминаю... Нормальный он парень. Ничего такого... Правда, непонятно, зачем он наврал, что детективы собирается писать, если на самом деле разрабатывал ролевые игры.

— Вот потому и наврал, — сказал Антон. — И если он знал о том, что Гене предложили писать игры, то мог рассматривать его как потенциального конкурента. Ты же сам только что слышал, что сказал свидетель: им нужен только один автор, значит, либо Фролов — либо Колосенцев. Другое дело, что мы не знаем: Фролов знал о том, что у него появился конкурент или не знал?

— В том-то и дело, что не знаем. Свидетель уверяет, что сам ничего Фролову об этом не говорил. Но всей своей компании сказал. И нет гарантии, что Фролову не сообщил об этом кто-то другой. И все равно не верится как-то...

— Ну ты странный, Рыжий, — возмутился Зарубин. — Ты же мне всю плешь проел своими версиями о том, что Колосенцева убили из-за геймерских дел, а теперь сомневаешься. Нет уж, друг любезный, теперь ты меня убедил, и мой паровоз не остановить. Всё, валите отсюда, мне скоро машину забирать, а я еще со своей дамой не договорился.

Оперативники вышли из автосервиса под пронизывающий декабрьский ветер.

— Правда, Ромка, ты чего? — озабоченно спросил Антон, заводя двигатель. — Все же получается, как ты хотел. Или тебя что-то смущает?

— Не знаю, — пожал плечами Дзюба. — Что-то как-то... Не знаю. Сначала очень хотел доказать, что я прав, а теперь страшно стало.

— Это я понимаю, — кивнул Антон. — Со мной тоже так было много раз. Слушай, я в этих играх полный профан, у меня только дети в них играют. Вот скажи мне: неужели из-за этого можно убить?

— А ты думаешь, онлайновые игрушки чем-то отличаются от любого другого бизнеса? — спокойно возразил Дзюба. — Конкуренция есть везде, и конкурента надо убрать, это закон капиталистических джунглей.

— Все равно как-то дико, не верится, ведь это же игрушки! Да, пусть для взрослых дяденек и тетенек, но все равно это игрушки!

— А какая разница? Люди-то те же самые, и психология у них та же самая, и принципы решения проблем остаются такими же. Ты вот не играешь, да и я тоже не любитель этого дела, но после Генкиной смерти начал играть, так такого там наслушался! Мужики всерьез ругаются, как будто дело идет о миллионе долларов по меньшей мере или о контракте на строительство нового города, а дело-то всего лишь в том, что трое сидят на башне и простреливают всё вокруг, а пляж остался неприкрытым. Можешь себе представить? Вот из-за этого такой крик стоит, такой мат иногда — мама не горюй. Для них там все всерьез.

— Теперь понятно, зачем Фролову нужны были наши истории из практики: своей фантазии не хватает. Интересно, сколько он зарабатывает написанием игр?

Роман пожал плечами.

— Я в чужом кармане деньги считать не люблю. Но вообще-то если бы он действительно решил писать детективы, то, наверное, заработал бы больше. Так что Денис Фролов, может, и не врал, когда говорил, что хочет попробовать себя в писательстве. Для того чтобы игры создавать, у него фантазии хватает, там же что хочешь можно придумать, хоть инопланетян, хоть гномов, хоть телекинез какой-нибудь. А в книге все должно быть как в жизни, и тут без специалистов ему не обойтись, он же ничего про настоящие преступления и про нашу работу не знает.

И тут Антон вспомнил странное и неприятное чувство, охватившее его в кабинете, когда Ромка впервые показал ему распечатанные странички, написанные Колосенцевым.

— Ромка, у тебя диктофон с собой?

— Ну, вообще-то да, — помедлив, ответил Дзюба. — У меня их два. Тебе все равно какой?

— Мне нужен тот, на котором записана твоя беседа с Фроловым.

— Этот с собой.

Антон резко повернул руль и стал прижиматься к тротуару в поисках возможности припарковаться.

— Ты чего? — испугался Дзюба.

— Давай послушаем.

— Зачем?

— Давай послушаем, — твердо попросил Антон, доставая блокнот, в котором были сделаны пометки.

Вот оно, это место! Там, где речь шла о Колосенцеве, Фролов упомянул, что знает о том, где и кем работает Геннадий, но больше ни слова об этом не сказал. А если ему так нужен опер-рассказчик, почему он не попытался познакомиться с Геной на лане? Даже не подошел к нему. И когда Антон предложил познакомить Фролова со знающим специалистом, Денис энтузиазма не проявил. Но при этом не чувствуется ни малейших признаков лжи в словах Фролова... Он ничего не придумывал.

«Конечно, — подумал Сташис. — Он ничего не придумывал. Денис Фролов говорил чистую правду.

Про себя. Про то, как стоял с Геной Колосенцевым за углом в переулке. О том, как проходящие мимо геймеры окликнули Геннадия. Просто говорил о себе, но в третьем лице. Отсюда можно сделать даже некоторые выводы о характеристике личности: любовь к риску, драйву, выбросу адреналина, стремление ходить по лезвию и получение удовольствия от этого. Да уж, когда человек говорит правду, это еще ничего не гарантирует. Неполная правда, в которой не хватает малюсенькой детальки, круче самой отъявленной лжи».

Ах, как в эту минуту корил себя Антон Сташис за то, что сразу не заметил этого, пропустил, был уверен, что версия Романа о связи убийства Колосенцева с играми пустая и ни к чему не приведет, поэтому был невнимательным и некритичным.

— Ёлки-палки, — сокрушался он. — Ну как же я мог этого сразу не заметить?! Грош мне цена, Ромка, рано еще тебе у меня учиться, мне самому еще надо долго опыта набираться.

Дзюба утешал его как мог:

— Ты не расстраивайся, все ошибаются, мы же все равно его вычислили.

— Да нет, — покачал головой Сташис. — Если бы я вовремя спохватился, вы этого Фролова уже давно за задницу взяли бы, а так он, может, уже и скрылся куда-нибудь, ищи его теперь.

— А может, это все глупости, Антоха? Может, Фролов ничего не знал о том, что Генка составляет ему конкуренцию? Это же только наше с тобой предположение, это не доказано. Вот пойдут опера по участникам этой игровой компании, поговорят с каждым, тогда и узнаем, был Фролов в курсе или нет.

Антон понимал, что Дзюба просто пытается его успокоить. И был ему за это благодарен.

— Спасибо тебе, Ромка, хороший ты человек. Так куда тебя везти теперь? В ломбард? Или куда-то в другое место?

Дзюба посмотрел на часы и сокрушенно вздохнул.

— Теперь уже в ломбард не надо, он закрылся. Давай к метро, что ли.

— Да ладно, — усмехнулся Антон. — До дому тебя довезу, ты ж сегодня именинник.

Они выехали на трассу. Роман молчал, а Сташис прикидывал, как распланировать время завтра, чтобы успеть побольше сделать по работе и освободить хоть немножко времени в выходные: хочется побыть с детьми... И с Элей надо что-то решать, вернее, не с самой няней, а с проблемой ее грядущего ухода. Жену искать! Легко советовать. А сделать? Хотя ведь незамужних молодых женщин кругом полно...

И вдруг он вспомнил Светлану Дорожкину. Может, не зря ему казалось, что с ней что-то не так? Тоже ведь чистую правду говорила, и другие свидетели все подтвердили, а ему кажется, что реакции ее не соответствовали ни ситуации, ни произносимым словам. Может быть, она тоже, как и Нитецкая, и Фролов, говорила все, кроме маленькой детальки?

Какое странное дело у него в этот раз: все говорят правду, и при этом все лгут.

Глава 16

Надежда Игоревна Рыженко долго укоризненно смотрела на Антона.

— И что, тебе понадобилось столько времени, чтобы принять такое элементарное решение? Почему до сих пор не отработаны связи обеих Дорожкиных? Я была уверена, что вы это сделали сразу же, по горячим следам, потому и не спрашивала больше о них. А вы... Охламоны, ей-богу!

— Но мы их алиби проверяли, — пытался оправдываться Дзюба. — И показания тоже проверяли. Все же сошлось, тютелька в тютельку, никаких расхождений ни в чем абсолютно. У нас оснований не было...

— Оснований у них не было, — недовольно проговорила она. — Иди и делай. И пока не сделаешь — чтобы духу твоего здесь не было. И ты, Сташис, тоже хорош!

— Нет, Надежда Игоревна, вы не правы, — мужественно вступился за товарища Роман, — Антон тут ни при чем, в первые сутки мы с Геной вдвоем работали, это мы с Геной недосмотрели, а Антон уже потом подключился.

— Мы с Геной, мы с Геной, — передразнила его следователь. — Защитник нашелся. — И вдруг улыбнулась. — Ладно, беги. И моли бога, чтобы не оказалось поздно, если что не так. А ты, Сташис, задержись на пару минут.

Дзюба выскочил из кабинета следователя как ошпаренный, а Антон так и стоял возле стола.

— Да ты сядь, не маячь. Объясни мне, будь любезен, с чего вдруг тебе пришло в голову заподозрить Светлану Дорожкину? Я верю, что у тебя появились основания, но я хочу понимать какие.

Антон подробно рассказал о своих смутных ощущениях, которым сперва не придал никакого значения. Но потом точно такие же ощущения появились у него в отношении Вероники Нитецкой и Дениса Фролова, и, как выяснилось, были они небеспочвенными. Поэтому он вспомнил про младшую Дорожкину и засомневался...

— Н-да, — задумчиво протянула Надежда Игоревна. — Смутно все это, смутно... Но все равно пусть Ромка поработает. А с Фроловым что предлагаешь делать? Задерживать-то его не за что пока.

— Будем искать, — развел руками Антон. — Такая наша работа. — Подумал немного и невесело добавил: — Искать и не находить. Главное, чтобы он не свинтил. Но мы его вроде ничем пока не напугали.

— Но ноги-то приделали? — спросила Рыженко.

— Ну а как же. Первым делом.

— Ладно, иди, — вздохнула она.

Отработка связей Светланы Дорожкиной оказалась делом нетрудным и почти сразу принесла результат: уже вторая из найденных ее подружек совершенно спокойно заявила Дзюбе:

— Светка нормальная, только зря она с этим Маратом связалась. Да она ведь не дура, сама все понимает, поэтому и от матери его прячет. Мать-то такого зятька не потерпит, сразу выгонит, да еще и в полицию настучит.

О как! Через полторы минуты Дзюба записывал в свой блокнот имя: Марат Уманов. А еще через час уже знал, что двадцатидевятилетний Уманов по кличке Доцент имел три судимости, первая из которых пришлась на весьма юный возраст.

— Почему такое погоняло? — поинтересовался Роман у оперативника, который рассказал ему всю подноготную Марата. — Шибко умный, что ли?

— Нет, — рассмеялся тот. — Наоборот. Дурной совсем, без башни. Фильм «Джентльмены удачи» помнишь? Ну вот. В школе Марат учился плохо, и однажды, классе в пятом или шестом, когда надписывал тетрадь, пропустил в своей фамилии букву «а». Вместо Уманов получилось Умнов. Он и не заметил. Зато заметила учительница, которая тут же перед всем классом начала его высмеивать, дескать, ты что о себе возомнил, тоже еще, профессор выискался или академик. И кто-то с места крикнул: «Да нет, он Доцент, как Евгений Леонов из кино». Все заржали, так кликуха и прилепилась, со школы еще. Потом дворовые пацаны ее подхватили, потом на зону потянулась.

— А связи его дашь какие-нибудь? — попросил Роман.

— Дам, если скажешь зачем, — насторожился опер.

— Хочу его алиби на пару дат проверить, но так, чтобы он не знал.

Записав несколько имен и фамилий с адресами, Дзюба отправился искать приятелей Марата Уманова. Вернее, одного-единственного приятеля, которого коллега-опер рекомендовал как вменяемого. Все остальные имена оставались про запас.

Валентин Агуреев по кличке Огурец оказался веселым бесшабашным пацаном, так и не понявшим до конца, что ходит по тонкой границе между свободой и несвободой. Впрочем, тот факт, что его отрекомендовали как вменяемого, мог свидетельствовать и о том, что его прикрывает полиция. Естественно, не за красивые глаза. Потому он и не боится особо.

— Двадцать первого ноября? — Огурец наморщил лоб. — Это что было?

— Это была среда, две с половиной недели назад.

— Ща гляну. — Он вытащил мобильник и принялся нажимать кнопку. — Я ж экономный, трепаться по трубе не люблю, сообщения дешевле выходят. Вот, ща позырим, кто мне чего писал в тот день, может, и вспомню.

Он долго искал нужные сообщения: видно, их было так много, что найти те, которые пришли или были отправлены две с половиной недели назад, оказалось нелегко.

— Не, — он отрицательно помотал головой. — В тот день Марата никто не видел до самого вечера, а вечером он пьяный был в лоскуты.

— Да? А с чего же это он так нажрался?

— Бес его знает, он нам не докладывал. Но это было вечером, точно. А днем его искали, у меня спрашивали, не видел ли я его, но я не видел. Наверное, те, кто искал, тоже не видели, — добавил он ехидно.

— Хорошо. А за два дня до этого, девятнадцатого?

Огурец снова углубился в изучение своего телефона, потом глупо захихикал.

— Это помню, мы должны были собраться, вопросик один перетереть, и Марат должен был подвалить, все пришли, а его нет и нет. Стали ему звонить — он к трубе не подходит. А потом начал эсэмэски слать, мол, занят, когда освобожусь — не знаю.

— Ну и чего тут смешного? — спросил Дзюба строго.

— Да того и смешного, что у бабы своей он завис, это ж коню понятно. И не знает, когда... ну, в общем, ты понял. Это самое.

— Покажи сообщения, — потребовал Роман.

Огурец протянул ему телефон.

— На, смотри, жалко, что ли.

Итак, выходило, что Марат Уманов 19 ноября, в понедельник, прислал своему корешу 4 сообщения. А на звонки в это время не отвечал.

И было это в интервале между 17 и 19 часами.

То есть в то самое время, когда Евгения Панкрашина находилась в квартире своей подруги Татьяны Дорожкиной и общалась с хозяйкой дома и ее дочерью. И не просто общалась, а показывала ожерелье «Рассвет на Эгейском море» и объясняла, какие в нем камни. Правда, называла она его не ожерельем, а колье, но сути это не меняло.

Светлана Дорожкина работала портье в маленькой частной гостиничке на 10 номеров, сдававшихся и посуточно, и на несколько часов. Одним словом, место крайне сомнительное, как показалось Антону, когда он с трудом нашел двухэтажное здание, притаившееся в глубине двора. Вообще-то он планировал приехать сюда вместе с Дзюбой, но Ромка смотрел на него такими несчастными глазами, что стало понятно: он рвется прояснить до конца вопрос с Фроловым и участниками ролевых игр. И Антон великодушно его отпустил.

Светлана сидела за полукруглым столиком, зябко кутаясь в теплую шаль: здесь, в маленьком тесном холле, устроить место для портье можно было только рядом с входной дверью, из которой немилосердно тянуло холодом. Увидев Антона, она обеспокоенно оглянулась, потом почему-то посмотрела на часы. Сташис понял: вероятно, сюда должен через какое-то время прийти Уманов.

— Вы ничего не хотите мне рассказать? — дружелюбно начал он.

Светлана сделала удивленное лицо.

— О чем? Мы с мамой все вам уже рассказали. А вы нашли того, кто убил тетю Женю?

— А вы все сделали, чтобы помочь нам его найти? — парировал Антон. — Светлана, давайте не будем терять время, ладно? Оно и у вас, и у меня рабочее. Я понимаю, что вы скрываете свою связь с Умановым от матери. Но почему от нас-то вы скрыли, что он был у вас дома, когда приходила Евгения Васильевна? Вы не могли признаться в присутствии матери? Понимаю. Но мы вам оставляли свои телефоны. Что вам мешало позвонить, когда мама не слышит, и сказать правду? Почему вы промолчали?

Светлана угрюмо смотрела в журнал регистрации гостей.

— А я вам скажу почему. Потому что вы знаете, кто ее убил. Или подозреваете.

— Неправда, — тихо проговорила она. — Что вы выдумываете?

— Неправда? А давайте я вам расскажу, как все было. Хотите?

Светлана подняла на него глаза, полные слез. Губы ее дрожали.

— Не надо. Я сама расскажу. Что мне за это будет?

— Ничего.

— Хорошо вам говорить. Марат меня убьет.

— Ну, это если он виновен, — пожал плечами Сташис. — А если он ни при чем, то не станет на вас сердиться.

Светлана горько расплакалась. Антон выждал несколько минут, потом подал ей пачку бумажных платков, которую обнаружил у нее же на столе.

— Давайте, Светлана, рассказывайте, не будем терять время. Вы же ждете Марата? А вдруг он сейчас придет? И мне придется задерживать его прямо здесь, у вас на глазах. Поэтому чем быстрее вы мне все расскажете, тем быстрее я уйду.

— Но вы же все равно его арестуете? — прорыдала девушка.

— Конечно, если он виновен. Но если это произойдет здесь, он будет точно знать, что вы все рассказали мне. А если мы задержим его в другом месте, то он, вполне возможно, ни о чем и не догадается.

В тот день, 19 ноября, Татьяна Дорожкина собиралась отсутствовать до позднего вечера, сначала была записана в парикмахерскую на стрижку и краску, потом хотела по каким-то делам съездить и напоследок собиралась навестить заболевшую приятельницу. И Светлана, думая, что мать вернется поздно, привела домой Марата. А мать неожиданно вернулась к 17 часам. У Татьяны в обеих руках были сумки с покупками, и ей проще было нажать кнопку домофона, нежели искать в сумочке связку ключей с прикрепленной к ней «таблеткой», поскольку мать знала, что Светлана дома и откроет ей. Этот сигнал домофона и услышала Светлана около 17 часов, предаваясь любовным утехам с Маратом. Девушка поняла, что мать возвращается раньше времени и что она никак не успеет одеть лежащего в постели любовника и вывести его из квартиры. Единственное, что она успевала, это схватить в прихожей куртку и ботинки Уманова и спрятать у себя в комнате.

Светлана вышла навстречу матери в прихожую.

— Мама, ты чего? Ты же собиралась по делам ехать. Что-то случилось?

— Тетя Женя хочет в гости приехать, — объяснила Татьяна, раздеваясь. — Как меня постригли? Правда, хорошо? И краска удачно легла в этот раз, цвет получился такой, как мне нравится.

Она покрутила головой перед зеркалом.

— А что, у тети Жени что-то случилось? — продолжала допытываться Светлана. — Что за срочность? Ты же и в больницу ехать хотела...

— Ну, дочечка, тетя Женя — моя любимая подруга, ты же знаешь. Она соскучилась, хочет повидаться, очень просила ее принять. Говорит, что в ближайшее время у нее не будет возможности ко мне приехать. Да тебе-то что за забота? Тебе тетя Женя помешает, что ли?

— Нет, — торопливо заговорила Светлана, мечтая только о том, чтобы мама поскорее ушла из прихожей хотя бы в кухню: Татьяна стояла прямо рядом с дверью в комнату девушки. — Конечно, я тоже рада, что тетя Женя придет, я тоже ее люблю, она такая чудесная. А когда она придет?

— Обещала к пяти.

— Ой, так что же мы стоим! — всплеснула руками Светлана. — Давай скорей на кухню, я посуду помою и пол протру, а ты быстренько салатик какой-нибудь сообрази, а то неудобно, гость в доме, а у нас не убрано и накормить нечем.

Мать и дочь принялись хлопотать на кухне, и Светлана молила бога, чтобы у мамы не появилось оснований заглянуть к ней в комнату.

К счастью, Евгения Васильевна пришла в самом начале шестого, и все трое устроились в большой комнате. Панкрашина рассказывала про бутик, в котором можно взять украшения напрокат, и показывала колье, мать и дочь Дорожкины его рассматривали, обсуждали, даже примеряли и крутились перед зеркалом. Евгения Васильевна рассказывала много интересного про это колье: и как оно называется, и какие в нем камни, и какая сложная работа.

— Наверное, дорогущее, — предположила Татьяна.

— Наверное, — согласилась Евгения Васильевна. — Но если напрокат — то совсем недорого. Там же цена зависит от срока, на который берешь изделие. Я взяла на два дня всего, завтра надену на прием, а послезавтра отвезу обратно. За два дня вообще сущие копейки.

Все разговоры в этот день крутились вокруг колье, и только под конец Татьяна завела речь о предстоящем двадцатипятилетии Светланы и о желании удивить гостей фирменным тортом Женечки Панкрашиной. Дамы принялись судить-рядить, прикидывая, когда удобно провести мастер-класс. И договорились, что Евгения Васильевна приедет в среду часов в одиннадцать утра, покажет, как печь торт, а часика в два-три поедет в бутик сдавать колье.

Антон слушал Светлану, мысленно дополняя ее рассказ теми сведениями, которые раздобыл Роман Дзюба.

Марат Уманов, сидящий в комнате Светланы, прекрасно слышит весь разговор и на слух определяет, что речь идет об очень дорогой эксклюзивной вещи. Звук у мобильного телефона он отключает и на звонки не отвечает: если ему отлично слышно, о чем говорят женщины, то и они услышат его голос.

Ему шлют эсэмэски с вопросами «когда будешь», он шлет в ответ сообщения, что определится в течение получаса, и внимательно вслушивается в разговор, ведущийся в другой комнате, чтобы понять, когда конец мероприятия и когда уже Светлана сможет его потихоньку вывести из квартиры. Для этого нужно, чтобы гостья, наконец, убралась, и тогда можно будет улучить момент, когда мать Светланы или засядет в комнате смотреть телевизор, или хотя бы в ванную или в туалет пойдет. Разговоры о дорогом колье его взбудоражили, и решение он принял довольно быстро...

— Вам Уманов рассказал о своих намерениях убить Панкрашину и забрать колье? — спросил Антон, когда Светлана замолчала.

Та бросила на него негодующий взгляд.

— Вы что! Конечно же, нет. Но я по его лицу поняла, что он все слышал, и только надеялась, что, может быть, он никаких выводов не сделал. Ну, слышал и слышал, нельзя же в каждом подозревать убийцу. Я гнала от себя эту мысль, уговаривала себя, что мне показалось, что никакого особенного выражения у него на лице не было. Мне очень хотелось верить в это, и я поверила. Но когда тетю Женю убили, я ужасно испугалась, что это все-таки сделал Марат. И все равно уговаривала себя, что это не он, он не мог, он, конечно, связан с бандитами и даже не скрывает этого, но он хороший, добрый и не убийца вовсе. А то, что сидел три раза, так это по глупости, по молодости.

— А вы у него не спрашивали про убийство и про колье?

— Я боялась, — вздохнула Светлана. — Боялась, что он обидится на то, что я его в чем-то подозреваю. Я просто рассказала ему про тетю Женю, но, наверное, он что-то почувствовал, потому что вдруг как вспыхнет, как начнет на меня кричать: «Ты что, меня подозреваешь? Да я тебе клянусь, я ничего не делал. Как ты могла такое про меня подумать? И вообще, я не в курсе ни про какое колье и тетю Женю твою в глаза не видел, я же в комнате сидел, ты что, забыла?» Ну и все в таком роде.

«Ну что ж, эта девушка, как и подавляющее большинство из нас, живет в мире иллюзий, — подумал Антон. — Она видит только то, что хочет видеть. И я такой же. И все остальные. Как там Кузьмич-то говорил? Человеческий глаз лукав? Да уж, что верно — то верно».

Теперь Антон примерно представлял себе общую картину: квартира у Дорожкиных маленькая, тесная, в ней не только со звукоизоляцией беда, но если приоткрыть дверь комнаты Светланы, то отлично можно разглядеть всех, кто находится и в большой комнате, и на кухне. И Уманов наверняка воспользовался этой возможностью, чтобы посмотреть на женщину, которая уже послезавтра явится в этот дом, имея при себе ювелирное изделие немыслимой цены. Он обязательно должен был это сделать, потому что ему надо было знать, кого ждать в среду утром в подъезде этого дома.

И в среду, 21 ноября, Уманов занял свою позицию в подъезде дома Дорожкиных. Когда появилась Евгения Панкрашина, он убил ее ударом ножа, перерыл всю сумку, но колье там уже не было. Пришлось Марату удовольствоваться крохами: кошельком и мобильным телефоном. Больше ничего стоящего у Панкрашиной не нашлось.

Ну что ж, теперь можно давать отмашку ребятам, пасущим Уманова уже несколько часов. Пусть берут его.

— Вы извините, Светлана, — сказал Сташис, — но мне придется побыть тут с вами еще немного.

— Зачем? Что еще вам от меня нужно? — резко спросила она. — Вы и так уже из меня всю душу вынули.

— Не надо грубить, — заметил он. — Я должен быть уверен, что вы не позвоните Уманову и не предупредите его. Поэтому, пока я не получу сигнал о его задержании, я буду сидеть вот на этом стульчике. — Антон ногой пододвинул к себе стоящий неподалеку складной металлический стул, обтянутый дешевым кожзаменителем.

Светлана снова разрыдалась, а Антон смотрел на ее вздрагивающие плечи и понимал, что ему совсем не жалко девушку. Ложишься спать с собаками — готовься проснуться с блохами. Ложишься в постель с бандитом — не жди долгого романтического приключения. Все по-честному.

Он достал телефон, прочитал последние сообщения от дочери Василисы, которую приучил постоянно сообщать отцу обо всех своих перемещениях, и погрузился в глубокую задумчивость. Вот перед ним сидит очень даже хорошенькая девушка, незамужняя и даже с сегодняшнего дня свободная от любовных уз. Можно на ней жениться?

Да боже упаси!

А на ком тогда можно? И на ком нужно? И вообще, нужно ли это делать? Черт, черт, черт! Ну почему, почему эта любовь свалилась на Элю именно сейчас, когда его дети еще такие маленькие?! Почему не на пять-шесть лет позже, когда Васька станет уже достаточно разумной и сможет сама присмотреть за младшим братом!

Зажатый в руке телефон вздрогнул, на дисплее появилась надпись: «ОК». Отправитель: Роман Дзюба.

Антон поднялся, чувствуя, что одна нога немного затекла.

— Вот и все, Света, больше я не буду вас истязать своим присутствием. Спасибо за помощь и за гостеприимство.

Девушка посмотрела на него затравленно.

— Марат... всё, да?

— Да, — спокойно ответил Антон. — Всё. Всего доброго.

К тому моменту, когда он через весь город доехал до отдела, досыта настоявшись в знаменитых столичных «пробках», Уманов уже перестал отпираться. Да, у него хватило ума не браться за рукоять ножа голыми руками, так что отпечатков своих на орудии убийства он не оставил. Но погорел на полной ерунде: не учел, что некоторые магазины выдают покупателям дисконтные карты просто так, а некоторые — только при заполнении анкеты и предъявлении паспорта. Именно такая карта из дорогого продуктового магазина оказалась в кошельке Евгении Панкрашиной. Кошелек-то Уманов, само собой, выбросил, а вот карту прибрал: авось пригодится. Правда, покупок в этом магазине он пока еще не делал, но карта обнаружилась в его кармане вместе с двумя-тремя другими дисконтными картами, которые оказались именными. Все, кроме одной-единственной, выпущенной именно той сетью магазинов, в которой, по словам водителя, жена бизнесмена Панкрашина имела обыкновение делать покупки. И на кассе ближайшего же магазина этой обширной сети Дзюбе сказали, что выпущена она на имя Евгении Васильевны Панкрашиной. Вот, собственно говоря, и вся песня. Объяснить, как карта попала к нему, Уманов не смог, а поскольку никогда не был человеком острого и быстрого ума, то и придумать ничего не сумел.

Ну что ж, по крайней мере с убийством Евгении Панкрашиной наступила ясность. И если Ромка прав, то и с убийством Гены Колосенцева со дня на день можно будет разобраться окончательно.

А вот вопрос о том, кто и почему убил ювелира Леонида Курмышова, так и висит. И если сначала была надежда на то, что убийства Курмышова и Панкрашиной связаны между собой ожерельем «Рассвет на Эгейском море» и что, раскрыв одно, можно будет потянуть ниточку и добраться до разгадки второго, то теперь эта надежда умерла окончательно. К ювелиру Курмышову уголовник Марат Уманов отношения не имел.

Значит, надо было начинать все сначала. Кто увез ювелира оттуда, где его оставил Колосенцев? Сам Геннадий? Зачем? Это глупо и необъяснимо. То есть объяснимо, конечно, но только в одном случае: если Гена решил Курмышова убить. Но это же полный бред! И вообще, там же Фролов... Или все-таки не Фролов? И где конкретно засветился этот самый Денис Фролов: у гаражей или возле общежития рабочих-мигрантов? Не говоря уж о самом главном: а был ли у него мотив на убийство Гены Колосенцева?

Антон решил снова поехать к Карине Горбатовской. В общем-то, у него хватало силы духа признаться самому себе, что для дела это было не особо нужно. Просто Карина ему снилась. Снилась каждую ночь с того самого дня, как он впервые ее увидел. И не выходила у него из головы.

В воскресенье с утра Карина была дома и на заданный по телефону вопрос, можно ли заехать поговорить, ответила согласием. Антон поприкидывал, не купить ли цветы, но потом все-таки решил, что это неприлично. Он же по делу приедет, а не на свидание.

Разговор о Курмышове много времени не занял. Все, что можно было спросить у Карины, уже давно спросили и первый следователь, и сама Рыженко, которая вызывала Карину на повторный допрос, и сам Антон, когда приезжал к ней.

Но беседа текла так плавно, и было Антону так уютно рядом с этой женщиной, что он решился и вкратце рассказал свою историю, а потом спросил:

— Нет ли среди ваших знакомых одинокой женщины, такой, которая смогла бы стать матерью двум моим детям и терпела бы неудобства моей профессии?

Вопрос Карину изрядно озадачил, она даже рассмеялась:

— Вы что же думаете, я сваха? Или сводня?

Антон смутился и принялся извиняться и объяснять, что ничего такого он в виду не имел, просто вот надо же как-то решить проблему, а он не представляет, как к этому подступиться. И вдруг ни с того ни с сего выпалил:

— А вот вы, например, смогли бы выйти за меня замуж?

Карина посмотрела на него внимательно и серьезно, уголки губ чуть дрогнули в намечающейся улыбке.

— Нет, Антон, не смогла бы. Во-первых, я старше вас, а для меня это очень существенный момент. Никогда и ни при каких условиях я не свяжу себя отношениями с мужчиной младше себя. Во-вторых, я не смогу быть хорошей матерью вашим детям. Я вообще не хочу замуж, но детей хочу. При этом хочу родить своих детей и не хочу никакого соперничества в семье и разговоров о том, кто кого любит больше и какие дети родные, а какие нет. Мне все это не нужно.

Антон окончательно смешался. Зачем он задал этот дурацкий вопрос?

— Простите, ради бога, я ничего не хотел... Но может быть, вы мне что-нибудь посоветуете?

— Если вы действительно собираетесь жениться для того, чтобы решить свою проблему, — ответила она невозмутимо, — то вы должны понимать, Антон, что это должна быть женщина, которая всегда очень хотела детей, но у которой их быть не может. Только такая женщина отдаст вашим деткам все сердце и всю душу, а у вас не будет сомнений в том, кого она любит больше, ваших детей от первого брака или ваших общих детей. Поверьте мне, Антон, сомнения и подозрения — это страшная штука, они разъедают нутро и отравляют даже самые лучшие, самые теплые и добрые отношения. Ищите женщину, с которой у вас не будет ни малейших сомнений, только так вы сможете сохранить ваш брак. Но при этом вы должны отчетливо понимать, что эта женщина крайне маловероятно будет молодой, скорее всего, ей будет около сорока или даже больше.

— Почему? — не понял он.

— Молодые женщины, которые хотят своих детей, будут этого добиваться в браке ли, если дело в отсутствии мужа, или длительным изнурительным лечением, если дело в болезни, но к тридцати годам вряд ли они сдадутся и откажутся от надежд на материнство. Так что ваш удел — жена, которая будет старше вас заведомо.

Ну да, все логично. И почему это раньше не приходило ему в голову? Да и Эля этого ему не сказала. Не так-то просто мужчине с детьми найти жену, с которой его дети и он сам будут счастливы. А те, кто думает иначе, живут в мире непонятно откуда взявшихся иллюзий. Интересно, а что Карина думает по этому поводу?

— Знаете, мне тут недавно посоветовали перестать жить в мире иллюзий, — произнес он с улыбкой. — Люди на самом деле совсем не таковы, какими мы их видим, и надо всегда об этом помнить и не удивляться, что отношения не складываются или складываются как-то не так.

Карина согласно кивнула:

— А знаете, это правда. Вот мой папа, например, страшно переживает из-за того, что я столько лет была с Лёней и не создала своей семьи. Ему кажется, что я влюблена, слепа и глуха и готова была все прощать Лёне. А на самом деле папе даже в голову не приходит, что я не слепа и не глуха, и если не порывала с Лёней, то только потому, что у меня не было на это моральных сил. И никакой семьи я не хочу, мужа не хочу, бытовых забот не хочу, я хочу родить ребенка и заниматься только им и своей работой. Жаль, что я так поздно все это осознала, иначе, может быть, и аборт не сделала бы в свое время. А любовник пусть бы приходил один-два раза в неделю, мне вполне достаточно. Мне не нужен мужчина под боком постоянно. Но разве я могу сказать это папе, для которого семья, дети и внуки — это безусловная и неоспоримая ценность, ради которой можно пойти на любые жертвы! Папа видит во мне одно, а на самом деле я совсем другая.

Надо уходить, пора и честь знать. Антон с уважением воспринял слова Карины о том, что у нее есть жесткое предубеждение по поводу разницы в возрасте. Да, сам он с этим не согласен, но чужие убеждения и принципы — это святое. У него ведь и у самого есть принципы и предубеждения, которые другим кажутся, наверное, смешными и нелепыми. Он тоже не мыслит отношений с женщиной, которая более свободна в деньгах, чем он сам. Если бы это было для него нормальным, он бы лучше попытался поухаживать за Элей, она и красивая, и добрая, и неглупая, и дети ее обожают. И если бы он своевременно проявил настойчивость, то, возможно, она бы согласилась стать его женой. Но для Антона Сташиса женщина богатая просто не существует как женщина, он всегда считал неприличным женитьбу «бедного на богатой», не хотел, чтобы его называли альфонсом, а уж если она хоть чуть-чуть старше, то тогда вообще никто не поверит в искренность чувств. Так что с Элей все равно ничего не получилось бы, даже если бы он захотел. Но он и не хотел. Это всегда удивляло и его самого, и его бывшую одноклассницу, с которой он встречался именно так, как об этом говорила Карина: один-два раза в неделю. Галина тоже никогда не верила, что он может не испытывать к красавице Эльвире никакого мужского интереса, ревновала ужасно, подозревала и постоянно говорила глупости и гадости по этому поводу. Да и Антон нет-нет — и прислушивался к себе. И каждый раз получал совершенно отчетливый ответ: Эля — не его женщина. Его к ней не тянет. Даже несмотря на ее безусловную внешнюю привлекательность и несомненные достоинства душевного склада и характера. Жаль. Жаль, что все так вышло.

Но искать жену намеренно... С целью сделать ее нянькой при своих детях... Это омерзительно. Это недостойно настоящего мужчины. Это противно его натуре.

Ну да, все это — замечательные красивые слова. А делать-то что?

На душе у Антона Сташиса было мерзко и тяжело.

В течение субботы и воскресенья найти всех 16 человек — членов закрытого клуба геймеров — оказалось делом нелегким. Все они работали, крутились, зарабатывали деньги и в выходные дни не имели привычки сидеть по домам. Кто уехал за город, кто проводил время в приятной компании, а кто и вовсе улетел за границу. Из тех, кого удалось найти в Москве, ни один не признался, что рассказывал автору игр о возможном конкуренте-полицейском. Хотя кое-какую новую информацию раздобыть все же удалось. Например, о том, что продвинутые и состоятельные геймеры, играющие на специально созданном сайте, любят сложные сюжеты, и поначалу уровень тех игр, которые составлял для них Денис Фролов, всех более чем устраивал. Обычно его игра отыгрывается примерно за две недели. Но теперь игроки хотят более сложный сюжет, раскрутить который не так-то легко. Денис, конечно, пытается усложнить свои игры, но геймеры — ребята ушлые, сообразительные, быстро доходят до конца. И тогда они заключили с Фроловым соглашение: за одну игру Фролов получает 3000 евро, если она играется две недели. За каждую неделю сверх этого — еще 2000. Фролов был кровно заинтересован в том, чтобы придумать сверхсложный сюжет и запутать всех, но пока у него получается не очень. Совсем, можно сказать, не получается. Во всяком случае, свой двухтысячеевровый бонус ему ни разу не удалось получить.

И снова начались сомнения: может быть, Денис Фролов совсем и не убийца? Да, он участвовал в играх только вместе с Геной Колосенцевым и после его гибели не зашел на сервер ни разу. Это так. Но, возможно, он хотел всего лишь познакомиться с оперативником, чтобы черпать у него информацию о настоящих уголовных делах и запутанных преступлениях?

— Но тогда почему не познакомился? — упрямо возражал Роман Дзюба, когда подполковник Зарубин поделился с ним результатами работы за минувшие два дня. — Возможностей была куча, включая и личный контакт во время соревнований. Однако Фролов почему-то ими не воспользовался. Дайте мне тех, кто остался, Сергей Кузьмич, ну пожалуйста! У меня сегодня выходной, я могу на вас поработать.

— Слушай, ну ты и зануда, — Зарубин изобразил на лице величайший трагизм. — Как тебя вообще окружающие терпят? Ты же пальцем тоннель проковыряешь со своей настырностью. Ладно, вот, держи: список членов клуба, которые еще не опрошены. Только без самодеятельности, понял? Нашел человечка — нам сообщил, дальше мы сами. Уяснил?

Роман схватил листок с именами, адресами и телефонами и убежал совершенно счастливый.

Нет, все-таки грешно жаловаться на судьбу! Любит она Ромчика Дзюбу. Да, не каждый день, не постоянно. Но постоянно ведь и женщины не любят, не говоря уж о мужчинах. Зато сегодня судьба решила побаловать молодого оперативника. Первый из тех, с кем ему удалось встретиться и поговорить, ничего интересного не рассказал, зато второй, по фамилии Щеголько, маленький и кругленький, как мячик, злобно захихикал, едва услышав имя Дениса Фролова. Он подтвердил, что один из игроков вступил в личный контакт с геймером по имени Пума, когда услышал, что он работает в полиции, да не где-нибудь, а в уголовном розыске.

— Он рассказал всей нашей группе, что поговорил с Геннадием, и Геннадий обещал написать пробную игру. Мы одобрили эту инициативу и предложили даже финансово простимулировать оперативника, чтобы он знал, что работает не зря, и старался. Видите ли, Денис Фролов для нас пишет уже давно и, судя по всему, выдохся. У каждой фантазии есть свой потолок. Кроме того, мы отыграли столько придуманных им игр, что ход его мыслей нам стал абсолютно понятен и предсказуем, а прыгнуть выше своей головы и начать мыслить по-другому Денис не может. А тут свежий человек со свежими идеями и новыми подходами! Конечно, мы были кровно заинтересованы в том, чтобы Геннадий стал нашим автором.

— Понятно, — кивнул Дзюба. — А Фролову вы об этом говорили?

— Разумеется! Именно я ему об этом и сказал.

От Дзюбы не укрылась усмешка, исказившая маленький аккуратненький рот его собеседника. Такие усмешки обычно называют гадкими. Или даже гаденькими.

— Не любите Фролова? — Роман постарался сделать тон, которым он произнес эти слова, как можно более доверительным.

— Страшно не люблю! — воскликнул Щеголько и отчего-то развеселился. — Причем даже не знаю почему. Вот ведь загадка! Человек ничего плохого мне не сделал, а я его терпеть не могу. На дух не выношу! И честно вам признаюсь, давно уже ношусь с мыслью найти другого автора игр, чтобы не иметь дела с Денисом. У него больное самолюбие и амбиций выше головы, хотя он ничего особенного собой не представляет. Вот не нравится он мне, и все тут. Поэтому я не мог удержаться от соблазна испортить ему настроение. Конечно, Геннадий только пообещал попробовать, и не факт, что он бы начал пробовать, а если бы начал, то не факт, что у него получилось бы, но я Фролову это преподнес так, что якобы дело уже на мази, есть толковый знающий опер, который умеет писать такие игры, и он сказал, что для него составить игру — раз плюнуть, и через месяц-полтора он сдаст работу. А я, дескать, ему пообещал хорошие деньги. И сумму назвал в три раза больше, чем мы платили Денису. Видели бы вы, как у него рожа перекосилась! — Мячик-Щеголько залился хохотом. — За последний год это были, наверное, самые приятные минуты в моей жизни. Конечно, это был чистый блеф, но сработало, настроение я ему испортил.

Ну вот и мотив обозначился. Пока на горизонте не появился Гена Колосенцев, Фролов был единственным автором у этой группы людей, организовавшей свой маленький закрытый игровой клуб. Если у Пумы получится ролевая игра, то Денис Фролов потеряет свой источник заработка. Так мало того: этому Пуме еще и платить будут в три раза больше, чем Денису! Где справедливость, граждане?!

— Плохо, — сделала вывод следователь Рыженко, выслушав очередной беспомощный лепет оперативников, которые честно работали, и не их вина, что не получается...

А не получалось ничего. Убийства Панкрашиной и Курмышова никак не соединялись. И хуже всего то, что работа по раскрытию убийства ювелира буксовала, как легковушка в песчаных барханах.

— Конечно, то, что ты говоришь, это полный бред, — резко сказала она, глядя на Антона Сташиса. — Но у нас все равно ничего другого не остается. Давайте проверять версию о том, что Курмышова убил Колосенцев, поскольку мы точно установили, что освободил ювелира именно он. Экспертиза подтвердила: на ножовке, которой распилили наручники, и куске арматуры, которой взломали дверь гаража, следы Колосенцева. Хотя бы одно мы знаем наверняка: Гена вступал в контакт с ювелиром. Гена был в этом гаражном комплексе одновременно с Курмышовым. А потом Курмышова оттуда увезли. И машину Колосенцева обнаружили неподалеку от общежития мигрантов. Значит, у него были все возможности вывезти Курмышова. Рома, машину твоего друга эксперты смотрели?

— Кажется, нет, — неуверенно ответил Дзюба, подумал и добавил уже более твердо: — Точно нет. Я с ребятами разговаривал, они сказали, что просто осмотрели машину, искали записи или еще что-то такое, что объяснило бы, зачем он поехал в Восточный округ. А экспертам не отдавали.

— Почему?! — теперь Рыженко уже кричала. — Почему не сделано такое очевидно необходимое действие? Что вообще происходит?

— Не сердитесь, Надежда Игоревна, — попытался успокоить ее Антон. — Там следователь такой... с особенностями. У него ремонт и гастарбайтеры — больная тема. И в рамках его версии в результатах экспертизы по машине ничего важного для следствия быть не может.

— Господи, — простонала она, обхватывая голову руками. — Почему, ну почему мы превратились в страну идиотов? Ладно, всё, концерт окончен. Идите, работайте. А я пойду к руководству. Если вашему следователю машина Колосенцева для раскрытия убийства не нужна, то мне она нужна для следствия по делу ювелира.

Сташис и Дзюба вышли из кабинета Рыженко, стараясь производить как можно меньше шума.

— Что это с ней? — шепотом спросил Роман, когда они отошли от двери на достаточное расстояние. — Я ее такой никогда не видел.

Антон улыбнулся.

— Ничего страшного, Рома. И ничего личного. Ни к тебе, ни ко мне это отношения не имеет.

— А к чему имеет?

— Не к чему, а к кому. К Киргану, адвокату.

— К Виталию Николаевичу? — изумился Дзюба. — А что случилось? Он опять ее дело в процессе развалил?

— Ну, почти, — рассмеялся Сташис. — Он ей вчера предложение сделал. И Надежда Игоревна согласилась. Вчера. А сегодня утром позвонила ему и сказала, что накануне поторопилась и пока не уверена... В общем, из-за этого они поссорились.

— Ни фига себе, — протянул Роман. — А ты откуда знаешь?

— Так мне Кирган сказал, я с ним разговаривал сегодня. Так что наша с тобой Надежда Игоревна просто в расстроенных чувствах. Не бери в голову. И знаешь что, Ромка? Я сейчас поеду делами заниматься, а ты отдыхай сегодня. Все равно больше ничего по ювелиру мы сделать не можем. Всё, источник иссяк. Теперь остается только ждать, пока Рыженко вытребует Генкину машину для экспертизы и пока эксперты все сделают. И в отделе у себя не показывайся, ты же знаешь: дураков работа любит. Расслабься до завтра.

Антон дружески хлопнул Дзюбу по плечу, сел в свою машину и укатил. А Роман задумчиво брел по тротуару, размышляя, то ли поехать домой и завалиться спать, то ли все-таки проявить честность и дисциплинированность и явиться в свой отдел, то ли...

Третий вариант после тщательного обдумывания показался ему самым привлекательным. И Роман Дзюба отправился в ломбард, где работала такая чудесная, такая необыкновенная, такая добрая и искренняя девушка с таким редким именем Евдокия.

Глава 17

—Рома, — устало произнесла Надежда Игоревна Рыженко, — я очень хорошо к тебе отношусь. Я очень ценю тебя как человека, преданного делу и влюбленного в свою профессию. И ты это знаешь. Но даже моя любовь к тебе не безгранична. Тебе твои приятели-опера рассказывали, что осматривали машину Колосенцева?

— Ну да, я же говорил, — недоуменно ответил Дзюба.

— Они тебе сказали, что на переднем пассажирском сиденье лежал кусок полиэтилена?

— Я не помню... Вроде говорили... А...

— Так какого же черта, Рома, ты мне об этом не сказал?! — Она снова, как и несколько дней назад, сорвалась на крик. — Ты забыл? Не обратил внимания? И потом не вспомнил? Или что?!

Она помотала головой, сжав кулаки, потом растерянно посмотрела на оперативников.

— Простите, ребята, что-то я совсем... — произнесла она уже спокойнее и повторила: — Простите. Сорвалась. Рома, ты допустил чудовищный косяк. Ты это понимаешь?

— Нет, — Дзюба совершенно растерялся. — Да что случилось-то?

— Я показывала вам заключение экспертов и по одежде Курмышова, и по гаражу, и по ящику, обнаруженному возле гаража. Мне это не приснилось? Показывала?

— Показывали, Надежда Игоревна, — подал голос Сташис.

— Мы с вами вот здесь, в этом самом кабинете, обсуждали результаты экспертизы?

— Обсуждали, — снова подтвердил Антон.

Он уже понял, к чему все идет, и искренне сочувствовал Ромке. Бедный парень, вот попал! И ведь действительно: его косяк.

— Мы говорили о том, что Курмышов трое суток, пока находился в гараже, ходил под себя, и его брюки были пропитаны нечистотами? Говорили или нет?

Обычно розовые, щеки Дзюбы покрылись багровым румянцем.

— Вы хотите сказать, что... — забормотал он. — Гена не мог! Это неправда!

— Конечно, неправда, — вздохнула Рыженко. — Гена действительно не мог. Потому что был к этому моменту уже без сознания или мертв. В багажнике его машины обнаружены микрочастицы его одежды, той самой, в которой он был в момент смерти. И даже следы грязи с его обуви. Точно такая же по составу грязь была и на подошвах его ботинок. Гену преступник запихнул в багажник, а вот живого Курмышова усадил на переднее сиденье, видно, хотел пообщаться по дороге. Но поскольку от несчастного ювелира исходил сильный неприятный запах совершенно очевидного происхождения, то заботливый преступник подстелил на сиденье полиэтилен. Обивка салона у Гены тканевая, она быстро пропиталась бы тем же, чем были пропитаны брюки Курмышова, и запах мог насторожить тех, кто потом будет осматривать машину Колосенцева. Он очень предусмотрительный, этот ваш Фролов. Но он человек, и ничто человеческое ему не чуждо. В том числе и такие качества, как забывчивость и рассеянность, а также состояние шока после двух совершенных подряд убийств. Он все сделал правильно. Только забыл убрать из машины этот кусок полиэтилена, к которому прикасался руками без перчаток. Конечно, теперь все встало на свои места. Но если бы ты, Ромка, вовремя вспомнил про этот полиэтилен...

Дзюба удрученно молчал. Он все понимал. И клял себя последними словами.

Что ж, удача — она ведь женского рода. Изменчива и непостоянна. Так и должно быть.

Дениса Фролова задержали в тот же день, к вечеру. Рабочее время давно закончилось, но следователь Рыженко и не думала уходить домой. До 23.00 она имеет полное право допрашивать задержанного. И в удовольствии себе не откажет.

Разумеется, немедленно разгорелся спор о том, кому допрашивать Фролова: в одном округе он проходит как убийца Геннадия Колосенцева, а в другом — как убийца Леонида Константиновича Курмышова. И дела официально не объединены у кого-то одного из следователей. Однако Надежда Игоревна, хоть и была дамой женственной и, в общем-то, незлобивой, умела наносить удары. Правильно сформулированная и красиво поданная информация о субъективном уклоне следователя, пострадавшего от ремонта, сделанного рабочими-иностранцами, принесла нужные результаты. И Дениса Фролова доставили к ней в кабинет.

Она уже довольно хорошо представляла себе личность этого человека, опираясь на рассказы Антона Сташиса и Ромчика Дзюбы. Поэтому успела выстроить тактику допроса, основанную на почти полном отсутствии собственно вопросов как таковых. У таких людей нельзя ничего спрашивать. На них можно только давить обилием имеющейся информации. И блефовать. Ибо самоуверенный амбициозный человек, как правило, не допускает и мысли о том, что его могут обмануть.

— Итак, гражданин Фролов Денис Владимирович, — мерно и делано равнодушно заговорила следователь, — около полутора месяцев назад от гражданина Щеголько Михаила Валентиновича вы узнали о том, что сотрудник уголовного розыска, офицер полиции Геннадий Колосенцев взялся написать для ваших заказчиков пробную игру...

С лица Фролова не сходила небрежная улыбка. Кажется, он даже слушал невнимательно.

— Когда вы узнали, что у вас есть конкурент, вы пришли в ярость, вам очень не хотелось терять источник дохода. Вы покупаете игру, регистрируетесь и начинаете играть. Ник Колосенцева Пума, это известно, и вам легко его идентифицировать. Вы входите в игру и изучаете характер Пумы. Кстати, о вас хорошо отзываются остальные члены клана, вы, оказывается, неплохо играете. Вы приходите к выводу, что Пуму можно зацепить... на чем? Вот этого я не знаю, но вы и сами мне скажете, это ведь такая мелочь в сравнении с остальным, а все остальное нам и так известно.

— На античитерской программе, — усмехнулся Денис Фролов. — Пума был админом, а для любого админа такая программа на вес золота.

— Понятно, — кивнула Рыженко, стараясь не показать, что эта информация имеет для нее хоть какое-то значение. — Но это не столь важно. Вы ждете, когда будут соревнования, приезжаете, смотрите на играющих, они в майках, на которых крупно написаны их ники, так что найти Пуму-Колосенцева труда не составляло. У вас все продумано, вы готовились, вы же мастер составления сюжетов. И шприцами с нужными веществами запаслись, и место в гаражном массиве, где пусто и темно, вы присмотрели заранее, и маршрут продумали, вернее, два маршрута: один для вас, покороче и полегче, другой для Колосенцева, подлиннее, чтобы он ехал к месту своей смерти подольше. Он и приехал. Одна незадача: ювелир Курмышов немножко нарушил ваши планы. Геннадий его освободил и оставил сидеть в кустах, очень торопился на встречу с автором программы, и убили вы Гену прямо на глазах несчастного ювелира, который от ужаса не смог справиться с собой и начал издавать какие-то звуки, которые вы и услышали. Тем самым ювелир Курмышов подписал себе смертный приговор. Он был ослаблен тремя сутками воздействия сильного препарата, поэтому не мог вам сопротивляться, когда вы его затаскивали в машину Геннадия. Труп Колосенцева вы выбросили возле общаги гастарбайтеров, здание под снос, никаких камер, полицейских или охраны. Это было остроумное решение, ведь такое общежитие мигрантов всегда априори является местом возможного оперативного интереса. Такими местами являются также рынки, вокзалы, аэропорты, но они вам не подходят: там охрана, полиция и камеры круглосуточно, а возле общаги никого и ничего, только грязь и тишина. И к реализации этой части плана вы тоже подошли с умом. Откуда-то у вас появилась бутыль с тиофосом, завалялась, видно, на даче у вас или у соседей, вот с нее-то и начался ваш замысел. Кругом все строятся, вокруг полно рабочих, и в основном — именно мигрантов, так что сообразить, как навести подозрение на несчастных работяг, оказалось несложным. Конечно, было бы красиво подбросить бутыль с тиофосом куда-нибудь на участок, где работают обитатели именно этой общаги, тогда уж никто бы никогда не начал сомневаться. Но вы осторожны, Денис Владимирович. Мало ли что? Вы же столько всяких сюжетов придумали и знаете, какие нелепые совпадения случаются. А вдруг у всех, кто работал бы на этом объекте, оказалось железное алиби? Ну прямо такое железное, что ничем его не пробить. Можно было бы, конечно, понадеяться на необъективность и выраженный обвинительный уклон нашего следствия, и основания к этому у нас всех есть, скрывать не буду, но... — она усмехнулась, — вы пошли более правильным путем: вы просто уничтожили эту бутыль. И обрекли нас всех на пожизненные ее поиски. Верно? Мы бы увязли в этом болоте. И до вас дело никогда не дошло бы.

Рыженко сделала паузу, потому что в протоколе писала совсем не так, как говорила. Вслух она произносила монолог, а в протокол записывала «Вопрос» и «Ответ». Ответы она, разумеется, формулировала сама. Не подпишет Фролов — и не надо, всегда можно допросить его еще раз после того, как он погреется в камере. Но чаще всего прием срабатывал.

Закончив формулировать вопросы и ответы, касающиеся тиофоса, она перешла к следующему блоку:

— Но сначала вы ювелира завезли в другой конец Москвы и задушили. Судя по всему, из машины он выходил сам, зачем вам убивать его в машине и потом выволакивать? Мало ли какие следы могут остаться в салоне, да и усилия лишние тратить незачем. Вы предложили ему выйти облегчиться? Скорее всего, иначе он не понял бы, почему надо останавливаться и выходить в лесополосе. Насчет следов вы все продумали, вы даже обратили внимание на то, что от Курмышова дурно пахнет, и подстелили на переднее сиденье кусок полиэтилена, чтобы оно не испачкалось и не провоняло. Но следы все равно остались. По дороге вы мирно беседовали с ювелиром, хотели, вероятно, чтобы он успокоился и перестал вас бояться. Он вам рассказал что-то о себе? Что именно? Впрочем, это неважно. Он успел сказать главное: назвал свою профессию. И это дало вам возможность проявить фантазию и инсценировать убийство по профессиональному мотиву. В кармане нашлась бумажка — рабочий пакет, а если бы и не нашлась, вы бы сами что-нибудь придумали, вы же такой мастер составления детективных сюжетов. А уж потом вы привезли тело Колосенцева в Восточный округ и в темноте аккуратненько вытащили из багажника и бросили возле общежития. Машину оставили неподалеку, потом не поленились, вернулись к трупу и положили ключи от машины в карман куртки. Полная иллюзия того, что Геннадий сам приехал сюда живым и здоровым и уже в этом месте был убит. Гениальное решение. Вы вообще человек не ленивый, и за это вам честь и хвала. Могли бы ведь и на своей машине вывезти Колосенцева и ювелира, но нет, вы использовали машину Геннадия, а потом каким-то образом вернулись к гаражам за своим автомобилем. Но вы все равно не гений, Денис Владимирович. Даже если бы вы не забыли убрать из машины Колосенцева кусок полиэтилена, вы все равно допустили прокол. Еще один. Знаете какой?

Фролов молчал, глядя на Рыженко надменно и при этом словно не видя ее.

— Посмотрите на то, как вы сидите, — улыбнулась она. — Посмотрите-посмотрите. Обратите внимание на места, которыми ваши брюки соприкасаются со стулом. Вы прикрыли полиэтиленом горизонтальную поверхность автомобильного сиденья, но не подумали об обивке передней поверхности подушки этого сиденья. А там следов более чем достаточно.

Фролов опустил голову и послушно принялся рассматривать свои брюки и стул, на котором он сидел. Потом поднял глаза на Рыженко.

— И что? Мало ли кого ваш Колосенцев возил в своей машине? Может, бомжей или алкашей в грязных штанах. Из того факта, что у Колосенцева в машине кто-то обделался, никак не вытекает, что там сидел именно ваш убитый ювелир. Я, видите ли, ролевые игры пишу, а для этого нужно кое-что знать из области криминалистики, — криво усмехнулся он. — И мне достоверно известно, что судебно-биологическое исследование групповой принадлежности выделений практически бесполезно. Даже столь продвинутое и модное молекулярно-генетическое исследование очень редко дает в этих случаях положительные результаты.

— Вы правы, — улыбнулась Надежда Игоревна. — На сто процентов. Но вы забыли, что речь идет о немолодом человеке, всю жизнь посвятившем сидячей работе. А это означает что? Правильно, Денис Владимирович, вы — человек молодой, и такие вещи вам просто в голову не приходят. Знаете такое заболевание — геморрой? Так вот Леонид Владимирович Курмышов страдал геморроем, причем в тяжелой форме, а от трех дней пребывания в сидячем положении на полу гаража болезнь обострилась, и в каловые массы попала кровь. А следовательно, и в следах каловых масс обнаружены следы крови. И молекулярно-генетическое исследование установит их принадлежность конкретному лицу практически со стопроцентной вероятностью. Вот как-то так.

— И все равно игра стоила свеч, — негромко проговорил он. — Столько драйва в моей жизни никогда не было.

— А уж сколько драйва у вас впереди, — весело заметила Рыженко, — когда вы окажетесь сначала в камере следственного изолятора, а потом на зоне! Знаете, Денис Владимирович, я вам даже немного завидую. Вы — человек, у которого все получается. Вы хотели драйва и острых ощущений? Так вы их получите. Это я вам обещаю.

Антон и Дзюба сидели здесь же, в кабинете, но в допросе не участвовали, только слушали и наблюдали. Рыженко уже распечатывала протокол, когда у нее на столе зазвонил телефон. Надежда Игоревна взяла трубку.

— Да... Да, хорошо, я сейчас закончу допрос и зайду к вам.

По тому, какой взгляд она бросила на оперативников, стало понятно, что хороших новостей ждать не приходится.

Фролова увели. Антон и Роман потянулись было за своими куртками, но Рыженко жестом остановила их:

— Подождите меня, не уходите. Я скоро вернусь.

Вернулась она действительно довольно быстро. На губах Надежды Игоревны играла горькая усмешка.

— У меня забирают дело Фролова и передают другому следователю.

— Почему? — взвился Роман. — Вы же провели следствие, вы только что допросили виновного, вы...

— А ты не понимаешь? — Рыженко посмотрела на Дзюбу тепло и как-то по-матерински. — Господи, Ромка, какой же ты хороший парень. Испортит тебя наша страна идиотов. Или вообще искалечит.

Более искушенный и опытный Антон все понял сразу.

— Значит, все-таки занесли... От Михалева?

Рыженко кивнула.

— Естественно. Так что теперь в деле об убийстве ювелира Курмышова не будет ни слова ни про Григория Дубинюка, ни про похищение, ни про гараж, в котором держали ювелира, а будет написано, что свидетелем убийства Колосенцева оказался случайный прохожий по фамилии Курмышов, который и был убит Фроловым в целях сокрытия преступления. А нет Дубинюка в деле — нет и Волько. Уж ради своего кумира Михалев расстарался. Вот и вся история.

И снова Алексей Юрьевич Сотников ехал в машине, присланной за ним Олегом Цырковым. Олег позвонил и попросил приехать, упомянув, что Илья Ефимович тоже приглашен. Зачем? Не сказал. Сотников, конечно, тут же перезвонил Горбатовскому, но и тот оказался не в курсе. Никакого изделия, которое можно было бы представить на обсуждение, ни у одного, ни у другого ювелира не было. Алексей Юрьевич терялся в догадках. Девять дней со дня смерти Лёни уже прошли, а сороковины еще не наступили, значит, не в Курмышове дело. Тогда в чем?

— У меня предложение, — начал Олег, когда Сотников и Горбатовский уселись на свои привычные места, в кресла вокруг низкого широкого стола. —

Я бы хотел, чтобы у вашей дочери, Илья Ефимович, осталась память о Леониде Константиновиче. И я прошу вас, Алексей Юрьевич, придумать и сделать траурное изделие. Я его оплачу, сколько бы оно ни стоило. А Илья Ефимович подарит Карине от всех нас, от людей, которые искренне любили Леонида Константиновича и уважали его как мастера.

По тому, как нервно дернулось лицо Горбатовского, Алексей Юрьевич понял: его друг далеко не в восторге от предложения Цыркова. Не хочет Илюша, чтобы у его дочери оставалось хоть что-то в память о Лёне. И самой памяти о Лёне он не хочет.

— И как вы видите это изделие? — спросил Сотников.

— Ну, я думаю, что-нибудь традиционное, как в девятнадцатом веке. Черное эмалевое поле с крестом или с символической незабудкой. Но я ни на чем не настаиваю, — поспешно добавил Олег. — Вы наверняка предложите что-то оригинальное. Мне только хочется, чтобы это была не современная идея, а старинная.

Да, идея-то неплоха, но кресты и незабудки... Сотников поморщился. Слишком прямолинейно. Он любит сложные ассоциативные связи, а незабудка — это очень уж в лоб. И потом, незабудки на траурных изделиях в девятнадцатом веке делали либо из половинок жемчужин, либо из бриллиантов. Работать с бриллиантами он не любит, а на жемчуг Цырков ни за что не согласится, он наверняка хочет, чтобы подарок в память о Курмышове получился дорогим.

— Вы не возражаете, если я подумаю над использованием в изделии слова «Mizpah»? — спросил он.

— А что это? — вскинул брови Цырков.

— Это слово означает эмоциональную связь между людьми, которые разлучены, — пояснил Алексей

Юрьевич, — и в девятнадцатом веке очень часто использовалось в ювелирных изделиях. Правда, как правило, со смыслом: «Я всегда буду рядом с тобой». Но мне кажется, что в рамках поставленной вами задачи это более чем уместно. Как ты думаешь, Илюша?

Горбатовский недовольно нахмурился, потом лицо его внезапно прояснилось, глаза сверкнули.

— Хорошая идея, Алёша. Я поддерживаю.

Вот, значит, как! Быстро сориентировался Илья. Он-то прекрасно знает канонический текст: где бы ты ни был, какой бы дорогой ни шел, в богатстве и славе или в отчаянии и болезни, я всегда буду рядом с тобой. Илья подарит изделие, сделанное Сотниковым, своей Карине с вполне определенно читаемым посылом: я, твой отец, всегда буду рядом с тобой, ты всегда найдешь во мне защиту, поддержку и утешение.

И никакого Лёни Курмышова...

Антон Сташис медленно шел по направлению к детской поликлинике. Надо пробовать... Эля назвала двух врачей, они, правда, работают в разные смены, но хотя бы с одной из них можно сегодня познакомиться. Это же нормально, когда отец ребенка приходит к педиатру поговорить о здоровье малыша, правда? Ничего подозрительного. Отец — человек занятой, в поликлинику Степку приводит няня, она же и с врачами общается. А он хочет получить информацию из первых рук. Все нормально. Может, окажется, что эта женщина не очень противная... Или даже совсем не противная...

Нет, как-то это мерзостно. Гадостно. Неправильно. Но что же делать-то?

Из задумчивости его вывел резкий звук автомобильного сигнала. Антон покрутил головой и увидел, как чуть впереди притормаживает у тротуара машина. Чего он сигналил-то? Идет себе по тротуару человек, никого не трогает, ничего не нарушает.

— Сташис! — послышался знакомый голос.

Из машины выскочил Владислав Стасов, тот самый владелец частного детективного агентства, для дочери которого Зарубин искал старый учебник криминологии.

— Ну вы даете, Владислав Николаевич, — расхохотался Антон, обрадованный тем, что поход в поликлинику откладывается хотя бы на пять минут. — Так инфаркт можно заработать.

— А я смотрю — идет кто-то до боли знакомый. — Стасов стиснул его в медвежьих объятиях. — Идет себе, мечтает о кренделях небесных. Ты далеко собрался? Тебя подбросить?

— Да мне тут рядом, — пробормотал Антон, — в детскую поликлинику.

— С детьми проблемы? — обеспокоился Стасов. — Может, помощь нужна?

— Да нет, я так... — и чтобы уйти от скользкой темы, Антон тут же перескочил на другое: — Кстати, я забыл вам сказать: владелец учебника очень просил быть с книгой поаккуратней, это раритет по нынешним временам.

— А, да, — спохватился Стасов. — Иди сюда, я тебя с Лилькой познакомлю. Это моя дочь, для которой ты учебник доставал. Лиля! Выйди на минутку!

Дверь машины открылась, вышла высокая крупная девушка в меховом жакете и джинсах. На Антона весело и дружелюбно глянули широко распахнутые огромные серые глаза, в которых плескались улыбка и готовность рассмеяться. На какой-то миг ему показалось, что он готов буквально утонуть в этих глазах.

— Лиля. — Девушка протянула ему руку. — А я знаю, вы Антон, папа про вас много рассказывал. Спасибо вам за учебник. И вашему товарищу, владельцу учебника, передайте, пожалуйста, от меня огромную благодарность.

Он прикоснулся к ее руке.

И в этот момент отчетливо понял: в поликлинику он не пойдет. И в школу тоже.

Оглавление

Литературно-художественное издание

А. МАРИНИНА. БОЛЬШЕ ЧЕМ ДЕТЕКТИВ

Маринина Александра

ПОСЛЕДНИЙ РАССВЕТ

Ответственный редактор *Е. Соловьев*
Художественный редактор *А. Сауков*
Технический редактор *О. Лёвкин*
Компьютерная верстка *И. Ковалева*
Корректор *Е. Сербина*

Иллюстрация на обложке *И. Хивренко*

ООО «Издательство «Эксмо»
123308, Москва, ул. Зорге, д. 1. Тел. 8 (495) 411-68-86, 8 (495) 956-39-21.
Home page: **www.eksmo.ru**   E-mail: **info@eksmo.ru**

Өндіруші: «ЭКСМО» АҚБ Баспасы, 123308, Мәскеу, Ресей, Зорге көшесі, 1 үй.
Тел. 8 (495) 411-68-86, 8 (495) 956-39-21
Home page: www.eksmo.ru   E-mail: info@eksmo.ru.
Тауар белгісі: «Эксмо»
Қазақстан Республикасында дистрибьютор және өнім бойынша
арыз-талаптарды қабылдаушының
өкілі «РДЦ-Алматы» ЖШС, Алматы қ., Домбровский көш., 3«а», литер Б, офис 1.
Тел.: 8 (727) 2 51 59 89,90,91,92, факс: 8 (727) 251 58 12 вн. 107; E-mail: RDC-Almaty@eksmo.kz
Өнімнің жарамдылық мерзімі шектелмеген.
Сертификация туралы ақпарат сайтта: www.eksmo.ru/certification

Сведения о подтверждении соответствия издания согласно
законодательству РФ о техническом регулировании можно
получить по адресу: http://eksmo.ru/certification/

Өндірген мемлекет: Ресей
Сертификация қарастырылмаған

Подписано в печать 04.02.2014. Формат 84х108 $^{1}/_{32}$.
Гарнитура «Гарамонд». Печать офсетная. Усл. печ. л. 25,2.
Доп. тираж 8000 экз. Заказ № А-336.

Отпечатано в типографии филиала
ОАО «ТАТМЕДИА» «ПИК «Идел-Пресс».
420066, г. Казань, ул. Декабристов, 2.

ISBN 978-5-699-66405-4

Оптовая торговля книгами «Эксмо»:
ООО «ТД «Эксмо». 142700, Московская обл., Ленинский р-н, г. Видное,
Белокаменное ш., д. 1, многоканальный тел. 411-50-74.
E-mail: **reception@eksmo-sale.ru**

По вопросам приобретения книг «Эксмо» зарубежными оптовыми
покупателями обращаться в отдел зарубежных продаж ТД «Эксмо»
E-mail: **international@eksmo-sale.ru**

International Sales: International wholesale customers should contact
Foreign Sales Department of Trading House «Eksmo» for their orders.
international@eksmo-sale.ru

По вопросам заказа книг корпоративным клиентам, в том числе в специальном
оформлении, обращаться по тел. +7 (495) 411-68-59, доб. 2261, 1257.
E-mail: **vipzakaz@eksmo.ru**

Оптовая торговля бумажно-беловыми
и канцелярскими товарами для школы и офиса «Канц-Эксмо»:
Компания «Канц-Эксмо»: 142702, Московская обл., Ленинский р-н, г. Видное-2,
Белокаменное ш., д. 1, а/я 5. Тел./факс +7 (495) 745-28-87 (многоканальный).
e-mail: **kanc@eksmo-sale.ru**, сайт: www.kanc-eksmo.ru

Полный ассортимент книг издательства «Эксмо» для оптовых покупателей:
В Санкт-Петербурге: ООО СЗКО, пр-т Обуховской Обороны, д. 84Е.
Тел. (812) 365-46-03/04.
В Нижнем Новгороде: ООО ТД «Эксмо НН», 603094, г. Нижний Новгород,
ул. Карпинского, д. 29, бизнес-парк «Грин Плаза». Тел. (831) 216-15-91 (92, 93, 94).
В Ростове-на-Дону: ООО «РДЦ-Ростов», пр. Стачки, 243А. Тел. (863) 220-19-34.
В Самаре: ООО «РДЦ-Самара», пр-т Кирова, д. 75/1, литера «Е». Тел. (846) 269-66-70.
В Екатеринбурге: ООО «РДЦ-Екатеринбург», ул. Прибалтийская, д. 24а.
Тел. +7 (343) 272-72-01/02/03/04/05/06/07/08.
В Новосибирске: ООО «РДЦ-Новосибирск», Комбинатский пер., д. 3.
Тел. +7 (383) 289-91-42. E-mail: eksmo-nsk@yandex.ru
В Киеве: ООО «РДЦ Эксмо-Украина», Московский пр-т, д. 9. Тел./факс: (044) 495-79-80/81
В Донецке: ул. Артема, д. 160. Тел. +38 (032) 381-81-05.
В Харькове: ул. Гвардейцев Железнодорожников, д. 8. Тел. +38 (057) 724-11-56.
Во Львове: ТП ООО «Эксмо-Запад», ул. Бузкова, д. 2. Тел./факс (032) 245-00-19.
В Симферополе: ООО «Эксмо-Крым», ул. Киевская, д. 153.
Тел./факс (0652) 22-90-03, 54-32-99.
В Казахстане: ТОО «РДЦ-Алматы», ул. Домбровского, д. 3а.
Тел./факс (727) 251-59-90/91. **rdc-almaty@mail.ru**

Полный ассортимент продукции издательства «Эксмо»
можно приобрести в магазинах «Новый книжный» и «Читай-город».
Телефон единой справочной: 8 (800) 444-8-444. Звонок по России бесплатный.

Интернет-магазин ООО «Издательство «Эксмо»
www.fiction.eksmo.ru
Розничная продажа книг с доставкой по всему миру.
Тел.: +7 (495) 745-89-14. E-mail: **imarket@eksmo-sale.ru**